Os Caminhos do Amor

em Bread & Joy

Leonina Vieira

MARCOS H. N. ROSSI

UNDERLINE
PUBLISHING

ISBN-13: 978-1-949868-16-6

Publicado por Underline Publishing LLC

www.underlinepublishing.com

Preâmbulo e Agradecimentos

Durante o inverno americano de 2013, depois de publicar "Flores na Varanda" e de receber comentários positivos e palavras de incentivo de amigos e familiares, uma nova ideia passou a tomar corpo em minha mente, mais na forma de um questionamento do que de uma ação ou movimento. Estaria eu pronto para algo maior? Será que eu conseguiria escrever um romance? Estaria eu à altura de tamanho desafio?

Tal ideia (ou ainda um questionamento naquele momento) esteve em meus pensamentos por alguns meses, mas permaneceria em segundo plano, já que aqueles eram dias de incertezas em minha vida. Vania e eu lutávamos pela sobrevivência de uma pequena empresa; luta que terminaríamos perdendo, fazendo com que o assunto mais urgente passasse a ser conseguir um emprego para sustentar a família.

Porém, o inesperado viria a ter um papel bastante favorável para que esse projeto fosse adiante. A edição brasileira de Flores na Varanda lançado em junho de 2013, acabou atingindo um público que foi além dos meus círculos de amigos e familiares, e alguns feedbacks recebidos de pessoas que eu jamais havia visto antes foram tão positivos, que de repente a resposta para o meu próprio questionamento ficou clara em minha mente. Sim, era chegado o momento de enfrentar um desafio maior. Eu iria escrever um romance.

Mas permita-me dar um passo atrás no tempo por um instante. O leitor atento deve ter percebido o uso da palavra "projeto" no parágrafo anterior. Pois para fazer deste livro uma realidade, foi necessário exatamente isso; um projeto com definição de fases, cronograma, recursos disponíveis, missão, visão e o rascunho de um enredo que nasceu depois de um pequeno empurrãozinho que se materializou através das perguntas inocentes, feitas por uma criança.

Durante o período em que trabalhei em casa (e posteriormente enquanto buscava um novo emprego), tive a oportunidade de desfrutar o prazer de levar meu filho mais novo, Gianpietro, às suas aulas de piano. Em um desses dias, enquanto nos dirigíamos para sua aula, ele virou-se para mim e perguntou: "Pai, você vai escrever outro livro?" Minha resposta para ele foi mais uma dúvida que uma resolução. Eu disse que gostaria de escrever, mas que não tinha certeza se o faria. E então ele seguiu fazendo perguntas: "E sobre o que seria o livro? Onde seria a história?" Sua curiosidade acendeu algo dentro de mim.

Passei a elaborar minhas respostas e de repente me dei conta de que na verdade eu já tinha algo que necessitava tomar corpo. Naquele mesmo dia, em vez de distrair-me com meu iPad enquanto escutava sua adorável música, comecei ali mesmo a rascunhar o esqueleto de minha história. E naquele momento Bread & Joy ganhou vida. Por esse motivo, meu primeiro agradecimento vai para você Gianpietro, meu adorável caçula, por me fazer notar que eu trazia algo dentro de mim que necessitava fluir de minha cabeça para um pedaço de papel (ou iPad).

Os passos seguintes aconteceram em um fluxo criativo bastante natural (elaboração de um enredo, escolhas de um tema e de um lugar no tempo e no espaço para a história). Porém, o projeto de escrever um romance viria a impor alguns desafios bastante novos

4

e muito diferentes daqueles encontrados para se escrever um blog (que acabou se materializando em um livro).

Para começar, o blog "Flores na Varanda" trazia embutido um processo natural de retroalimentação. Eu escrevia, postava o texto, as pessoas liam, comentavam, passavam a seguir os posts, a sugerir assuntos para novos textos e de repente a coisa acabou ganhando vida própria e se impulsionou por si. E eu me acostumei com tal processo, que não se aplica a um romance. Passei então a questionar-me: "Como poderei escrever algo sem um processo de retroalimentação?", "Como poderei sequer avançar sem tal mecanismo tão viciante?" Depois de escrever as primeiras páginas, ficou claro para mim que eu precisava desenvolver algo assim. Eu necessitava receber algum tipo de crítica para me dar um norte, um senso de direção que me traria a segurança de estar indo no caminho correto.

Foi então que em agosto de 2013 decidi-me por engajar algumas pessoas muito queridas por mim que haviam sido seguidores fiéis do blog e lhes pedi um favor que somente amigos fariam. Pedi que usassem parte de seu valioso tempo pessoal para ler o que eu escrevia e me dessem suas opiniões honestas a respeito. E, provando que são realmente grandes amigos, depois de alguns pedaços de pizza e algumas cervejas, eles aceitaram o meu pedido com entusiasmo.

Esse grupo se reuniu comigo por quatro vezes no espaço de um ano e me proveu com ideias, sugestões e recomendações que tiveram um papel fundamental para mim. Sem esse processo de retroalimentação eu jamais encontraria a motivação de ir até o fim e muito provavelmente perderia meu senso de direção. Assim sendo, meu próximo agradecimento vai para esse grupo de pessoas maravilhosas. Rogério Fagondes, Angélica Konrad, Paulo e Josiane Pressi, Nelson Gonçalves e Lúcia Maria Machado (a vó Lúcia como todos a chamamos), sem vocês este livro simplesmente não existiria.

Porém, a ausência de um processo de retroalimentação não seria o único desafio que eu teria de encarar em minha jornada para escrever um romance. Pelo fato de eu ter escolhido ambientar o enredo num momento histórico (Segunda Guerra Mundial na Inglaterra), precisei fazê-lo da forma mais realista possível. Para isso foi necessário alinhar os eventos históricos e suas datas de forma precisa, fazendo-se necessária uma vasta pesquisa sobre o período. Ao inserir os fatos mais relevantes daqueles anos difíceis na narrativa, o leitor acabou ganhando como benefício a possibilidade de reavivar sua memória sobre tais fatos (pelo menos no que concerne ao front europeu) enquanto lê a história. Porém, isso não seria suficiente, pois eu precisava de nomes de lugares reais (bairros, cidades, regiões). Eu carecia de um conhecimento local que minhas poucas visitas àquele país se provaram insuficientes para suprir. Foi quando o nome de uma pessoa muito querida me veio à mente: Shoa Abedi. Este grande amigo me proveu com as informações que eu buscava e revisou a veracidade de certos nomes e fatos de uma maneira que só um cidadão inglês poderia fazê-lo. Por tanto, meu próximo agradecimento vai para você, Shoa. Sem suas contribuições, a história provavelmente não sairia tão realista.

Conforme fui me aproximando do final do processo criativo, pensei ter chegado o momento de colocar a história realmente à prova, e decidi envolver uma pessoa que vive com livros nas mãos diariamente. Estela Lutero, minha grande amiga há quase trinta anos, é PhD e já leu mais livros em sua vida do que eu provavelmente leria em dez. Telefonei para ela e disse: "Você leria e me daria seu parecer?".

Ela não só aceitou como leu todo o manuscrito em tempo recorde. Seus comentários foram muito encorajadores e suas sugestões de melhoria no texto foram tão poucas que me fizeram finalmente sentir confiante o suficiente para seguir adiante e publicar o trabalho. Estela deu ainda um passo além e engajou sua filha, Ana Clara Tavares, uma estudante universitária que cresceu no Canadá, para fazer a tradução para o inglês. A fase de tradução levou seis longos meses, mas fez a publicação do livro em inglês uma realidade. Assim sendo, Estela e Ana Clara, agradeço a vocês por sua contribuição, que é de um valor simplesmente inestimável.

Mas creio que o agradecimento mais relevante vai para aqueles que se sacrificam junto comigo em minhas jornadas literárias. Para que eu possa encontrar o tempo necessário durante as primeiras horas da manhã para manter vivo o meu desafio de escrever uma página por dia, tenho que me deitar cedo. Tal rotina me empurra para um fuso horário diferente dentro de minha própria casa, por vezes sacrificando horas valiosas de tempo em família. Assim sendo, para vocês Vania, Gianlucca e Gianpietro, o meu muito obrigado por serem tão pacientes e por entenderem que isso para mim é muito mais que um hobby, é uma paixão, e que para materializar esta paixão em um livro publicado, muitos sacrifícios se fazem necessários. E por favor, lembrem-se de que sem vocês como minha maior motivação (afinal, o que mais quero disso é deixar um legado a vocês) eu simplesmente não teria força e a disciplina para fazê-lo.

E finalmente, gostaria de agradecer aos meus leitores. A todos vocês que leram Flores na Varanda e me proveram de suas palavras de incentivo pessoalmente, por telefone, por e-mails e por mensagens em minhas páginas nas redes sociais, deixo meu "Muito Obrigado!!!". Vocês se tornaram meu combustível para seguir adiante e me fizeram entender que essa é uma jornada sem volta. Espero que vocês desfrutem também da leitura de Bread & Joy.

Parte 1
Caminhos que se cruzam

O acidente

O relógio de parede já marcava quase onze horas da noite, horário limite para que a última rodada de bebidas alcoólicas pudesse ser servida.

Sem refletir muito, Frank levantou-se de sua mesa, que ficava num canto escuro do bar, e, cambaleando, fez seu caminho até o balcão para pedir mais duas cervejas.

Albert, que era barman e ao mesmo tempo o dono do bar, olhou por cima do ombro direito de Frank e viu que a caneca que ele acabara de pedir ainda estava em cima da mesa quase cheia. Com um olhar grave e desafiador, encarou Frank sem dizer uma palavra, provocando-lhe um desconforto que o fez enrubescer. Frank baixou a cabeça e, sentindo o mundo girar levemente, achou melhor reduzir seu pedido para apenas mais uma cerveja, ao que Albert, ainda que contrariado, atendeu.

Nem mesmo acabou de servir e o relógio apontou onze horas. Albert fez então a costumeira chamada para a última rodada, antes de fechar as portas. Havia pouca gente no Great Lion naquela noite fria.

Agora o número de acompanhantes na mesa de Frank havia dobrado: em vez de uma caneca de cerveja havia duas. Seu estômago cheio já tentava rejeitar cada gole quando a penúltima caneca foi esvaziada.

Ele olhou então para a última caneca com uma mistura de repugnância, vergonha e avidez. Repugnância porque seu organismo já não podia absorver mais nada. Vergonha, pois sabia que não deveria estar gastando com bebida o pouco dinheiro que ainda lhe sobrava da pensão do exército. E avidez porque também sabia que estava a poucos goles de um apagão completo, que o faria dormir por horas a fio, anestesiando todas as suas dores. Esta última sensação o fez reagir num ato irrefletido, levando a avidez à vitória absoluta sobre a repugnância e a vergonha. Levou a caneca à boca e, quase sem respirar, tomou metade de seu conteúdo.

Parou por um momento para devolver um pouco do gás que ingerira e respirar. Repousou a caneca sobre a mesa e olhou à sua volta. O bar estava quase vazio e Albert já o olhava, incomodado, com o canto dos olhos enquanto limpava as mesas e colocava as cadeiras de pernas para o ar sobre elas, ansioso por fechar e terminar seu dia. De alguma maneira, aquele olhar de reprovação fez com que Frank se lembrasse de seu pai, num passado não muito distante.

Com um olhar fixo em algum ponto da parede, o rapaz lembrou-se da família, das incompatibilidades, das perdas, das despedidas, das derrotas colecionadas em sua ainda jovem, porém conturbada, vida. Pensou em todas as confusões emocionais, seu gênio intempestivo, sua dificuldade em conviver de maneira mais íntima com qualquer pessoa e deu mais um longo gole.

Ainda com o olhar perdido, pensou que sua vida havia sido sempre uma busca. O que buscava, ainda não sabia ao certo, mas sentia que por uma razão ou por outra, havia sempre seguido a trilha equivocada. Sentiu como se houvesse uma tempestade a sua volta e por mais que tentasse fugir dela, esta sempre se ajustava e achava uma maneira de reencontrá-lo e envolvê-lo em ventos, raios e trovoadas.

Pensou que por mais que se esforçasse em fugir, a tal tempestade estava sempre lá. Foi quando de repente escutou uma voz familiar que soprou ao seu ouvido: "Pare de fugir da tempestade, Frank. A tempestade está dentro de você. Para que ela se vá, terá de enfrentá-la".

Com um arrepio na nuca, Frank virou-se buscando o dono daquela voz, que de imediato reconhecera, mas deu de cara com a parede. Aquele último devaneio foi tudo o que precisava para que sua mão levasse a caneca até a boca e a esvaziasse.

Levantou-se abruptamente e cambaleou até o balcão. Deixou o dinheiro no lugar de costume e disse boa noite a Albert, que respondeu com um olhar preocupado. Fazendo-lhe pouco caso, Frank virou-se e fez seu caminho até a porta. Quando deu por si já estava na rua e o vento frio do inverno o fez querer fechar o casaco, mas seus dedos torpes já reagiam com alguma dificuldade em função da embriaguez.

O céu estava tranquilo e não havia risco aparente de um novo bombardeio alemão. Naquele mês de fevereiro de 1943, as coisas haviam se invertido e era a Inglaterra que bombardeava pesadamente a Alemanha. A União Soviética começava a impor severas perdas aos alemães no Leste Europeu, vencendo a Batalha de Stalingrado, sendo esta a primeira vez que os nazistas reconheceriam uma grande derrota. Na África, as batalhas iam sendo vencidas uma a uma, como em El Alamein, fazendo com que o General Rommel, a Raposa do Deserto, saísse em retirada Tunísia adentro e os aliados recuperassem o controle da Líbia. Na frente do Pacífico, os Estados Unidos haviam vencido em Guadalcanal e dariam início a uma forte ofensiva. Havia no ar a expectativa de que a guerra estaria no começo de seu fim.

À medida que Frank dava seus passos, sentia que a calçada se movia. A distância entre os postes de iluminação e as paredes parecia aumentar e diminuir sem qualquer lógica, e por vezes ele não sabia se estava em uma subida ou numa descida. O mais provável era de que não estivesse em nenhuma das duas.

Agarrou-se a um poste e parou por um momento para ver onde estava e assegurar-se de que caminhava na direção correta. Olhou à sua volta e viu a típica cena londrina da época, com prédios semidestruídos pela guerra, ruas mal iluminadas e um céu nebuloso que encobria a lua cheia. Foi então que reconheceu sua esquina. Tudo que precisava agora era atravessar a rua e virar à direita. Uns poucos passos mais e chegaria à pensão, onde seu quarto bagunçado e sujo o esperava com a promessa de uma cama quente e horas de sono sem interrupção. Ali descansaria de suas dores emocionais, e se distanciaria de sua tempestade particular, ao menos por algumas horas.

Num gesto de valentia, tomou fôlego, olhou para os dois lados da rua e não viu nenhum movimento. Soltou o poste e desceu da calçada, decidido a fazer a travessia. Deu os três primeiros passos, porém aquela última caneca de cerveja provou-se realmente um exagero desnecessário. Em uma fração de segundos o mundo girou de maneira irresistível. Sua perna direita, fraturada há algum tempo, fraquejou e seu corpo pesado caiu para traz sem qualquer reflexo que o ajudasse a virar-se e defender-se do impacto com o chão. Sentiu então uma dor intensa na cabeça e um forte desconforto no pescoço.

Num último lampejo de consciência, deu-se conta de que havia caído, dado com a nuca na sarjeta e que sua cabeça repousava toda torta sobre ela, curvando o pescoço em um ângulo bastante incômodo. Levou a mão à nuca e sentiu-a molhar-se rapidamente. Pensou que talvez tivesse caído sobre uma poça d'água, porém quando olhou sua mão viu que estava suja de sangue.

Tentou então olhar em volta para ver se encontrava alguém que o ajudasse, mas a dor no pescoço o impediu-o de fazer esse esforço.

Agora com dores físicas e emocionais insuportáveis, sentiu-se patético. Olhou para o chão, sentiu uma grande tristeza e enquanto uma lágrima escorria sobre seu rosto; indagou-se se esta seria sua última cena. Uma cena tão ridícula e deprimente que já nem mesmo sabia se queria ser encontrado naquela situação por alguém.

Porém, antes de seus olhos se fecharem e de perder a consciência, viu um vulto aproximar-se, mas não houve tempo para reconhecer seu rosto.

Ajudas Inesperadas

Ao abrir os olhos, Frank teve a sensação de que estava no mesmo lugar e na mesma situação em que estava quando perdeu a consciência, já que se encontrava deitado, sentia dores na cabeça e no pescoço e podia ver um vulto não muito longe dele. Mas logo se deu conta de que os lençóis cheirosos e o travesseiro confortável não tinham nada a ver com a rua e a sarjeta de sua última lembrança. Sentia também um gosto amargo na boca e muita sede, sensações que infelizmente aprendera a reconhecer como sinais evidentes de que estava numa manhã pós-bebedeira. Foi quando escutou uma voz feminina dizer: "Doutor, ele está acordando".

Lentamente Frank foi recobrando a visão e por um breve momento pensou reconhecer um rosto que lhe parecia familiar.

– Jennifer?

Conforme a imagem foi se tornando mais clara, viu então que se tratava de uma mulher desconhecida. Uma enfermeira que se aproximou com olhar preocupado, dizendo:

– Não, Frank. Meu nome é Elizabeth. Não se mova muito, por favor. Você bateu forte com a cabeça e virou o pescoço de forma preocupante, por isso está usando uma proteção ao redor dele. Como se sente?

Frank ainda não sabia direito como responder a tal pergunta.

Estava um tanto decepcionado, pois por um momento pensou ter reencontrado sua paixão da adolescência, de quem nunca mais havia tido notícia e que desconfiava ter morrido em algum bombardeio aéreo. Tomou alguns segundos para avaliar-se, mas tudo que pode dizer foi:

– Estou com sede, muita sede.

Foi então que Frank se deu conta de que havia uma segunda pessoa no quarto, que foi logo se apresentando.

– Olá, Frank. Sou o Doutor Philip. Você deu sorte, pois estamos aqui de passagem. A pancada na sua cabeça foi forte, mas sem fratura. O corte já foi devidamente suturado e vai cicatrizar logo. Mas seu pescoço vai demorar alguns dias para que recobre os movimentos, por isso relaxe e tenha paciência. Porém, o que realmente o complicou foi seu nível de alcoolização. Por um momento achamos que íamos perder você. Quantas cervejas você tomou? Bem, não importa. O que importa é que você ficará neste quarto apenas por mais algumas horas e logo será levado para a área comum, junto com os demais. Elizabeth cuidará de sua sede.

Enquanto Elizabeth levantava a cabeceira da cama rodando uma manivela barulhenta, o doutor Philip fez as últimas recomendações e saiu apressado.

Ao ver-se sentado na cama, Frank pode fazer uma melhor avaliação de onde estava. O quarto tinha paredes brancas mal pintadas e não tinha janela. A cama, apesar de ter a pintura da parte metálica descascada, parecia estar em bom estado e era mais confortável que a da pensão. Percebia que havia um criado-mudo à sua direita, mas não podia vê-lo direito, já que a proteção que usava no pescoço não permitia que virasse a cabeça.

Enquanto Elizabeth se dirigia para uma cômoda no canto do quarto para pegar água, Frank pôde então melhor observá-la. Ela aparentava ter mais ou menos a mesma idade que ele; era magra e esguia, e parecia ter belas formas. Seu rosto branco e cheio de sardas parecia cansado, porém levava sempre um sorriso calmo e cálido. Seu cabelo claro e liso escorria até próximo dos ombros, e seus movimentos eram harmônicos e tranquilos. Porém, o que mais chamou a atenção de Frank foi a candura em seus olhos esverdeados.

Elizabeth serviu-lhe a água, que ele bebeu com uma avidez típica de alguém que está de ressaca. Quando terminou, tomou fôlego e perguntou:

— Onde estou? Quem me trouxe aqui? Como sabem meu nome?

Elizabeth o olhou com o canto dos olhos, sorriu com satisfação, pois notava que seu paciente ia aos poucos recobrando seus sentidos, e disse:

— Saber seu nome não foi fácil, já que você não trazia consigo nenhum documento. Mas como tiveram que trocar sua roupa ensanguentada, encontraram a medalha de veterano do exército pendurada em seu pescoço e por isso você foi trazido para cá, para o hospital militar. A princípio você foi levado para uma enfermaria da periferia pelo dono do bar onde você esteve bebendo. Aparentemente ele se deu conta de que você estava por demais embriagado e resolveu segui-lo. Ele com certeza salvou sua vida, pois com o tanto de álcool que você havia ingerido e a temperatura próxima de zero que tínhamos ontem à noite, você provavelmente não teria resistido por muito tempo ao relento.

Elizabeth fez uma breve pausa e notou que Frank tinha agora o olhar perdido, fixo em algum ponto da parede. Parecia estar envergonhado por tudo aquilo. Resolveu, então, quebrar o transe e disse, ainda com um sorriso nos lábios: "Preciso te fazer algumas perguntas, em função da pancada na cabeça, para ver se está tudo bem. Está pronto?"

Voltando a si, Frank consentiu com uma expressão facial quase imperceptível. Elizabeth, então, começou com as perguntas:

— Qual seu nome completo?

— Francis Farrow.

— Lugar e data de nascimento?

— Nasci na fazenda Bread & Joy, no condado de Lincolnshire, em 7 de novembro 1921. Tenho 21 anos.

– Você tem alguém? Onde está sua família?

Essa última pergunta fez Frank parar por um momento; respirou profundamente e com um olhar grave respondeu:

– Não tenho ninguém. Meus pais morreram num bombardeio em outubro de 1940. Meu irmão mais velho foi lutar na África, mas não responde cartas há muito tempo. Não sei se está vivo ou morto.

Elizabeth tentou não demonstrar emoção, afinal ela mesma não estava numa situação muito diferente. Aquela era a história de muita gente em Londres naqueles dias. Continuou perguntando.

– O que você faz? Qual a sua ocupação?

Outra vez Frank fez uma pausa. O nível de desconforto com as perguntas ia crescendo. Olhou outra vez para um ponto perdido na parede e disse:

– Não faço nada, a não ser embriagar-me, desde que fui dispensado do exército em junho de 41.

– Por que o dispensaram?

Frank então achou que o interrogatório estava ficando pessoal demais e reagiu.

– Será que já não ficou claro que minha memória está bem e que minha cabeça está funcionando perfeitamente?

Elizabeth deu-se conta de que havia dado espaço para a curiosidade e pediu desculpas.

– Sinto muito Frank. Você tem razão.

Frank então notou a mudança de expressão na face de Elizabeth e o constrangimento que havia causado com sua resposta e resolveu explicar-se.

– Por favor, não se sinta mal por isso. É que ainda é difícil para mim falar sobre essas coisas.

– Eu entendo. Mas se me permite um comentário, isso pode ser parte do problema. Não falar sobre suas dores não ajuda a processá-las e melhor entendê-las. Isso faz com que viva em fuga permanente de você mesmo. Se não encarar seus fantasmas, eles nunca irão embora.

O comentário de Elizabeth de repente o fez lembrar-se da

voz que escutou na noite anterior, que dizia que a tempestade estava dentro dele e que teria de enfrentá-la cedo ou tarde. Então respondeu:

— Você pode estar certa, mas infelizmente não tenho ninguém para isso.

Elizabeth cada vez mais entendia Frank e sua maneira de ser; sua necessidade do álcool e sua fragilidade emocional. Sem saber bem porque, já que não era suposta a se tornar mais íntima de seus pacientes, ofereceu ajuda.

— Olha, você ficará aqui por alguns dias até recuperar as forças e os movimentos. Se quiser desabafar, fique à vontade. Adorarei escutar e saber mais de você. Conte comigo, está bem?

Frank ficou surpreso com tal oferta. Já há muito tempo em sua vida não recebia um convite tão amável. Olhou nos olhos de Elizabeth e sentiu por ela um apreço que lhe era estranho, diferente de tudo que já havia sentido antes. Assustou-se e respondeu secamente:

— Obrigado. Vou considerar.

Elizabeth então se virou em direção à porta e fechou a conversa dizendo:

— Você precisa de mais alguma coisa? Tenho muitos outros pacientes para cuidar.

Frank fez um sinal negativo com a mão. Elizabeth então se despediu e disse que em breve voltaria com alguns remédios e também para cuidar de sua remoção para a área comum do hospital, junto com os demais soldados, pois ele já não inspirava cuidados especiais.

Ao ver-se sozinho, Frank voltou ao seu transe. Lembrou-se da noite anterior. Das incontáveis canecas de cerveja. Da solidão que sentiu em seu quarto e que o levou a ir até o bar. Da caminhada difícil até sua queda. Das dores físicas e emocionais e do vulto se aproximando enquanto perdia os sentidos.

"Albert... um bom homem. Preciso passar pelo bar para agradecê-lo quando sair daqui." Depois de sussurrar estas breves palavras, começou a sentir-se uma pessoa de sorte naquele momento. Havia sido salvo pelo dono do bar, que foi bondoso o suficiente para preocupar-se com ele. Graças ao seu passado militar, havia sido levado a um bom hospital que não lhe custaria um tostão e estava sendo tratado por uma enfermeira atenciosa e agradável. Que mais ele poderia querer? Por um momento pensou em Deus e de como havia se distanciado dele. Sentiu-se agradecido, apesar de tudo o que havia ocorrido, e concluiu que algo precisava mudar. Se continuasse nesse curso, um final trágico e melancólico era iminente. Sentiu que precisava fazer algo drástico e radical. Mas fazer o quê? Não podia mais lutar na guerra. Não tinha mais família. Não encontrava trabalho...

Resolveu então acalmar-se e resignar-se com o fato de que, ainda que por alguns dias, estaria confinado a uma cama e teria muito tempo para pensar. Lembrou-se então de um pensamento que havia sido dividido com ele por alguém que lhe era muito especial e que lhe fazia muita falta. A mesma pessoa que era dona da voz que escutara na noite anterior em seu momento de embriaguez. Esta pessoa dizia que por vezes o destino nos impõe uma espécie de castigo, como os adultos fazem com as crianças que não se portam bem. Ele nos coloca num canto, olhando para a parede por tempo indeterminado, para pensar no que fizemos e reavaliar nossa conduta. "É isso, estou de castigo para que possa repensar minha vida", pensou.

De repente seus pensamentos foram interrompidos pelo abrir-se da porta. Elizabeth, junto com outros dois enfermeiros, veio fazer sua remoção.

Ao chegar à ala comum do hospital deu-se conta de que seu castigo era brando se comparado com o que outros estavam passando e que realmente tinha sorte. Pôde experimentar mais uma vez os sofrimentos da guerra. Viu gente agonizando, soldados gravemente feridos, uns até sem membros inteiros e outros que certamente não veriam o dia seguinte. Sentiu-se até mesmo culpado por estar ocupando um leito por motivo tão vil, quando outros poderiam estar necessitando daquele espaço. Foi quando se deu conta de que estava sendo observado por Elizabeth. Ela aproximou-se dele, deu-lhe um medicamento com água e disse:

– Não se preocupe. Você não ficará aqui por muito tempo. Em poucos dias irá para casa. Volto à noite para ver como você está. Se quiser então conversaremos.

Aquela observação trouxe um misto de alívio e agonia para Frank. Alívio, pois não ocuparia aquele leito por tanto tempo e também não precisaria testemunhar o sofrimento dos outros soldados feridos indefinidamente. Porém, o simples pensamento de voltar ao seu quarto solitário da pensão o agoniava. Decidiu naquele momento que não queria mais viver lá. Para onde iria, ainda não tinha a menor ideia.

Perdido em seus pensamentos, flagrou-se desejando que Elizabeth ainda estivesse ali e viu-se ansioso pela prometida visita da noite. Fechou então os olhos e pegou no sono novamente.

A Primeira Conversa

Frank havia dormido longas horas e quando despertou já era noite. Pensou que esse sono constante só poderia ser fruto dos medicamentos. Ao tentar mover-se na cama para uma posição mais confortável sentiu a dor no pescoço acidentado. "Isso vai levar algum tempo para melhorar", pensou.

Logo chegou uma enfermeira e perguntou-lhe se precisava de algo. Ele apenas pediu água e para que levantassem seu colchão para que pudesse ver a sua volta com mais facilidade, no que foi prontamente atendido. A enfermeira disse que logo serviriam o jantar. Foi quando Frank se lembrou de que não comia nada há quase 24 horas.

Quando a comida chegou, deu-se conta de como estava faminto. A refeição, que era um luxo naqueles dias difíceis, consistia em purê de batatas, um pouco arroz e legumes e foi ingerida rapidamente. A comida quente no estômago trouxe-lhe uma sensação renovadora. Sentia-se mais forte e mais disposto.

Foi nesse momento que reparou na presença de Elizabeth, no outro lado do salão, checando outros pacientes. O ar que se respirava ali era pesado, e o odor forte dos medicamentos usados em curativos incomodava. A enfermaria onde estava era grande, mas ainda assim podia notar facilmente o que se passava ao seu redor. Tinha provavelmente uns vinte e cinco metros de cumprimento por oito de largura, onde uns vinte leitos cabiam com tranquilidade.

Os leitos estavam todos ocupados; Frank estava no canto oposto à porta de entrada, de frete para ela, de onde podia observar todo o salão. Ao seu lado, um homem já na casa dos seus trinta e cinco anos estava desacordado. Estava assim desde que Frank havia chegado e por alguns momentos questionou-se se ele ainda tinha vida.

Frank seguiu Elizabeth com os olhos na expectativa de que ela o visse, mas aparentemente ela estava fazendo a última ronda daquele dia. Ela ia cama por cama e dava a impressão de que Frank já havia sido inspecionado enquanto dormia, pois ela ia fazendo seu ritual no sentido oposto ao seu leito. Sentiu-se então frustrado e pensou que a promessa não seria cumprida.

Porém, quando Elizabeth terminou de vistoriar seu último paciente, voltou-se e veio lentamente através do salão em direção a sua cama. Frank sentiu então algo parecido com um frio na barriga e uma onda de satisfação o envolveu. Ela viria afinal.

Pôde observá-la enquanto caminhava em sua direção e notou que ela não era exatamente o que ele definiria como uma mulher de beleza singular, mas algo nela era extremamente belo. Algo que não sabia definir em palavras.

– Olá Frank – disse ela ao se aproximar.

– Olá Elizabeth. Que bom que veio. Achei que você já estava prestes a ir embora.

– E iria, num dia normal. Mas hoje tenho uma conversa marcada. Deixei você por último de propósito. Como se sente?

– Mais disposto, mas a cabeça e o pescoço ainda me doem.

Elizabeth, então, pegou sua bolsa. De dentro dela tirou dois espelhos de maquiagem e, posicionando-os de maneira que Frank pudesse ver a parte de trás de sua cabeça, mostrou-lhe o corte e o hematoma que tinha na lateral direita da nuca. Foi só então que Frank se deu conta de que seu cabelo havia sido raspado quase em sua totalidade e apenas um topete havia sobrado. Parecia-se com um soldado novamente.

— Nossa, que corte enorme! E ainda tem um hematoma e tanto.

— Pois é, Frank. Por isso é natural que ainda sinta dores. Mas é bom saber que está mais disposto. Mas não estou aqui para falar de sua cabeça ou de seu pescoço. Em um ou dois dias você estará bem e em condições de ir para casa. Estou aqui para falar de outras dores, para entender o que realmente o trouxe aqui, pois pode ter certeza que não foi nem a batida com a cabeça, nem a virada do pescoço.

Frank sentiu aquelas palavras como um leve soco no estomago. Elizabeth estava certa e havia lido nas entrelinhas. Por um momento desejou que ela fosse menos direta e ficasse ali apenas fazendo companhia para ele, mas pelo olhar penetrante e questionador de sua visita, deu-se conta de que dificilmente iria escapar.

Ele fez então um esforço para olhar ao seu redor. Percebendo seu intuito e desconforto, Elizabeth lhe assegurou que ao seu redor todos estavam dormindo ou prestes a dormir em função dos medicamentos ministrados.

Frank então relaxou um pouco, mas sua boca não se movia. Olhou para Elizabeth com olhos assustados, dando um sinal evidente de que estava em território novo e inexplorado. Não estava acostumado a falar de si e não tinha ideia de como fazê-lo. Sentia um desconforto incrível e um medo imenso de que estaria abrindo uma caixa de pandora, sem ter a mínima ideia do que sairia dali.

Mais uma vez, interpretando seu paciente com precisão, Elizabeth disse:

— Frank, eu sei que é difícil, mas confie em mim. Assim que você começar a falar ficará mais fácil e logo você não vai mais querer parar. Você precisa tirar essas dores do peito, se não acabará voltando para o bar, e do bar voltará para cá. Isso se der a mesma sorte que deu desta vez.

Frank então desviou o olhar e fixou-o num ponto perdido. Ficou assim por alguns segundos, sem dizer uma palavra sequer. Elizabeth então se levantou e disse de maneira amável, porém firme:

— Frank, num dia normal eu já estaria caminhando em direção a minha casa. Meu horário acabou há 10 minutos. Estou aqui para ajudá-lo quando poderia estar indo descansar. Você vai tirar proveito disso ou não?

Frank permaneceu imóvel. Algo mais forte que ele o mantinha feito uma estátua. Foi quando Elizabeth moveu-se em direção a sua bolsa, colocou-a no ombro e disse:

— Pois bem, Frank, a escolha é sua. Tenha uma boa noite.

Elizabeth deu então três passos resolutos em direção à porta e Frank entrou em pânico. Sem pensar muito suplicou em voz alta o que mais soou como um pedido de socorro:

— Espere... volte... por favor.

Elizabeth parou e permaneceu imóvel por um momento. Virou então a cabeça e olhou Frank com o canto dos olhos. Frank então percebeu o que ela tinha de mais belo: o olhar. Doce, porém penetrante. Meigo, mas ao mesmo tempo sagaz. Era o tipo de olhar que tinha algo que viciava. Que ficava por um tempo, mesmo depois de ter-se ido.

Elizabeth voltou-se lentamente, colocou a bolsa onde estava antes, puxou a cadeira e sentou-se. Olhou para Frank com uma expressão aberta e curiosa e disse:

— Sou toda ouvidos.

Frank pôde sentir em seu íntimo que aquilo não era apenas uma expressão ou maneira de falar. Elizabeth havia se posicionado de uma forma que realmente parecia estar pronta para ouvir-lhe dos pés a cabeça, com o corpo e com a alma.

— Ok, Elizabeth. Não sei exatamente como fazer isso, pois não estou muito habituado a esse tipo de exposição, mas farei o melhor que puder.

— Por que não começa do começo? Em que momento de sua vida você acha que as coisas saíram dos trilhos? E não me vá dizer que foi quando saiu da barriga de sua mãe, pois sei que não é verdade.

Frank riu e parou para pensar por um segundo. Essa era uma pergunta interessante, que o levou a fazer uma breve retrospectiva de sua vida.

— Você tem razão. Não foi. Mas já em minha adolescência senti que era diferente. Que tinha dificuldade em me encaixar.

— Entendo. Comecemos por aí então. Conte-me sobre essa época.

— Está bem. Vou contar. Você está prestes a conhecer um Frank que muito pouca gente conhece, mas que é parte de mim. Assim como poucos conhecem a nascente de um rio, mas que afinal é parte do rio e determinou seu curso. Mas prepare-se, isso pode levar algum tempo.

— Não se preocupe Frank, quando eu não puder mais me aguentar, te aviso e continuamos amanhã.

"Amanhã? Ela vai voltar amanhã? Que maravilha, ela vai voltar amanhã." Pensou Frank. Ainda não entedia muito bem porque, mas aquela nova informação o encheu de alegria e o encorajou a falar.

— Ok, Elizabeth. Vamos lá. Pronta para morrer de tédio?

E os dois riram enquanto seus olhares se cruzavam.

As Regras da Escola

Frederick Farrow subiu as escadarias da escola de segundo grau de seu bairro de forma apressada. Era pouco mais de dez e meia da manhã e ainda tinha muito que fazer naquele dia. Havia deixado seu trabalho na fábrica para atender a um chamado urgente da diretora.

Já não precisava mais de orientação de como chegar ao seu destino, afinal essa era a terceira vez naquele agosto de 1936 que visitava a diretora pela mesma razão. O jovem Frank, então prestes a completar quinze anos, cometera outro ato de indisciplina e Frederick, como de costume, era chamado para mais um sermão.

Os tempos eram difíceis. A Alemanha Nazista começava a incomodar. Haviam reocupado as terras fronteiriças com a França, ao longo do Rio Reno, em maio, violando o Tratado de Versalhes assinado ao final da Primeira Grande Guerra em 1919. As ameaças de uma nova guerra estavam no ar e isso gerava uma preocupação a mais em sua cabeça, pois tinha dois filhos, um já em idade de ser soldado e o outro logo atingiria tal idade.

Homem fechado, iletrado e de poucas palavras, Frederick não compreendia o que se passava com Frank, seu filho mais novo. Quando há 13 anos deixaram a Bread & Joy, fazenda produtora de batatas no condado de Lincolnshire, para buscar melhor sorte nas fábricas de Croydon na periferia de Londres, Frank era apenas um bebê doce e brincalhão. Mas dos treze anos em diante, o menino parecia ter se desencontrado. Desde então, seu desdém pelos estudos era evidente, mas nos últimos tempos a situação havia ficado insuportável. Além de cabular as aulas, quando nelas ficava, conturbava o ambiente, desafiava professores, incomodava as meninas e os estudiosos. Dessa vez havia confrontado a professora de religião, colocando-a em situação embaraçosa ao questionar a virgindade de Maria abertamente na frente de todos os demais alunos.

— Desta vez ele foi longe demais, Sr. Farrow. Onde já se viu questionar a Virgem Maria? O que as outras mães vão dizer quando seus filhos comentarem o incidente? O senhor precisa tomar providências senão seremos obrigados a expulsar seu filho daqui – disse a diretora indignada.

— A senhora tem toda razão, vou falar com ele.

Frederick estava impaciente e queria resolver logo a situação para poder voltar ao trabalho, pois temia perder o emprego. Em dias complicados como aqueles seria difícil encontrar outro trabalho.

— Falar só não adianta, o caso dele é de um bom corretivo.

— Mas, minha senhora, como é que se dá corretivo num marmanjo desses?

Obviamente a pergunta ficou sem resposta.

Ao chegar a casa naquela noite, Frederick já não estava tão calmo. Com as sobrancelhas cerradas e um ar de desapontamento, passou por Frank sem dizer uma palavra. Contou para a esposa, Charlotte o acontecido, confessou falta de jeito para falar com o filho sobre o assunto e pediu à mulher que o fizesse.

Frank, então, intuindo o que aconteceria em seguida, foi para o seu quarto onde poderia ficar sozinho, já que Peter, o irmão mais velho, trabalhava no turno da noite.

A mãe entrou sem pedir licença e, com gravidade no olhar, disse:

— Podemos conversar?

— Sim, e acho que já sei o assunto. Não fiz nada demais, mãe, apenas disse o que pensava. Não posso fazer isso?

Indignada, Charlotte elevou o tom de voz.

— Como pode pensar tal coisa da Virgem Maria Santíssima? Você sabe que sou devota. Sempre te peço para rezar para ela e ela sempre nos ajuda. Como pode ofender assim algo tão sagrado? Você está estranho filho, às vezes nem te conheço direito. O que está havendo contigo? Fala, sou tua mãe, quem sabe posso ajudar.

Frank se manteve em silêncio, olhos fixos num ponto, olhando sem enxergar. Parecia distante, procurando uma resposta para as perguntas da mãe. No fundo, nem ele mesmo entendia o que se passava. Não gostava de regras, não gostava de ser mandado, queria saber os "porquês", não gostava de hipocrisia, queria respostas palpáveis. Como podia uma mulher ser mãe sem ter tido sexo com um homem? Milagre divino para ele não era explicação que se desse. Tudo havia de ter uma explicação plausível e científica.

As aulas o entediavam. Não suportava ficar parado olhando os professores vomitarem informações sem se importar com os alunos. Queria participar, questionar, falar, mas tudo isso ia contra as regras, e ele as odiava.

A impressão que tinha é que era diferente, que não se enquadrava e por isso não tinha motivação de estar ali. Simplesmente não queria estudar.

Enfim respondeu à mãe, já impaciente com o seu silêncio.

— Não sei mãe. Há tempos me sinto estranho, diferente. Nem eu me entendo.

— Pois trate de se entender melhor menino, pois não vou admitir que você ofenda à Virgem dessa forma. Sempre soube que a adolescência é um período difícil, mas você está exagerando. Precisamos que você termine o colégio para trabalhar e ajudar nas despesas da casa. Se não tomar jeito as coisas irão se complicar para você. Se uma nova guerra vier e você não estiver estudando ou trabalhando, certamente te mandarão para o campo de batalha.

A mãe levantou-se e já ia saindo quando se voltou para Frank uma vez mais para uma última orientação:

— E não se esqueça, no domingo quando for à igreja, vá se

confessar. Peça perdão por sua língua meu filho, senão será castigado por Deus.

Essa era outra coisa que Frank não aceitava. Como podia Deus ser sinônimo de castigo? Deus deveria ser bom, compreensivo, amoroso com suas próprias criaturas. Afinal, Deus era amor ou castração? Também não tinha resposta para estas perguntas. Sua cabeça ficava mais e mais confusa. Chegava a se questionar se não valeria a pena simplesmente aceitar tudo e não questionar mais nada. Pelo menos teria paz e menos problemas. Mas não conseguia. O questionamento era natural de sua personalidade e como à sua volta ninguém mais era assim, sentia-se um intruso, um agente desestabilizador.

Iria confessar-se afinal. Resignou-se em aceitar o fato de que era um pecador e domingo na igreja, iria se redimir. Mas sua resignação não iria durar muito.

As Regras da Igreja

A missa das onze da manhã daquele domingo já corria adiantada quando Frank entrou pela porta lateral da igreja, e por estar próximo ao altar, suas narinas foram invadidas pelo cheiro de incenso que o padre acabara de espalhar.

Não entendia exatamente porque faziam aquele ritual, já que ninguém jamais havia tomado tempo para explicar-lhe. O que mais lamentava era não poder levantar a mão e perguntar: "Seu Padre, por que faz isso todo domingo?".

Outras perguntas do gênero também rondavam sua cabeça. Afinal, por que se cantava de forma tão triste na igreja? Por que o padre não podia se casar? Havia pensado em ser padre quando criança, mas a ideia do celibato lhe era simplesmente insuportável. Por que mulheres não rezam missa? Enfim, as mínimas explicações jamais lhe foram dadas. Tinha de aceitar tudo aquilo como algo intocável. Sempre fora assim, e assim sempre seria.

A voz do padre interrompeu suas divagações. Já ia longe a homilia, palavra que também ignorava o significado, só sabia que era o momento em que o padre falava aos fiéis dando-lhes orientações de como deveriam comportar-se. Na maioria das vezes não lhe prestava atenção, já que quando o fazia ouvia coisas do tipo "submissão da mulher", "única igreja", "virgindade", "castidade", "ira de Deus", "penitência", e outras coisas que o faziam bocejar e desconcentrar-se. Dizia a si mesmo nestas situações: "Deus não pode ser só isso, não pode!".

Mas estava lá para se confessar. Por um momento havia esquecido o principal objetivo de estar ali. Mas conforme ia escutando a voz do Padre e as coisas que dizia, mais dúvidas vinham a sua mente e menos culpado se sentia. A ideia de confessar-se ia ficando cada vez menos atraente enquanto permanecia ali. Assim, agindo quase que num impulso correu até o confessionário, pois se pensasse um pouco mais desistiria de seu intento.

Ao ajoelhar-se, sentiu as juntas estalarem e sem refletir muito, já foi logo dizendo:

– Perdoe-me Padre, estou confuso e perdido, não sei mais o que digo e o que faço. Tenho a cabeça cheia de dúvidas e questionamentos e estou ferindo minha família com isso. Preciso de ajuda.

Soltou então um suspiro de alívio. Havia conseguido. Havia dito tudo que precisava em apenas algumas poucas palavras. A sensação de alívio era imensa. Confessou suas confusões e questionamentos pecaminosos de uma só vez e agora era só aguardar as palavras sábias do Padre e seus conselhos. Com certeza sairia dali mais bem direcionado. Foi quando a voz de dentro do confessionário, trêmula e cansada, disse-lhe:

– Reza, meu filho. Reza muito e pede proteção, pois o demônio age de várias formas. Podes estar perturbando teu lar por obra dele. Reza três terços e acenda uma vela. Eu te absolvo em nome...

Não importava mais o que o padre dizia, pois já não o ouvia. Sua indignação chegava ao extremo. Era isso que tinha para lhe dizer? Que estava "possuído"? Tudo o que precisava fazer agora era rezar o terço três vezes e tudo estaria bem? Aquilo não lhe fazia o menor sentido. Além de tudo, ser julgado e absolvido por alguém que lhe oferecia o que parecia ser uma visão tão estreita e limitada lhe dava a sensação de que deveria seguir questionando coisas e consequentemente pecando. Sentia mais e mais a necessidade de desafiar aquilo que lhe parecia pura hipocrisia.

As palavras do padre começaram a dar voltas em sua mente: "O demônio age de várias formas". Passou então a questionar se o que pensava vinha mesmo dele; se eram mesmo dele os seus pensamentos; se não seria obra demoníaca pensar tais coisas, ter tais impulsos, tais questionamentos.

Resolveu naquele momento tentar separar dentro de si o que deveria ser seu e que o deveria ser do demônio. Se estivesse de acordo com a Igreja, a escola, a família, isso deveria ser pensamento seu. Se estivesse contrário a tudo aquilo ou se simplesmente os questionasse, seria obra do diabo e imediatamente seria banida de sua mente. Só assim poderia enquadrar-se em seu meio e não causar mais problemas.

Era isso, havia achado a fórmula. De agora em diante não mais seria um problema. Seria sempre o bom exemplo e o diabo não mais o dominaria. Não mais faria dele um ser tão indesejado e desprezado pelos que amava.

Perdido em seus pensamentos, Frank nem se deu conta de que a missa havia chegado ao final. Ficou ali sentado ainda por alguns minutos, tentando convencer-se das conclusões que havia chegado.

De repente, a poucos metros dali, a porta do confessionário se abriu fazendo um ruído estridente. Frank observou com tristeza a figura de seu "juiz", padre Walker, sair dali arrastando-se até a sacristia.

Padre Walker era o mais idoso que conhecia na paróquia e representava o que havia de mais velho e conservador na Igreja. Não sentia por ele a menor simpatia e em suas mãos havia colocado o poder de julgá-lo e perdoá-lo. Sua cabeça parecia estar ainda mais confusa que antes. Por mais absurdo que pudesse parecer, sentia uma identidade muito maior com as ideias e questionamentos que havia atribuído ao diabo e quase nenhuma com as ideias e comportamentos que procurava incorporar.

Será que estaria mesmo "possuído"? Uma enorme crise de identidade começou ocupar seus pensamentos. Afinal de contas, quem era ele? A pessoa que acreditava ser até então ou alguém transtornado por pensamentos desestabilizadores, colocados em sua mente por alguma entidade maligna?

Perguntou-se então em voz alta: "Ou será que querem que eu acredite que não sou quem penso ser para que eu deixe de ser alguém que eles não querem que eu seja"?

Aquele último pensamento o aterrorizara, mas já não tinha tempo para melhor elaborá-lo, já que a igreja começava a ser fechada.

Tinha muito que pensar e elaborar e por isso resolveu ir para casa, mas logo perceberia que lá tampouco ordenaria suas ideias.

As Regras da Família

Frank andou pelas ruas de Croydon a caminho de casa a passos lentos e despretensiosos, sem a mínima pressa de chegar. Aos domingos o almoço costumava sair tarde. Sua mãe encostava-se ao fogão e o pai ouvia as notícias no rádio. Nada de muito interessante acontecia que justificasse maior urgência.

Enquanto caminhava, tentava colocar os pensamentos em ordem procurando pontos de referência, buscando uma identidade própria. Queria respostas, ir além do que via ou sentia, mas não conseguia ir muito longe. Só sabia que seu momento era de dúvidas e que já estava se cansando delas. Definitivamente descartou a ideia da possessão demoníaca. Talvez não fosse isso que padre Walker queria dizer afinal. Talvez houvesse outra explicação. Mas se existia, por que não a dera? Por que não podia ser mais claro e objetivo?

Parábolas. Havia aprendido seu significado na escola recentemente, mas seu atual momento de dúvidas elas não ajudavam muito, apenas faziam com que a névoa que havia se instalado em frente aos seus olhos se tornasse mais espessa.

Quando finalmente entrou em casa, o relógio da sala de jantar marcava uma e meia da tarde e todos o esperavam para o almoço. Ao abrir a porta, deparou-se com caras fechadas e olhares fulminantes. A mãe já foi logo perguntando:

– Menino, onde é que você se meteu? Não viu a hora passar?

O irmão Peter também não perdeu tempo:

– O que há com você? Não tem consideração pelos outros? Estamos aqui morrendo de fome!

Frank então procurou defender-se:

– Eu precisava pensar um pouco, por isso vim andando devagar. Mas, afinal, por que não começaram sem mim? Eu poderia comer sozinho depois.

Até então calado num canto da sala, Frederick levantou-se e erguendo a voz dirigiu-se ao filho com dureza:

– Escute aqui moleque, já não basta me fazer passar pela humilhação de ir ouvir sermão na escola? Já não basta questionar o que é sagrado? Agora quer o pirralho mudar o almoço de domingo? Já não sabe que almoço de domingo todo mundo almoça junto? Já pra mesa, vamos comer. Charlotte, serve o almoço.

Frank calou-se e obedeceu ao pai quase que instintivamente, pois sabia que quando ele saía de sua passividade, a coisa era séria. Porém, quase não tocou na comida. Já não tinha fome. Foi então objeto de novas censuras, afinal todos o esperaram e ele não comia. Irritado levantou-se da mesa e foi para o quarto.

Ouviu os passos da mãe pelo corredor e intuiu que seria punido pelo desrespeito cometido.

– Não vai sair hoje para ver seus amigos. Ficará de castigo em casa – disse Charlotte sem alterar o tom de voz.

– Mas mãe...

– Nem mais uma palavra menino, já não suporto suas diabruras.

Charlotte fechou a porta, pondo um fim à discussão.

Aquilo era demais. Passar o domingo longe dos amigos do bairro seria uma humilhação. Estava cego de raiva e não se conformava com aquilo.

Em seu íntimo, questionava tais tradições. Todo domingo era igual e ele não suportava aquela mesmice. Ficava ainda mais desconcertado quando a mãe vez por outra lhe pedia para que fizesse a oração de agradecimento. Para ele não deveria agradecer a Deus e sim ao pai, que trabalhava para que aquela comida estivesse ali. Mas se dissesse isso para a mãe, seria certamente censurado por ela.

E ela havia usado a palavra "diabrura". Será que tudo aquilo era mesmo coisa do diabo? Frank não entendia como conseguia arrumar confusão tão facilmente, sem qualquer esforço. Bastava uma atitude diferente do padrão, uma observação contrária ao que parecia ser o senso comum e pronto, era censurado e a sensação de rejeição era inevitável.

Sentia-se bastante desorientado, mas uma coisa era certa, tinha que estar com os amigos, afinal já não lhe restava muito. Só então se sentiria confortado, junto dos que eram iguais a ele. Decidiu que iria fugir do castigo, mas infelizmente a nova insubordinação não traria as compensações esperadas.

Distanciando-se dos Amigos

Frank já estava fora de casa por algumas horas. Escapar pela janela não havia sido tão difícil, já que após o almoço de domingo todos descansavam um pouco. Ninguém o viu sair. Porém, seu sentimento de culpa era grande, pois mesmo que não dessem conta de sua ausência, dificilmente regressaria sem ser notado. Mas havia conseguido seu intento. Estava com a turma de amigos discutindo futebol, falando de motocicletas e carros, flertando com as meninas e fumando seu cigarro. Fumava às escondidas havia alguns meses.

Mas alguma coisa não estava bem. Algo não estava se enquadrando. Por mais que tentasse, os questionamentos daqueles últimos dias o haviam atingido de forma diferente. Por vezes se pegava envolto em pensamentos, longe da conversa dos amigos que a essa altura já corria em paralelo.

Pensava sobre a escola, sua dificuldade em progredir nos estudos, sua conturbada vida em família, a igreja onde não mais se sentia bem e finalmente em sua relação consigo mesmo.

Já não sabia direito quem era. Dizia e fazia coisas que ofendiam, fugia de casa, fumava escondido, procurava Deus de forma diferente e silenciosa, de uma maneira que ninguém que conhecesse o fazia. As conversas da turma já não pareciam tão atraentes. Sabia que ainda não era um adulto, mas já não se sentia apenas um garoto.

Estava perdido em seus pensamentos quando Jennifer chegou, bonita como sempre. Tinha os longos cabelos loiros soltos e bem ajustados, caídos em frente aos ombros. A pele clara se destacava naquela tarde ensolarada e seus olhos azuis chamavam a atenção de longe. Alta e esguia, vinha envolvida em seu melhor vestido e logo provocou em Frank as reações químicas e hormonais típicas da idade. Ele então se levantou e foi até ela para conversar. Ao aproximar-se, sentiu que foi evitado, o que ocorreria por mais duas vezes. Já então impaciente, puxou-a pelo braço e perguntou de forma direta:

— O que é que está acontecendo? Por que está me evitando?

A menina olhou assustada, e para evitar embaraço maior, puxou-o para um canto para conversarem:

— Meus pais ficaram sabendo dos seus problemas na escola Frank. Não querem nossa aproximação. Não querem nem que a gente converse. Ameaçaram me mudar de escola e tudo. Sinto muito Frank, mas não dá para continuar. Melhor procurar outra.

Ao acabar de falar, Jennifer virou-se e saiu, voltando para o grupo em que estava antes de ser abordada por ele.

Tudo havia acontecido tão rápido que Frank ainda estava um pouco tonto. Acendeu outro cigarro e o tragou com fúria, sentindo-se o pior dos seres humanos. A sensação de vazio era muito maior do que seu peito podia comportar e invadia a rua, a cidade, o mundo.

Quantas mais o evitariam? Será que perderia também os amigos? Foi nesse momento que sentiu uma vontade irresistível de conversar, falar com alguém, desabafar. Precisava de alguma forma abrir as comportas e falar tudo que sentia, falar sobre as dúvidas que tinha, sobre os questionamentos sem resposta.

Passou então a percorrer pessoa por pessoa de sua turma com os olhos. O amigo Paul tinha apenas treze anos e de tão imaturo, não o entenderia. Jennifer já estava fora de cogitação. Os demais amigos nunca conversavam a sério. A mãe não falava a mesma língua, muito menos o pai. O irmão Peter, de tão fechado jamais havia dado abertura para isso. A igreja já havia tido sua chance. Opção por opção foi sendo eliminada, até que se sentira totalmente sozinho e sem amigos, sem ninguém que o entendesse ou aceitasse. Naquela altura, nem mesmo ele se entendia ou aceitava. Não queria ir para casa, não queria ir para a igreja, não queria ficar na rua, simplesmente não queria existir.

Quando se deu conta, já não estava mais com a turma. Havia andado alguns quarteirões sozinho, perdido em seus pensamentos e com uma tristeza que vinha do fundo. Resignou-se a voltar para casa, pois ainda era relativamente cedo e talvez conseguisse voltar sem ser notado, evitando assim mais dificuldades com a família.

Quando entrou janela adentro viu que tudo estava no lugar. Por milagre ninguém havia estado ali. Foi até o banheiro e lavou-se para tirar o cheiro do cigarro. Os pais ainda descansavam e o irmão havia saído.

Voltou para o quarto e lá se trancou. Pouco a pouco toda sua dor voltou à tona. Não dava mais para segurar. As primeiras lágrimas começaram a brotar em seus olhos e daí em diante, chorou muito e por muito tempo, até adormecer.

Quando acordou, já havia escurecido. Os pais haviam ido à missa da noite, mas logo estariam de volta para o jantar.

Andou pela casa a esmo. Nunca havia se sentido tão só em toda a sua vida. Nunca havia estado tão distante de tudo e de todos, inclusive de Deus, e começava até a duvidar de sua existência. Olhou para o criado-mudo de sua mãe e viu seu livro de cabeceira, a Bíblia Sagrada. Pegou-a com desdém e começou a folheá-la despretensiosamente. Foi então que se deparou com as seguintes palavras: "Pedi, e vos será dado; buscai e achareis; bateis e vos será aberto; pois todo o que pede, recebe; o que busca, acha e o que bate, se lhe abrirá".

A leitura de tal frase em um momento de desespero como aquele o tocou profundamente. Aquilo não poderia ter sido mera coincidência. Continuou a ler, até saciar sua curiosidade. Quem teria dito aquilo? Deu-se conta então de que a frase era do próprio

Jesus. Vestiu-se então de toda humildade que conseguiu encontrar em seu peito e pediu a Deus para que achasse um rumo, um caminho, uma referência, um norte em sua vida.

Depois de sua oração, riu-se do seu próprio ato, como se aquilo que havia acabado de fazer não mais fizesse qualquer sentido. Afinal, não tinha muitas esperanças de que seria atendido. Mas já era tarde demais. A mensagem já havia sido enviada.

Nasce uma Nova Amizade

Frank despertou de seu sono vespertino ainda um pouco entorpecido pelo efeito dos analgésicos. Já havia se acostumado com aquela sensação, após três dias de tratamento.

Já sem usar a proteção no pescoço, aos poucos ia recuperando os movimentos e as dores começavam a abrandar-se. O corte na cabeça já ia cicatrizando e o hematoma havia regredido bastante.

Ao mesmo tempo em que se sentia satisfeito com sua melhora, sentia-se também um pouco aflito, pois sabia o que isso significava. Em breve o mandariam para casa e essa ideia não lhe era nem um pouco agradável. Primeiro porque isso significaria voltar para sua solidão e muito provavelmente para sua antiga mesa do bar. E segundo, e mais importante, lhe privaria da companhia de Elizabeth.

Ela havia cumprido sua promessa com fidelidade surpreendente, visitando-o todas as noites desde que fora internado para lhe ouvir falar de sua adolescência complicada, de seus desajustes e ele já ia se acostumando com aquele delicioso ritual.

Quando se deu conta de que iam servir o jantar, seu coração logo se animou, pois sabia que agora era apenas uma questão de tempo para que Elizabeth viesse.

Como um relógio suíço, pouco antes do final de seu turno ela entrou pela enfermaria para fazer sua ronda costumeira e, como já vinha fazendo nos dias anteriores, deixou Frank por último. Finalmente aproximou-se e com os seu usual sorriso e olhar terno foi logo perguntando:

— Como vai meu adolescente problemático?

Frank deu-lhe um sorriso um tanto envergonhado e respondeu:

— Bem melhor, Elizabeth. Felizmente e infelizmente.

— Como assim? – perguntou Elizabeth sem entender a resposta.

— Nada não, esquece – respondeu Frank, ainda surpreso com o próprio comentário.

Elizabeth o olhou com um ar um tanto desorientado, mas ao mesmo tempo intuía o que Frank havia dito nas entrelinhas. Para quebrar aquele momento um tanto desconfortável, pediu para que Frank retomasse sua narrativa.

— Ok, Frank, nos últimos dias você me contou sobre sua adolescência complicada e dificuldades em se ajustar, mas honestamente ainda não vi nada tão sério. Muitos adolescentes passam por estas fases e mais cedo ou mais tarde acham seu rumo. Isso não aconteceu com você?

— Aconteceu sim, minha querida amiga. E foi um momento ótimo de minha vida.

Depois de três dias conversando, ambos já haviam se permitido alguma intimidade. Chamá-la de amiga já havia se tornado algo em que os dois se sentiam confortáveis. Frank se deu conta naquele momento que falar sobre sua adolescência começava a entediar Elizabeth. Resolveu então dar um salto adiante, para alguns anos mais tarde.

— Poucos anos depois algo inesperado aconteceu, o que me transformaria para sempre. Uma nova pessoa entrou em minha vida e foi uma influência definitiva. Mas, infelizmente, até isso se converteria em sofrimento.

— Verdade? Outra garota? – perguntou Elizabeth com um olhar aberto e curiosidade renovada. Essa reação de Elizabeth fez com que Frank se sentisse aliviado, pois havia conseguido reconquistar o interesse de sua ouvinte.

Frank riu da pergunta de Elizabeth e disse:

— Garota? Não. Naquele momento de minha vida nenhuma garota queria saber de mim. Bem, acho que nesse aspecto minha vida não mudou muito.

Riu-se do próprio humor ácido e continuou.

— Não, Elizabeth, algo bastante inesperado aconteceu. Uma vez escutei dessa pessoa que devemos sempre esperar o inesperado. Na época não entendi muito bem o que ela quis dizer, mas estou começando a achar que ela tinha razão.

— Esperar o inesperado? Como é que se faz isso? — respondeu Elizabeth com uma pequena gargalhada.

Frank começava a gostar cada vez mais não só do sorriso e do olhar de Elizabeth, mas também do som doce de sua voz e de sua gargalhada contida e algo tímida, como se não quisesse chamar muita atenção.

— Pois é, ainda não sei. Mas ao fazer essa retrospectiva com você, estou começando a me dar conta de que é verdade. Deste ponto em diante minha vida foi uma sequência de eventos inesperados. Sente-se, vou te contar sobre Benedict. Uma figura e tanto.

Uma Perda na Família

Aquele mês de agosto de 1939 havia chegado com ameaça de invasão da Polônia pela Alemanha nazista e pela União Soviética, que haviam assinado um pacto de não agressão, dividindo o Leste Europeu em zonas de influência. Ambas haviam negociado dividir a Polônia em duas metades. Como França e Inglaterra haviam prometido proteger aquele país soberano em caso de uma invasão, a guerra agora era apenas uma questão de tempo e todos estavam muito preocupados.

Era uma tarde de sábado mais quente que de costume aquela do dia 26, e Frank procurava fugir dos problemas e de seus vazios lendo. Procurava não pensar muito na vida, mas as reflexões eram inevitáveis.

Pensava nos estudos abandonados havia dois anos e na falta de um emprego, já que por todos os que havia passado, desde que parou de estudar, não tinha conseguido permanecer mais que seis meses. Parecia não se enquadrar em nada. Os trabalhos eram entediantes, sem qualquer sentido maior e sem perspectiva nenhuma. Mas o pior de tudo é que tinha descoberto as piores faces do ser humano. Havia descoberto o materialismo puro; pessoas gananciosas que cobravam dele a mesma postura, a mesma ganância, a mesma falta de escrúpulos, de trabalhar pelo dinheiro e de querer o dinheiro pelo simples fato de ser dinheiro.

Agora, próximo dos seus dezoito anos, Frank vivia uma situação nova em sua vida, já que por quase todo tempo era o único em casa. Peter, o favorito declarado do pai por seu caráter dócil e maduro, havia conseguido um trabalho numa fábrica localizada no extremo norte de Londres. Pela enorme distância e os prolongados turnos de trabalho, ele havia decidido mudar-se para uma pensão perto da fábrica e agora só vinha para casa em suas folgas, que aconteciam de maneira errática. Mas apesar de ser, então, uma espécie de filho único, a distância entre Frank e seus pais era maior que nunca. Já quase não havia comunicação entre eles.

Frederick andava pelos cantos da casa pesaroso, calado como sempre, esperando a aposentadoria chegar. Charlotte há muito deixara de argumentar com o filho mais novo. Diferente de Peter, que era mais calado, focado e que executava suas tarefas e responsabilidades sempre com devoção, Frank era questionador e irreverente e ela se sentia incapaz de responder a suas dúvidas e questionamentos. Apesar do aperto no coração, já começava a entendê-lo como um caso perdido.

Após o episódio do confessionário com padre Walker, Frank jamais havia retornado à igreja. Não rezava mais, não lia a Bíblia, não falava mais sobre Deus. Na verdade, nunca havia se sentido tão longe dele, mas no fundo nunca havia deixado de buscá-lo e ainda esperava encontrá-lo. Como se daria esse encontro, ele ainda não tinha a menor ideia.

Sentia-se só, mas já começava a se acostumar com aquilo, coisa que muito o assustava. Tinha medo de se acostumar com a solidão e com a amargura de seu coração. Ansiava por novos caminhos, novos rumos e lá dentro, como todo mundo, queria ser feliz. Mas ao mesmo tempo, sentia-se cético, desacreditado no futuro e em sua vida. Seu momento de reflexão foi então subitamente interrompido pela campainha. Levantou-se e foi atender a porta. Era o vizinho, dizendo ter alguém ao telefone, querendo falar com Charlotte. Frank chamou a mãe, que rapidamente dirigiu-se à casa ao lado para atender ao chamado.

Ao retornar, Charlotte estava aos prantos. Sua irmã mais velha havia falecido subitamente e deveriam rumar imediatamente para a vila em que ela residia, próxima da fazenda Bread & Joy em Lincolnshire, para assistir ao funeral.

Frederick meio sem jeito tentava confortar a esposa, enquanto Frank assistia a tudo com pena, mas sem sentir muito, já que quase não tinha memória da tia. Seu pai sugeriu que Frank ficasse para olhar a casa, no que concordou de bom grado, pois não tinha a mínima intenção de viajar para tão longe para um velório de alguém que mal conhecia. Além do que, apreciava os momentos em que podia ficar com a casa ao seu dispor, fazendo o que quisesse, na hora que quisesse.

Os pais partiram naquela mesma noite e Frank pôde, então, ficar só. Ou quase só, pois sua solidão já havia se tornado há muito tempo sua maior companheira e amiga.

Ali, no silêncio da casa vazia, tevê oportunidade de vasculhar todas as profundezas de sua alma e buscar iluminar todos os cantos escondidos de sua escuridão pessoal.

Lembrou-se dos anos em que frequentava a escola e de seu comportamento inconveniente, suas idas à igreja, dos namoros inconsequentes, das discussões com a família. Se sua vida parecia infeliz e vazia naquela época, pelo menos tinha coisas para fazer, questionar, discutir. Hoje nem isso tinha.

Lembrou-se então do dia em que Jennifer o deixou. Do desespero em procurar alguém para conversar, da solidão que sentiu em casa e finalmente da oração que fez, após ter lido algumas palavras na Bíblia.

Não se recordava bem das palavras, mas sabia que tinha algo a ver com pedir e ser atendido. Após três anos, aquilo parecia algo estúpido e sem sentido, feito no auge do desespero e certamente não receberia qualquer resposta por sua oração. Mesmo porque, se julgava indigno de ser atendido. Segundo os ensinamentos da mãe, só os que se comportam de acordo com as leis e mandamentos de Deus é que são recompensados com seu perdão, com suas dádivas, suas bênçãos e ele não era o que se podia chamar de um bom exemplo.

Ao pensar no vazio em que sua vida havia caído, questionava-se sobre o futuro e o que poderia esperar dele. De repente, veio-lhe à cabeça uma possibilidade que o deixou em pânico. E se seu pai e sua mãe sofressem um acidente na estrada e morressem, o que seria dele?

Ao pensar nisso, um arrepio subiu-lhe pela espinha e um gosto amargo lhe veio à boca. Não tinha muito ao que se apegar. Não havia estudado, não tinha um emprego, a casa era alugada, o irmão estava longe e certamente não o quereria por perto, pois seus temperamentos eram por demais diferentes. "Meu Deus, o que seria de mim?" questionou-se.

Por um momento arrependeu-se de muita coisa e viu os pais de uma forma diferente, menos conflitiva, mais carinhosa. Dependia deles e jamais havia dado nada em troca que não fossem farpas e agressividades. Se ficasse sozinho seria um ninguém, sem nada por dentro e por fora, sem ninguém para ampará-lo.

Concluiu então que precisava mudar e tomar outro rumo, reconstruir-se como pessoa, mas não tinha a menor ideia de como começar. Não aprovava as ideias dos pais, a ganância da sociedade, a religião não lhe fazia sentido. Sentia-se um extraterrestre abandonado num planeta estranho, deixado a sua própria sorte. Como era difícil ser assim tão diferente.

A oração de três anos atrás lhe veio outra vez à mente. Será que era tão difícil assim que fosse atendido? Será que Deus era tão comerciante, que só o atenderia se já tivesse dado algo em troca antes? Será que para chegar até Deus era obrigatório passar pela tutela de uma religião? Não acreditava nessas coisas. No fundo ainda achava que poderia encontrar Deus por outros caminhos. Mas onde?

Decidiu recorrer mais uma vez à Bíblia da mãe, só que desta vez não a encontrou. Certamente ela a havia levado consigo, para rezar seu defunto. Sentiu-se tolo por um instante, pois mais uma vez num momento de sofrimento, procurava conforto na Bíblia.

Por que procurá-la só nestas situações se ela sempre estava ali? Por que não era mais coerente? Ou procurava sempre ou não mais recorreria a ela nos momentos de desespero. Mas a verdade é que o fato de o livro não estar ali o havia deixado sem nada. Naquele momento, havia sentido falta dele.

Sozinho e cansado de tanto refletir, foi deitar-se, certo de que o dia seguinte seria uma repetição daquele: sem nada de novo, sem reviravoltas, sem respostas para suas perguntas.

Pouco antes de pegar no sono e meio sem saber bem se era ele mesmo quem falava ou se era sua alma clamando por ajuda, disse: "Deus, por favor, me ajude. Mostra-me o caminho".

Antes que pudesse refletir ou pensar no que havia dito, adormeceu. No dia seguinte as coisas já não seriam mais as mesmas. O inesperado o esperava.

A Chegada do Estranho

Frank passou boa parte do dia seguinte sem muito que fazer. Dormiu até tarde, almoçou escutando as notícias no rádio e, à tarde, andou sem rumo pelas ruas da vizinhança.

Ao final do dia já se sentia entediado e começava a se preocupar com o horário, uma vez que os pais deveriam estar de volta antes do anoitecer, que já se aproximava.

Perdido em seus pensamentos, ouviu o ruído do motor de um carro em frente ao portão. Olhou pela janela e lá estava o táxi com Frederick e Charlotte já retirando do porta-malas suas bagagens pessoais e outra mala que Frank não reconhecia. Foi então que reparou na existência de uma terceira pessoa saindo do carro.

Era um homem já de idade avançada, na altura de seus setenta anos, com olhar calmo e sereno e jeito de quem aceitava resignado tudo o que lhe estava ocorrendo. Os longos cabelos cinza, que iam até um pouco abaixo do ombro, e o cavanhaque espesso davam-lhe um ar de mago celta medieval. Frederick então retirou do porta-malas, com a ajuda do taxista, um enorme e pesado baú, que foi colocado na calçada.

Frank, ainda confuso, tentava identificar quem era aquela figura estranha. Mas uma coisa já havia deduzido: aquela bagagem extra certamente pertencia àquele homem. Foi então que percebeu que o pai gritava pelo seu nome pedindo ajuda para carregar o baú, pois o táxi já havia partido. Correu para fora e. uma vez na rua, pôde olhar de forma mais detalhada para aquele homem idoso. Ele era franzino, mas aparentava boa saúde e apesar da idade era ágil e lúcido.

Ao perceber que Frank o observava fixamente, o velho retribuiu-lhe a atenção e disse:

— Você certamente não se lembra de mim. Sou seu avô Benedict. Como vai a vida, meu filho?

Com a boca aberta, feição abestalhada e sem pensar muito no que dizia, Frank respondeu:

— Confusa!

O velho lhe sorriu candidamente como se compreendesse perfeitamente a resposta. Havia enxergado de imediato que as confusões do neto iam muito além daquela situação do momento. Ainda sorrindo, respondeu:

— Ótimo, é assim que tem que ser. Acho que vamos nos dar muito bem.

Frank, ainda perdido, sentiu aquelas palavras de uma forma que jamais havia experimentado antes. Pela primeira vez em sua vida, um olhar profundo como aquele do recém-chegado avô havia lhe enxergado por dentro e suas palavras, ainda que aparentemente sem sentido, lhe haviam causado um impacto diferente. A sensação que tinha é que aquele homem já o conhecia há muito tempo.

De repente, seu transe foi quebrado por seu pai, que lhe gritava aos ouvidos:

— Não lhe dê atenção Frank, pois ele não diz coisa com coisa. Agora me ajuda aqui. Precisamos levar este baú pra dentro.

A mãe, ao perceber a confusão do filho lhe sussurrou:

— Ajude teu pai e depois me procure no quarto que te explico tudo.

Frank assim procedeu, ajudando o pai a carregar aquele pesado baú de conteúdo ignorado até um quartinho que existia nos fundos da casa. Percebeu então que ali estava tudo que aquele velho tinha, ou seja, uma mala de mão com suas roupas e aquele baú.

Sentou-se nele para descansar e aproveitou a pausa para perguntar:

– O que o senhor carrega aqui dentro que é tão pesado?

– Aí nesse baú, meu filho, carrego meu maior tesouro. Muito do que fui e sou está dentro desse baú. Você está sentado em cima daquilo que me é mais precioso. E este tesouro poderá ser seu um dia.

Ao ouvir tal resposta, Frank levantou-se de imediato, envergonhado por ter-se sentado sobre algo de tanto valor. Frederick quis então, mais que depressa, saber que tesouro era aquele que tivera nas mãos e que poderia vir a ser de seu filho. O velho Benedict então pegou a chave do baú e o abriu.

A decepção de Frank e Frederick foi imediata. Ali, naquele baú, estavam guardados livros e mais livros de todo tipo. Velhos, novos, pequenos, grandes, finos, grossos.

Frederick deu de ombros e disse: "É louco mesmo". Virou-se e foi-se embora. Frank chegou a ter o mesmo impulso, mas se deteve. Não queria parecer mal-educado com o novo hóspede e procurou mostrar algum interesse. Folhou alguns, manuseou outros, mas seu gesto não teve o efeito desejado. O avô logo lhe poupou do esforço.

– Não adianta, meu filho, eles não terão qualquer valor para você agora, mas um dia terão. Por isso, os guardarei como um verdadeiro tesouro. Agora vá, converse com sua mãe. Tenho muito que arrumar. Isso está uma bagunça.

Só então Frank percebeu que o avô iria ficar no quartinho dos fundos, onde se guardava toda sorte de velharias, o que para ele não fazia o menor sentido, já que seu irmão havia deixado uma cama vaga.

Correu então para o quarto da mãe buscando explicações. Esta parecia adivinhar suas dúvidas, pois já o esperava.

– Não tive outro remédio, filho. Como você sabe, ele ficou viúvo muito cedo, pois sua avó morreu já há muitos anos. Ele morava com minha irmã que era sozinha e não havia mais ninguém para mantê-lo. Assim, tive que trazê-lo para cá. Sei que é uma mudança e tanto, mas vai ter de se acostumar com ele.

Frank na verdade ainda não havia formado opinião, mas a princípio não tinha nada contra. Ao questionar sobre o quarto dos fundos, teve como resposta que aquela havia sido a condição do avô para aceitar a mudança. Ficar num quarto recolhido onde pudesse ficar só, sem dar trabalho e sem incomodar a ninguém. Ele havia pedido também para trabalhar a parte de terra que havia no fundo do quintal para plantar hortaliças. Não queria ser um peso a mais. Charlotte por fim comentou:

— Meu pai é uma pessoa boa meu filho, mas é também um homem muito só. Ninguém o entende direito. Mas ao mesmo tempo ele está sempre buscando entender e aconselhar todo mundo. O problema é que muita gente não entende os conselhos dele. Seu pai acha que ele já está esclerosado, mas na verdade ele sempre foi assim: diferente, dizendo coisas que parecem não fazer muito sentido. Tente se aproximar dele filho, para ir fazendo amizade, mas procure não levar o que ele diz muito a sério. Será perda de tempo.

Agora tudo estava mais claro. O avô não era um simples hóspede. Vinha para ficar. E por mais incrível que podia parecer, Frank não estava chocado, assustado ou preocupado. Estava curioso. Sentia certa excitação com aquela nova relação que se iniciava. Ainda não entendia bem por que, mas havia sentido algum tipo de identidade com aquele velho. Queria conhecê-lo melhor, ainda que fosse para confirmar as previsões de sua mãe e chegar à conclusão de que não havia valido a pena. Algo o atraía nele e lá no fundo uma voz lhe dizia que sua influência poderia ser positiva. Iria se aproximar dele e averiguar o que estaria por trás de tais intuições.

Uma Última Conversa?

No quarto dia de hospital Frank já se sentia muito melhor, e não foi surpresa quando o doutor Philip disse-lhe que poderia ir para casa. Eram 11 da manhã e Elizabeth ainda levaria uma hora para chegar e dar início ao seu turno. Querendo vê-la ainda uma última vez, Frank perguntou se poderia ficar mais um pouco usando como desculpa o almoço, afinal certamente ele não teria nada para comer em casa, ao que Dr. Philip concordou.

Frank sentiu uma mistura de emoções quando finalmente Elizabeth entrou porta adentro. Ficou feliz ao vê-la, como já havia virado costume, mas ao mesmo tempo sentia-se triste. Havia se apegado a ela e não queria despedir-se.

Diferente de sua rotina usual, desta vez Elizabeth foi primeiro em direção à cama de Frank e foi logo dizendo:

— Parabéns rapaz, hoje você já poderá ir para casa. Está contente?

Apesar do tom alegre de sua voz, sua expressão facial não era a de quem estava feliz com a novidade. Frank olhou-a nos olhos e balançou a cabeça lateralmente, insinuando que nem tanto.

— O que há Frank? Ainda não se sente bem o suficiente? — perguntou Elizabeth.

— Já me sinto ótimo. O problema é voltar para aquela espelunca que não me atrevo a chamar de casa. Além do que, vou sentir

59

muita falta de nossas conversas ao fim do dia. Nem pude te contar muito de meu avô e de suas lições de vida. Gostaria tanto que pudéssemos continuar.

A resposta de Frank provocou uma mudança no semblante em Elizabeth, que pensou por um momento e disse:

— Vamos fazer o seguinte então. Não precisa sair já. Como não há nenhum outro enfermo esperando vaga hoje, você pode ficar até o fim do dia. Então conversamos mais uma vez. O que acha? Frank abriu um sorriso de orelha a orelha e concordou com a proposta de imediato. Naquela noite ele daria continuidade a sua narrativa.

Os Primeiros Contatos

Na manhã seguinte, a vida parecia readquirir seu ritmo normal. Quando acordou, Frank já não viu o pai, que havia saído cedo para o trabalho. Sua mãe estava na cozinha arrumando a bagunça deixada por ele no dia anterior ao mesmo tempo em que preparava o almoço. O relógio já apontava dez e quarenta e cinco, o que era um pouco além do normal para o sono de Frank, e já se fazia um pouco tarde para procurar trabalho ainda na parte da manhã.

Charlotte pensou em censurá-lo pelo horário e por mais uma manhã perdida na busca de um emprego, mas acabou optando por não abrir a boca e continuou a trabalhar. Já estava um pouco cansada de discussões infrutíferas com o filho.

Frank apreciou o silêncio da mãe, pois no fundo já sabia tudo o que se passava em sua cabeça e sentia-se culpado pela sua própria inércia. Culpado o suficiente para entender que o silêncio da mãe falava mais que mil palavras.

Tomou um copo de leite e comeu um pouco de pão sem nenhuma pressa. Manteve-se à mesa por um tempo com o olhar fixo em um ponto perdido, como se não estivesse ali. Pensava em sua curta, porém confusa, trajetória; nos problemas da escola que não lhe oferecia atrativos; na igreja entediante que em sua percepção só lhe oferecia regras e punições sem apelo espiritual ou sentido maior;

nos amigos distantes que já não falavam a mesma língua e que, no fundo, só lhe ofereciam a falsa sensação de proteção; e finalmente na família, que já lhe parecia perdida em algum lugar no tempo e no espaço, apesar de estar ali, tão próxima dele.

Foi então que ouviu um cantarolar esquisito lá no fundo do quintal e demorou alguns segundos para lembrar-se da nova figura que ali se havia instalado na noite anterior.

– Não vai falar bom dia para o seu avô? – perguntou a mãe, percebendo a reação do filho.

Frank terminou seu copo de leite, levantou-se e caminhou lentamente em direção ao quintal. Ao chegar lá, deu-se conta de que o velho avô provavelmente havia acordado bem cedo, pois boa parte da terra da área do quintal já estava carpida e sendo preparada para ser cultivada.

Os dois se cumprimentaram com um sorriso tímido, porém fraterno. Frank ficou por ali observando o trabalho do avô, que com um carinho todo especial preparava aquela terra que até então não havia servido para nada. Após uma longa pausa, o avô finalmente quebrou o silêncio e perguntou:

– Por que vocês nunca se utilizaram desta área?

– Não sei. Quando éramos pequenos, brincávamos aqui. Depois que crescemos, ficou esquecida. Só cresceu mato.

– Assim também é com as pessoas – respondeu o avô.

Frank não entendeu o que o avô quis dizer, mas sentiu que de alguma forma aquilo lhe cabia. Com certo receio do que iria ouvir, resolveu pedir uma explicação, ao que o avô respondeu:

– É simples, meu filho, Deus nos dá uma série de dons e talentos, qualidades e potenciais. É o que chamo de nosso jardim da alma. Se não os utilizamos, o mato começa a crescer dentro de nós e pouco a pouco toma conta de tudo, até que o nosso jardim desapareça por completo. E os únicos que podem cultivar este jardim interno de nossas almas somos nós mesmos. Como está seu jardim meu filho, cultivado, ou cheio de mato?

De repente, um arrepio subiu pela espinha de Frank e sentiu

como se uma faca invisível lhe cortasse o abdome. Aquela pergunta ecoou em seu âmago. Ao olhar de volta para o avô, teve a sensação de vê-lo rir com o canto dos lábios, como se adivinhasse o impacto da pergunta. Sem obter resposta, já que a esta era desnecessária, Benedict virou-se para o neto e disse:

— Quer cortar um pouco do mato? E ofereceu uma segunda enxada para Frank, que até então permanecera encostada. Frank, sem pensar muito, aceitou a oferta e meio sem jeito começou a carpir.

Após alguns minutos carpindo, o suor já lhe escorria pelo rosto, e de alguma maneira aquele exercício lhe fazia bem, como se estivesse carpindo o mato da própria alma.

Por um momento, entrou numa espécie de transe e carpia sem pensar no que fazia, até que aos poucos foi voltando à realidade e passou a achar ridículo o que fazia. Deixou a enxada de lado e foi saindo dali lentamente.

Benedict não esboçou qualquer reação. Sabia que havia deixado o neto um pouco tonto com seu questionamento inesperado.

Frank, por sua vez, encontrou-se mais uma vez perdido em seus pensamentos quando entrou cozinha adentro. A mãe, percebendo a mudança no semblante do filho, foi logo perguntando o que havia passado. Frank mecanicamente respondeu:

— Meu avô disse que minha alma está cheia de mato.

— Como? Eu não disse que ele não fala coisa com coisa? Não dê atenção a ele meu filho. Ah, esse meu pai!

A mãe continuou a praguejar, sem dar chances para que Frank explicasse melhor o que realmente havia acontecido. O avô na verdade não havia dito aquilo. Mas de certa forma havia feito com que ele o entendesse assim, e era isso que o incomodava naquele momento.

Não entendia como podia ter passado tanto tempo sem que alguém houvesse dado conta da utilidade daquele quintal de terra. Ele, que passava seus dias sem fazer nada, não havia visto aquele potencial que estava bem ali, diante dos seus olhos. Já o avô, no primeiro dia, havia feito dele algo produtivo. E quanto as suas potencialidades, seus dons teriam virado mato? Afinal já não os enxergava. Sua autoestima nunca havia estado tão baixa. Não via em si mesmo quaisquer potenciais ou qualidades, mas agora já não sabia se elas não existiam ou se o mato as havia escondido e sufocado em seu jardim interior.

Decidiu então que iria buscar recuperar seu jardim da alma. Se ele existisse, iria encontrá-lo, mesmo que para isso tivesse que cortar o mato que ali havia crescido. De repente se deu conta de que havia se esquecido de um pequeno detalhe e perguntou-se:

– Como é que se faz isso? Cortar mato de verdade é simples, é só pegar a enxada e carpir. Mas e o mato da alma, como é que se corta?

Teria que procurar o avô para perguntar. Ele haveria de ter uma fórmula para isso. Iria procurá-lo à noite, com mais calma.

Mais uma vez, a resposta surpreenderia Frank.

O Pedido de Benedict

Quando a noite chegou, Frank estava um tanto ansioso, pois queria falar com o velho Benedict. Logo após o jantar dirigiu-se ao quartinho dos fundos, onde encontrou a porta entreaberta. Ao entrar, viu que o avô estava deitado de barriga para cima com os braços estendidos lateralmente ao lado do corpo. Sua respiração era imperceptível. Não se movia. Não dava qualquer sinal de vida. Frank já começava a preocupar-se com o avô quando Benedict deu um profundo suspiro e ainda com os olhos fechados pediu para que o neto se acalmasse e que conversariam em instantes.

Frank tranquilizou-se e se sentou. Assistiu então o avô sair de uma espécie de transe, mexendo lentamente os braços, as pernas, o pescoço, até finalmente abrir os olhos, levantar-se e sentar-se na cama.

— Me desculpe, não sabia que já estava dormindo – disse Frank.

— E não estava. Estava fazendo meditação, em profundo estado de relaxamento. É bom para a mente, para o corpo e para o espírito. Qualquer dia eu te ensino.

Frank não mostrou muito interesse, pois nunca havia ouvido falar daquilo, muito menos dos benefícios que poderia existir em tal exercício. Percebendo o desinteresse do neto, Benedict perguntou:

— O que o traz aqui filho?

Sua forma fraternal de falar tinha em Frank um duplo impacto. Inicialmente lhe incomodava, afinal conhecia aquele homem há muito pouco tempo para receber tal tratamento. Porém, também o agradava imensamente, pois era um carinho oferecido com total desinteresse. Aquele quase desconhecido não lhe pedia nada em troca, não lhe cobrava nada. Ainda não havia conhecido carinho tão espontâneo e desinteressado na vida e aquilo tinha para ele certo encanto.

Sem muitos rodeios, Frank foi logo ao assunto.

— Quero falar sobre o mato da alma. Hoje de manhã você me perguntou como estava meu jardim interior e acho que a resposta é que ele está cheio de mato. Não sei de onde ele veio, não sei como cresceu, só sei que tenho a sensação de que está tudo coberto. Como é que faço para cortá-lo? Como faço para redescobrir meu jardim, se é que ele ainda existe?

O avô olhou em seus olhos e disse:

— O primeiro passo você já deu, meu filho. Olhou para dentro de si e teve humildade o suficiente para enxergar que as coisas não estão bem. Admitir um problema é o primeiro passo para começar a resolvê-lo. Olhar para dentro de si mesmo não é fácil. Requer humildade e coragem. Você só se deu conta de que seu jardim interior está coberto de mato porque sabe que um dia ele não foi assim. Você deixou de cultivá-lo em algum lugar do seu passado meu filho. Precisa reencontrá-lo e começar a cuidar dele de novo.

Benedict fez então uma breve pausa para que Frank pudesse digerir a resposta e então continuou:

— Quanto à resposta as suas perguntas, elas estão bem perto de você. Como surgiu este mato, por que cresceu tanto, como cortá-lo. Pense um pouco sobre isso. Mas, para começar, acorde amanhã lá pelas sete da manhã e venha me ajudar na lida com a terra e conversaremos mais sobre isso, está bem? Agora deixe seu avô descansar. Acho que estou ficando velho. O dia de hoje acabou comigo.

Frank concordou, disse boa noite e saiu, mas estava

decepcionado, pois esperava uma resposta um pouco mais concreta do avô. Como quase todo garoto de sua idade, não queria perder tempo tendo que pensar para encontrar respostas. Queria a coisa mastigada, pronta para agir. Mas a resposta havia sido dada quase como uma pergunta. Detestava que lhe respondessem uma pergunta com outra pergunta. Mas o que mais lhe incomodava era o convite do avô. Frank, depois de tantas decepções, havia criado o mau hábito de desconfiar das pessoas, achando que estariam sempre tentando tirar algum proveito dele e naquele momento desconfiava também do avô. Achava que o velho Benedict talvez não fosse tão desinteressado assim. Talvez estivesse fazendo tudo aquilo apenas para fazê-lo trabalhar para ele.

Aquele pensamento começou a crescer em sua mente. Claro, o avô deveria estar tentando enganá-lo. Decidiu então que não iria acordar cedo amanhã. Iria ficar na cama, acordar tarde, fazer tudo como vinha fazendo. Não seria enganado.

Foi para cama perdido nesses pensamentos, quando encontrou o pai no corredor. Frederick estava com dificuldades financeiras, e nestes momentos ficava ainda mais ranzinza. Quando falou, disse pouco e foi direto ao assunto.

– Frank, você saiu para procurar emprego hoje?

A resposta foi negativa, mas Frank procurou ser evasivo para evitar reclamações. O pai não questionou muito, afinal já andava desencantado com o filho mais novo, e dele já não esperava mais muita coisa.

Ao colocar a cabeça no travesseiro naquela noite, Frank estava irritado e decepcionado com o avô e pensou: "Amanhã vou surpreender esse velho. Ele vai ficar me esperando. Quando eu acordar vai me passar o maior sermão e vou dizer que não sou bobo. A mim ele não engana".

Já quase fechando os olhos, teve um pequeno sentimento de culpa. Uma voz interior dizia que sua percepção estava equivocada. Tratou logo de abafar esta voz, virou-se de lado e tentou dormir, mas a sensação de que o mato em sua alma estava ainda maior foi inevitável.

Na manhã seguinte, acordou até mais tarde que o normal. Após o café da manhã costumeiro foi até o quintal, pronto para ouvir as censuras do avô e confirmar suas suspeitas. Iria dizer então que não era tolo, que não se deixava enganar facilmente e que o avô teria de fazer tudo sozinho.

Porém, ao chegar lá o avô lhe sorriu candidamente e lhe deu bom dia tal e qual havia feito na manhã anterior, ao que Frank respondeu secamente.

O que veio em seguida deixou Frank totalmente surpreso. Nada. Nenhuma palavra. Nenhuma censura. Nem sequer um questionamento. Apenas um lânguido sorriso de quem já esperava aquela reação do neto e, no entanto, não sentia por isso qualquer aborrecimento.

Frank ficou ali por mais um tempo, mas logo saiu. Foi para a rua andar e se distrair, dando a falsa impressão aos demais de que buscaria trabalho e procurou não pensar muito no ocorrido.

Encontrou amigos, fumou alguns cigarros, andou pelas ruas e só voltou para casa à noitinha. Ao entrar em casa, não conseguiu conter a curiosidade e foi até o quintal para ver o que o avô havia produzido naquele dia.

Ao olhar para a obra de Benedict, que mostrava boa evolução para com o dia anterior, não pôde evitar o sentimento de fracasso e certa inveja daquele velho. Ele, Frank, tinha dezessete anos, uma saúde de ferro e não produzia nada. Por outro lado, o avô trabalhava sem reclamar, do alto dos seus setenta e tantos.

Quando entrou em casa, Frederick e Charlotte discutiam acaloradamente o orçamento doméstico, as contas a pagar, as compras do mês, as prestações. Frank queria entrar sem ser notado, mas foi impossível. Os pais pararam de falar e se viraram em sua direção. Houve um momento de silêncio tétrico, mas ninguém disse nada. Também sem dizer palavra, Frank circundou a mesa da cozinha onde os dois se encontravam e, cabisbaixo, foi para o quarto. Ao entrar pelo corredor, ouviu os pais continuarem a discussão no mesmo ponto em que haviam parado.

Ninguém lhe perguntou nada, não lhe cobrou nada e nem sequer emitiu comentário. Porém, a sensação era horrível. O velho Benedict não lhe perguntava ou cobrava, mas olhava para ele com ternura e esperança, enquanto os pais não lhe questionavam mais nada porque provavelmente dele não esperavam mais nada.

Banhou-se e foi para a mesa do jantar. O clima era pesado, pois a discussão dos pais em torno do orçamento havia chegado a uma conclusão não muito positiva. Frederick endividava-se. A oferta de emprego era escassa e não havia muitas opções. O jeito era cortar despesas, mas agora tinha mais uma boca para alimentar. O velho Benedict quebrou o silêncio dizendo que a horta estava progredindo e que em poucas semanas estaria colhendo legumes e verduras que poderiam deixar de ser compradas.

Frederick agradeceu, mas duvidou que os resultados viessem tão rapidamente, já que ele trabalhava sozinho. Ao que Benedict respondeu calma e confiantemente:

– Eles virão, meu genro. Eles virão.

Ao terminar a frase, os olhares de Frank e Benedict se cruzaram e Frank pôde notar um sorriso de canto de boca no rosto do avô.

Frank foi deitar-se um pouco mais cedo que de costume. Chegou a pensar em ir conversar com Benedict, mas imaginou que ele estaria cansado e querendo dormir.

Sentia-se mal, como se a culpa o corroesse por dentro. Começava a acreditar que havia se enganado a respeito do avô. Talvez não houvesse segunda intenção em seu convite. Talvez realmente quisesse ajudá-lo. E foi com este fio de esperança que arrumou o relógio para despertar às sete da manhã. Acordaria cedo e ajudaria o avô. Não tinha muito a perder.

Ao fechar os olhos naquela noite, sentia que de alguma forma havia dado o primeiro passo para começar a cortar o mato de seu jardim interior.

Uma Mudança de Atitude

O som do despertador ecoou alto no quarto e Frank despertou-se assustado, afinal já não estava acostumado com aquele som tão cedo em seus ouvidos e sair da cama foi mais difícil do que esperava. Porém algo mais forte o movia para adiante.

Ao chegar à cozinha tão cedo, deu de cara com olhares surpresos do pai e da mãe, que logo trataram de perguntar se estava tudo bem. Ele disse que sim, comeu algo e saiu em direção ao quintal onde já encontrou Benedict trabalhando.

Frank o saudou e já foi logo pedindo instruções do que fazer. Benedict retribuiu a saudação e disse:

— Bem-vindo. Sabia que você viria.

Passou, então, a dar instruções a Frank que o atendeu sem questionar. De longe os pais observaram o que acabava de ocorrer com olhares abestalhados, sem saber muito bem o que pensar. Frederick virou-se para Charlotte e disse:

— Deixe estar. Pelo menos ele está fazendo alguma coisa.

Deu de ombros e foi embora para o trabalho. Charlotte os observou um pouco mais, mas também logo voltou para os seus afazeres domésticos.

Frank e Benedict trabalharam em silêncio por um longo tempo, mas Frank logo começou a sentir os impactos da falta de exercícios e de suas mãos sensíveis, desacostumadas ao trabalho manual. Como Benedict já esperava tal dificuldade, logo ofereceu uma parada para um pouco de água e uns minutos de descanso. Sentaram-se numa sombra e Benedict então quebrou o silêncio.

– E então, como andam as coisas, Frank?

Frank olhou para o lado enquanto bebia água e pensou como deveria responder a tal pergunta. Resolveu então ser direto.

– Muito mal, eu acho. Deixei meus estudos, não consigo trabalho, não me dou bem com meu pai, minha mãe também não me entende, não acho conforto na igreja e meus amigos estão pouco a pouco tomando rumo na vida e estou ficando para trás. Não sei não vô, mas estou começando a achar que o problema sou eu.

Benedict o olhou por um tempo sem dizer palavra, como se usasse o silêncio para permitir a Frank que pensasse sobre seu próprio comentário. A estratégia pareceu funcionar e Frank continuou:

– Como nada parece dar certo em minha vida, sinto-me muito mal. Sinto-me um fracassado. Tenho dezessete anos de idade e não tenho propósito em minha vida.

O avô então resolveu quebrar seu silêncio.

– Frank, nenhum rio encontra o mar em sua nascente. Ele tem que percorrer seu curso, que nunca é uma linha reta. Quase todo rio começa em torrentes e muita turbulência, mas depois se acalma e alcança seu ritmo natural. O que às vezes parece ser um beco sem saída é apenas um desvio de rota. É questão de tempo para que um novo caminho apareça. E você ainda está em sua nascente. Seu caminho rumo ao mar ainda está por definir-se. Tenha paciência com você mesmo. Frank adorou aquela analogia. Ainda que um tanto estranha, parecia fazer tanto sentido. Benedict continuou:

– O importante nestes momentos de nossa vida é você ter uma atitude de aprendiz. Gosto de chamar esta atitude perante a vida de atitude esponja.

– Esponja? Como assim? – perguntou Frank, um pouco confuso.

– Ah! Esta é uma ideia fantástica Frank, onde nada se perde na vida. Se você conseguir adotá-la, nada em sua vida será negativo. E é muito simples. Tudo em sua vida acontece por uma razão. Nada é por acaso. Deus está sempre colocando em sua vida as pessoas e as experiências que você precisa para o seu crescimento espiritual. Assim sendo, tudo o que acontecer em sua vida tem um sentido, tem um aprendizado, tem algo a ser aproveitado.

— Mesmo as ruins? — perguntou Frank com um ar suspeito.

— Principalmente as ruins. São elas que te ensinam as maiores lições. São elas que te fazem mais forte e mais sábio. São justamente as experiências ruins, as fases difíceis da vida que nos fazem crescer e nos tornar melhores seres humanos. Mas tudo depende de como você as vê. Se você se posiciona como um pobre coitado, azarado, onde nada dá certo, você não estará aproveitando nada de suas experiências e tudo se transformará em algo negativo em sua vida. Vira um hábito, muito perigoso por sinal, pensar que tudo em sua vida dá errado. Mas se você olhar para essas vivências como lições da vida, como algo que está simplesmente te preparando para um futuro melhor, se você extrair a essência desta experiência como uma esponja, estará se tornando alguém cada dia mais forte. Nada que acontece de ruim te abala por muito tempo, pois você transforma isso em algo bom e positivo. Passa a ser uma mudança de atitude para com a vida, onde você só tem a ganhar. Você acaba de me dizer que se sente um fracassado. Pois eu então te digo, que ótimo. Isso é excelente. Pois cada fracasso, cada erro, cada derrota te fará crescer e te fará um vencedor um dia.

Frank escutou cada palavra em silêncio e começava a repensar suas próprias experiências. O avô tinha toda razão. Não aproveitava nada do que se passava com ele e sempre se colocava no papel de vítima, como se o mundo estivesse contra ele. Se adotasse a tal atitude esponja, o que teria a perder?

— Você vê, Frank? Quando mudamos a maneira de ver o mundo a nossa volta, o mundo a nossa volta muda completamente. Pronto para voltar ao trabalho?

Com este último pensamento, Benedict levantou-se e retornou às atividades com a terra. Frank tomou alguns segundos para reagir, mas logo o seguiu. Estava encantado com as palavras do avô e ficou curioso em saber de onde vinha tanta sabedoria. Então perguntou:

– Onde você aprendeu tudo isso? Não pode ter sido na Bread & Joy em Lincolnshire. E de onde veio tanto livro? Você trouxe um monte deles naquele baú.

– Venha ao meu quarto depois do jantar. Vou te contar um pouco de minha história. E antes que eu me esqueça, você disse que sua vida não tem propósito. Pois o propósito da vida é ter uma vida de propósitos.

Frank não entendeu muito bem esta última colocação do avô, mas concordou de imediato em visitá-lo mais tarde; e continuou trabalhando, perdido em seus pensamentos. Tinha muito que digerir e repensar.

A História de um Peregrino

Quando Frank chegou ao quarto do avô naquela noite estava exausto, mas sentia-se muito feliz consigo mesmo. Trabalhar havia feito com que se sentisse útil, uma sensação que há muito não experimentava.

A porta estava entreaberta e pôde ver que Benedict fazia o mesmo exercício de relaxamento que havia testemunhado há algumas noites.

Ele já sabia o que fazer. Ficou esperando em silêncio até que avô saísse do transe e abrisse os olhos.

— Você faz isso toda noite? – perguntou Frank curioso.

— E todas as manhãs também. Acordo às cinco, preparo meu chá e venho meditar enquanto ele esfria um pouco.

— Nossa! Isso é tão importante assim para você? Por quê?

— Porque ajuda a acalmar a alma, as emoções, aquietar a mente e a organizar os pensamentos. Se hoje sou calmaria, um dia já fui tempestade. Um dia, fomos muito parecido, eu e você, Frank. A diferença é que fui agraciado com experiências e mentores que souberam me orientar e que mudaram minha maneira de ver o mundo e processar tais experiências.

Frank ficou surpreso com este último comentário.

— Parecido comigo? Como? Você é calmo, sereno, otimista,

trabalha duro. Eu não sou nada disso. Aliás, acho que sou exatamente o contrário.

— Lembra-se da analogia do rio? Pois é. Minha nascente também não foi das mais calmas.

Daí em diante, Frank permaneceu em silêncio, pois aquilo tudo começava a lhe interessar muito. Benedict continuou.

— Quando jovem, cresci na mesma fazenda de Linconlshire em que você nasceu. Eu era um rapaz difícil. Não aceitava as regras impostas pela família, pelas escolas, pela Igreja. Quando cheguei mais ou menos aos vinte anos, meus pais me arrumaram um casamento. Casei-me com sua avó e com ela tive duas filhas, mas me sentia infeliz, numa prisão mesmo. Como nação, vivíamos uma época de muita prosperidade, com domínio sobre boa parte do mundo e havia a possibilidade de se alistar no exército e servir em outros lugares. Assim, quando a oportunidade apareceu, não pensei duas vezes. Alistei-me e fugi. Fui para o outro lado do planeta, deixando para trás esposa e filhas, com a promessa de um salário que as manteria e que voltaria assim que terminasse meu período de serviço. Só que a cada termo que se acabava eu pedia outro e os anos foram passando. Servi na China, na Índia, na África, no Oriente Médio. Vivi uma vida de fugas. Quando regressei, já não era o mesmo. Havia me transformado em outra pessoa. Sua avó também já não era a mesma jovem que deixei quando parti, e minhas filhas já eram duas mocinhas. Levou tempo para que nos ajustássemos, se é que um dia nos ajustamos. Como eu te disse, voltei muito diferente do que fui e o que trouxe na bagagem nunca foi bem entendido por ninguém.

— Como assim, vô? Não entendo. De que bagagem você está falando?

— Estou falando de dois tipos de bagagem, Frank, a espiritual e a física. A espiritual está aqui dentro de mim, a física está ali. E apontou para o baú de livros.

Frank levantou-se, abriu o baú e desta vez pôs-se a examinar os exemplares com mais atenção. Eram dezenas de livros que falavam sobre a cultura oriental, tanto da chinesa como da indiana, do Islã, das religiões africanas, do Judaísmo, do Cristianismo, da mitologia grega e romana e até mesmo da cultura celta. Começava a entender agora que tipo de bagagem o avô havia trazido, depois de tantos anos de peregrinação pelo mundo. Não contendo a curiosidade, indagou:

— Você já leu cada um deles?

— Algumas vezes – respondeu o avô com um sorriso orgulhoso.

Frank ficou surpreso com a resposta, pois ele não tinha o hábito de ler e para ele aquilo parecia leitura suficiente para algumas existências. Então continuou com suas indagações:

— E por causa destes livros, você voltou diferente?

— Ah, não. Não mesmo. Os livros vieram depois, para que eu pudesse melhor entender o que vivi.

— Como assim? – perguntou Frank, confuso com a resposta.

— Frank, poder ter vivido em todos estes lugares foi realmente uma bênção. Como você já deve ter-se dado conta, não sou o que se pode classificar de uma pessoa normal – disse isso fazendo uma careta estranha que provocou risos nos dois. Então continuou.

— Em todos os países em que vivi, aproveitei meus horários de folga e quis conhecer a cultura local, experimentar a comida, os costumes e por que não, suas religiões. Frequentei templos, mesquitas, conheci mestres hindus, monges budistas, xamãs, sacerdotes, magos, feiticeiros e toda sorte de líder espiritual. Cada um desses encontros me influenciou de uma maneira ou de outra e sempre fui buscar entender essas religiões e seitas, suas origens, seus rituais e aprendi com cada uma delas.

— E qual você escolheu para seguir? – perguntou Frank curioso.

—Todas – respondeu Benedict com uma gostosa gargalhada.

Frank ficou boquiaberto com a resposta e pensou que talvez os pais tivessem razão. Talvez Benedict não gozava da melhor sanidade mental. Percebendo a reação do neto, Benedict disse:

— Você usou o termo correto, filho. Escolher. O caminho espiritual é uma escolha. Uma que é única, individual e intransferível. E a religião que se segue é secundária. As pessoas confundem a religião com Deus, o caminho com o destino, o idioma com a mensagem. Veja. As religiões não são Deus. São as máscaras humanas, inventadas pelos homens para tentar entendê-Lo. Como Deus está muito além de nossa compreensão, criamos as religiões, que são protocolos de comunicação com aquilo que é divino. São formas de buscar humanizar aquilo que não é humano, para que se torne entendível, administrável e em até certo ponto, controlável. Mas isso tudo é ilusão. Jamais entenderemos Deus em sua totalidade, e precisamos parar de buscá-Lo nas religiões. Ele não está lá.

– E onde é que ele está então? – perguntou Frank ávido por uma resposta; afinal, vinha buscando uma aproximação com Deus há tempos, mas a Igreja lhe parecia mais um empecilho que um caminho. Só que desta vez a resposta não viria na forma esperada.

Benedict o olhou lânguida e carinhosamente e devolveu a pergunta.

– Onde é que ele está Frank? Onde é o único lugar que ele pode estar?

Frank parou, pensou por um momento e respondeu:

– No céu?

Benedict não se conteve e rompeu em outra sonora gargalhada.

– Não, Frank, não é no céu. Você está permitindo que os conceitos abstratos anuviem sua visão.

– Não sei a resposta, então. Mas sei que na igreja não é. Aquele lugar é muito chato, cheio de rituais que não entendo e de gente que não diz coisa com coisa.

O olhar do avô de repente se transformou e passou do sorriso a seriedade. Olhou fundo nos olhos de Frank e disse:

– Lembra-se de nossa conversa de hoje de manhã? Você mesmo chegou à conclusão de que o problema era você e não os outros. O mesmo se aplica aqui. O problema não está em sua religião, em sua igreja e seus rituais e no que as pessoas de lá te dizem. O problema é que você não fez ainda esforço suficiente para entendê-los e tirar de tudo isso aquilo que te serve e pode ser útil. Eles não vão te dizer o que você quer ouvir, Frank. Vão dizer o que você precisa ouvir. Cabe a você receber e traduzir a mensagem. Nem sempre é fácil, mas nada na vida o é.

Surpreso mais uma vez com a resposta, Frank tentou argumentar.

— Por um momento cheguei a pensar que você achava que a religião fosse ruim ou desnecessária.

— Oh não, filho! Muito pelo contrário. As religiões têm um papel fundamental de ajudar as pessoas a transformar Deus em algo que elas possam entender e com isso, aproximar-se dele. Entenda Frank, que as religiões são um meio, não o fim. São meios para você chegar a Deus e desenvolver sua espiritualidade. O problema é que muita gente confunde o meio com o fim e passa a adorar a religião e não a Deus.

— Por que será que isso acontece?

— Porque ainda somos seres tribais. Nossa herança mais primitiva é de nos dividirmos em tribos como faziam nossos ancestrais. Precisamos da tribo familiar, da tribo do bairro, da tribo da igreja, da tribo do time de futebol, e porque não dizer, até da tribo do nosso país. Fazer parte de uma tribo nos faz sentir menos sós, como se pertencêssemos a um grupo de pessoas parecidas conosco. E não há nada de errado com isso. O problema é que isso cria antagonismos, cria o "nós e eles", o que é um passo para o "nós contra eles" e é isso que causa disputas entre grupos e, em muitos casos, até guerras como a que estamos prestes a viver. Entende agora, Frank? Não há nada de errado em seguir uma religião. Ela pode e deve te ajudar muito a se aproximar de Deus e a desenvolver teu espírito. É só não fazer dela um fim em si, mas sim um meio.

— Mas tem tanta coisa lá que não faz sentido ou tenho dificuldades em aceitar.

— E por um acaso eu disse em algum momento que as religiões que conheci eram perfeitas? Todas elas, sem exceção, são criações humanas, Frank. E os seres humanos são imperfeitos. De nenhum de nós jamais sairá perfeição. Esperar perfeição de uma religião é no mínimo injusto.

Frank parou por um momento para digerir tudo aquilo. Aquele último argumento parecia fazer todo sentido do mundo, mas ainda não sabia como reagir a ele. Benedict então concluiu.

— Quando teu corpo está com fome você precisa de alimento, certo? O que você faz nestas situações?

— Como alguma coisa — respondeu Frank.

— Exato. Mas a comida está sempre ali, pronta para comer? É só pegar e levar à boca?

Frank pensou por um momento e entendeu o que o avô estava querendo dizer. Na verdade, todo alimento para o corpo físico requer algum tipo de trabalho, como lavar, descascar, cozinhar. Até mesmo uma fruta colhida do pé deveria ser lavada, e algumas, descascadas. Benedict continuou.

— Assim também é o alimento para o espírito, meu filho. Demanda que o tratemos, limpemos, descasquemos antes de ingeri-lo. Em qualquer religião temos que saber separar o que nos serve e o que não deve ser ingerido. Quando você come uma banana, não tem que tirar a casca antes? Com as religiões é a mesma coisa. Você deve descartar aquilo que é humano e imperfeito e concentrar-se naquilo que é divino e te faz bem ao espírito. Rotular tudo como ruim e não se alimentar, além de injusto deixa seu espírito desnutrido. E aí o mato de que falamos noutro dia começa a crescer e toma conta de tudo.

Quando Benedict terminou, Frank entrou numa espécie de transe. Nunca havia ouvido palavras tão sábias. E o avô havia fechado o ciclo, voltando ao assunto do mato interno, que agora fazia mais sentido ainda.

— Você ainda não me disse onde está Deus, se não é na igreja nem no céu, onde está então?

— Nem vou dizer, Frank. Isso você terá que descobrir sozinho. Agora vamos descansar, pois temos muito trabalho pela frente amanhã. E com um tapinha no ombro do neto, terminou a conversa.

Frank caminhou para o seu quarto envolto em pensamentos e com muita informação para processar. Havia aprendido muito sobre o avô naquela noite, mas havia aprendido muito mais que isso. Ainda não conseguia entender tudo aquilo, mas sabia que quanto mais aprendia, mais queria aprender.

Sem pensar duas vezes, arrumou seu relógio para despertar cedo outra vez no dia seguinte e caiu rapidamente num sono profundo.

Porém, Frank ignorava completamente que os dias que estavam por vir trariam más notícias.

Uma Última Caminhada Juntos

O relógio da enfermaria já apontava quase nove da noite. Sem se dar conta, Elizabeth havia escutado Frank por mais de duas horas. Quando viu o adiantado da hora, levantou-se abruptamente e disse:

— Frank, nós temos que ir embora. Escutar as histórias sobre o seu avô estava tão interessante que perdi a noção do tempo. Levante-se e vá jogar uma água nesse rosto. Quero examiná-lo uma última vez antes de ir.

Aquele comando trouxe Frank de volta à realidade e o fez lembrar de que sua confidente, antes de tudo, ainda era sua enfermeira. Ele levantou-se e obedeceu sem argumentar.

Quando regressou, Elizabeth mediu sua pressão, batimentos cardíacos, olhou o corte na cabeça que já estava bem melhor e pediu para que Frank fizesse alguns movimentos com o pescoço. Tudo parecia estar bem, exceto a expressão no rosto de Frank. A hora de ir-se havia chegado.

— Você esta bem? – perguntou Elizabeth.

— Sim, apenas um pouco tonto, por ter ficado tantos dias na cama, eu acho.

— Hum... – respondeu Elizabeth com um olhar de quem se preocupava, apenas para ser simpática com seu paciente. E então continuou:

– Vamos sair juntos. Vou te acompanhar até a estação de trem. Estou indo para lá mesmo. Vista seu casaco, pois faz um pouco de frio.

Frank aceitou a oferta de Elizabeth prontamente e sentia-se menos triste, afinal poderia ficar com ela um pouco mais. Além do que, a partir do momento em que pisassem fora do hospital, deixariam de ser paciente e enfermeira e um novo universo de possibilidades poderia abrir-se.

Ele vestiu então o casaco, ainda sujo de sangue mal lavado na parte de trás, cumpriu com as formalidades e juntos caminharam até a saída do hospital.

Ao saírem, um vento gelado trouxe Frank de volta para a realidade do mês de fevereiro londrino. Fechou seu casaco e ambos começaram a caminhada rumo à estação de trem, que não estava muito longe. Sem que se dessem conta, o frio fez com que caminhassem mais próximos um do outro e isso agradou a Frank, que pensou: "Estou gostando da companhia desta mulher mais do que devia e dizer adeus será menos fácil do que eu pensava".

Ao chegarem ao guichê da estação, Frank lembrou-se que não tinha consigo nenhum dinheiro e Elizabeth então se ofereceu para pagar sua passagem. Ele, ainda que um pouco envergonhado, aceitou. Elizabeth perguntou a Frank o seu destino para poder comprar o bilhete, só então se deram conta de que iriam tomar o mesmo trem. A única diferença era que Elizabeth desceria três estações depois. "Que coincidência", disse Elizabeth com um sorriso, que Frank já havia aprendido a apreciar. "Sim, que desagradável coincidência", pensou Frank, rindo-se por dentro de sua própria ironia.

Sentaram-se então lado a lado no trem, que logo se pôs em movimento. Frank começou a pensar que aqueles poderiam ser os últimos minutos que passaria com Elizabeth e isso o deixou um tanto angustiado. Começou a pensar em alguma coisa para dizer que pudesse prolongar aquele momento ou mesmo que justificasse vê-la novamente. Então perguntou:

– Sei que é um pouco tarde, mas você caminharia comigo até minha casa? Não fica muito longe da estação.

Elizabeth foi pega de surpresa com o pedido e hesitou por um momento.

– Não sei não, Frank, já está ficando tarde.

Frank se manteve em silêncio, olhando nos olhos de Elizabeth. Seu olhar quase que implorava por aqueles minutos extras de atenção.

– Ok, ok – consentiu Elizabeth com um sorriso de quem estava fazendo um gesto de caridade.

Ao saírem da estação, começaram então a caminhar, mas Frank parou de repente e mudou de direção. Elizabeth sem entender perguntou:

– O que houve? A pancada foi tão forte que já não se recorda para que lado fica sua casa?

Frank riu do gracejo de Elizabeth e respondeu:

– Não, não. Quero passar por um lugar antes. Vamos ao bar de Albert.

– O que? Frank você acaba de sair do hospital – disse Elizabeth com uma expressão grave em seu rosto.

– Não se preocupe, não estou indo lá para beber. Quero apenas agradecer.

Elizabeth imediatamente mudou de feição e entendeu o que se passava. Iria conhecer a pessoa que havia salvado Frank de um destino menos afortunado.

Num determinado momento Frank parou e apontou para o outro lado da rua. Ali estava o Great Lion, típico bar londrino que havia sobrevivido às dificuldades dos tempos de guerra. Virou-se para Elizabeth e disse:

– Bem-vinda à minha segunda casa.

Elizabeth não gostou muito da brincadeira, mas seguiu Frank na travessia da rua, que naquela hora já se encontrava quase deserta.

Entraram então bar adentro e o odor de cerveja logo encheu as narinas de ambos. Havia pouca gente ali, o que não era normal para uma noite de sexta-feira e não foi difícil encontrar Albert atrás do balcão, lavando canecas. Quando Albert viu Frank, deixou logo seus afazeres e foi ao encontro daquele que havia se convertido em um de seus melhores fregueses.

– Frank, que bom vê-lo. Adorei seu novo corte de cabelo.

Os dois riram da piada de Albert e trocaram um longo aperto de mão. Albert então se deu conta da presença de Elizabeth e Frank apresentou-os:

– Elizabeth, este é Albert, o homem que me salvou há alguns dias atrás. Albert, esta é Elizabeth, que cuidou de mim durante todos esses dias.

Albert apertou a mão de Elizabeth e foi logo dizendo:

– Sentem-se. O que querem tomar.

– Hoje nada. Passei apenas para agradecer você, que provavelmente me salvou de um destino muito pior. Muito obrigado Albert.

– Ora, de nada. Fiz minha obrigação, pois vi que você realmente não estava nada bem naquela noite. Tinha passado de sua conta costumeira.

Aquela observação deixou Frank um tanto envergonhado perante Elizabeth, que também buscou disfarçar olhando para o outro lado.

Percebendo o efeito de seu comentário, Albert procurou consertar a situação:

– Olha, sentem-se. Estão com fome? Vou servir-lhes algo para comer, hoje por conta da casa para comemorar a recuperação de Frank.

Elizabeth e Frank se olharam e não foi necessário muito tempo para que os dois concordassem que estavam com um pouco de fome. Além do que, o convite de Albert era uma honraria numa época em que a comida era racionada, e recusá-la seria uma ofensa. Para piorar as coisas, Frank não tinha nada em casa para comer quando chegasse. Aceitaram então o convite e foram sentar-se.

– Sentemo-nos em qualquer lugar, menos naquela mesa, por favor. Ela me traz más lembranças. E apontou para a mesa que costumava sentar para beber e anestesiar suas dores. Elizabeth consentiu e ambos sentaram-se numa mesa afastada dos demais presentes.

Um momento de silêncio um tanto desconfortável para ambos se seguiu; afinal, estavam em um novo território, mais pessoal, que não tinha nada a ver com que haviam experimentado até então. Buscando quebrar o incômodo da nova situação, Frank tentou começar um diálogo.

— Até hoje, só falamos de mim. Por que não me conta um pouco de você, Elizabeth?

— Não há muito que dizer na verdade, Frank. Nasci e cresci em Londres, estudei enfermagem, comecei a trabalhar logo que me formei e estou nisso até hoje, já que com a guerra, demanda para o meu trabalho não falta. Sou filha única e meus pais morreram num dos primeiros bombardeios alemães no final de 1940. Eu tinha só 18 anos e foi uma época bem difícil. Mas sobrevivi. Hoje vivo sozinha, na esperança de que esta guerra não dure muito mais tempo.

Frank sentiu-se penalizado pela curta, porém sofrida narrativa de Elizabeth e buscou passar-lhe algo de conforto e simpatia:

— Sinto muito pelos seus pais, Elizabeth. Esta parece ser a história de muita gente nestes dias.

Buscando mudar o rumo da conversa, resolveu entrar em terreno um pouco mais pessoal.

— E namorado, tem algum?

Elizabeth riu-se da pergunta e disse:

— Namorado? Nesta época em que vivemos? Está louco? Para que namorar alguém que você não sabe se estará vivo no dia seguinte? Além do que, a maioria dos rapazes interessantes de minha idade está lutando na Europa ou na África. Você é uma exceção.

"Interessante? Ela teria dito, mesmo que sem querer, que sou interessante?" Pensou Frank com um sorriso incontido. Elizabeth, dando-se conta do que havia dito, enrubesceu e procurou disfarçar.

— Por que você não está lá, Frank? O que houve com você?

Com um olhar entristecido, Frank respondeu:

— Quebrei a perna num treinamento preparatório em setembro

de 1940. A fratura demorou seis meses para se consolidar e nunca mais consegui recuperar totalmente a minha agilidade de movimentos. Como eu não tinha muito estudo, concluíram que eu não servia para assuntos administrativos. Dispensaram-me em maio de 1941. Abriram uma exceção e me pagam uma espécie de indenização por eu ter-me ferido durante um treinamento, que nem sei se faço por merecer, mas que é suficiente para pagar meu quarto, comida e minhas cervejas.

Percebendo que aquele assunto era desagradável para Frank, Elizabeth mudou a conversa.

– Adorei escutar sobre seu avô e suas experiências de vida. Ele parece ter tido uma grande influência sobre você.

– E teve, Elizabeth. Muita. Pena que estou tão longe de colocar seus ensinamentos em prática.

A comida chegou com um ótimo aroma e fez com que voltassem a ficar em silêncio enquanto comiam, mas a sensação de desconforto um com o outro não existia mais.

Já ia ficando tarde e quando acabaram de comer se levantaram, agradeceram a Albert mais uma vez e saíram. No caminho até a pensão de Frank passaram pelo mesmo ponto em que ele havia caído há alguns dias. Toda a cena voltou à memória de Frank, que procurou abandoná-la de imediato. Não queria mais pensar naquilo.

Chegando já próximo à pensão, Frank deu-se conta de que não poderia convidá-la para entrar em hipótese alguma. Seu quarto estava sujo e a bagunça era tanta que ela certamente jamais voltaria. Quando chegou à porta, virou-se para Elizabeth e disse:

– Aqui estamos. Gostaria de agradecê-la por tudo que fez por mim nesses dias, não só pelo tratamento médico, mas principalmente por ter me ouvido. Ajudou-me muito. Eu ainda teria muito que contar, mas infelizmente não houve tempo. E obrigado também por me acompanhar até aqui. Você não tinha obrigação nenhuma de fazê-lo.

– Foi um prazer, Frank. É bom vê-lo recuperado. E até ganhei um jantar por conta da casa.

Os dois riram da brincadeira, mas logo ficaram em silêncio e se olharam com uma expressão um tanto triste.

— Adeus Frank, fique bem.

— Adeus e obrigado novamente.

Elizabeth virou-se e já ia caminhando alguns passos pela calçada quando uma voz dentro de Frank disse: "faça alguma coisa Frank, não a deixe ir assim, faça algo... agora". E então sem pensar muito gritou:

— Elizabeth!

Seu grito ecoou na rua vazia e assustou Elizabeth que se virou prontamente. Seu olhar era de quem estava torcendo para que aquele chamado acontecesse. Frank, porém, não sabia exatamente o que dizer. Alguns segundos se passaram até que enfim perguntou:

— Você gostou da comida de Albert?

— Sim, estava ótima – respondeu Elizabeth, ainda sem entender o que Frank pretendia com a pergunta.

— Quer se encontrar comigo de novo amanhã lá para jantar? Assim posso te contar um pouco mais das coisas que meu avô me ensinou.

A expressão no rosto de Elizabeth mudou de imediato e um sorriso preencheu todos os espaços de seu rosto.

— Eu adoraria. Creio que consigo chegar lá por volta das sete e meia.

— Perfeito! Vejo você lá amanhã então.

Elizabeth acenou, virou-se e foi embora, caminhando rapidamente. Frank a observou até que chegasse a um ponto em que não mais podia vê-la, e então sentiu um aperto no coração. Já tinha saudades de sua enfermeira, confidente, amiga. Na verdade já não sabia mais como defini-la. Foi nesse momento que se deu conta do que realmente estava sentindo. "Oh, oh, alerta vermelho! Frank está apaixonado", pensou.

Quando entrou pensão adentro, estava nas nuvens. O que sentia parecia ser maior que seu peito e tomava tudo ao seu redor. Ao admitir a existência de tal sentimento, este pareceu agigantar-se e tomar proporções inimagináveis a ponto de assustá-lo. Tudo aquilo era novo para ele e não sabia muito bem como administrar tal coisa.

No entanto, seu transe emocional foi logo quebrado quando entrou em seu quarto. A montanha de roupa suja, a cama por fazer e os papéis desarrumados sobre a escrivaninha minúscula o trouxeram de volta a sua realidade dura e solitária.

Ao tirar a roupa sentiu um cheiro forte e desagradável e deu-se conta de que não era só seu quarto que precisava de limpeza e arrumação. Ele também precisava de um bom banho. Deitou-se e disse a si mesmo. Amanhã começamos uma boa faxina. Por dentro e por fora.

Pensando em Elizabeth, fechou os olhos e pegou no sono. Estava feliz; amanhã a veria novamente.

Chá para Dois

O relógio de parede do Great Lion apontava sete e quinze, e Frank já estava sentado na mesma mesa em que havia se sentado com Elizabeth na noite anterior. Sentia-se ansioso e por isso havia exagerado na pressa, chegando cedo demais ao local do encontro.

Havia tido um dia ocupado fazendo uma faxina em seu quarto, lavando suas roupas e o mais importante de tudo, cuidando de si mesmo. Tomou um bom banho, fez a barba, cortou as unhas e antes de sair fez algo que há muito não fazia: passou um pouco de colônia no rosto.

Todo aquele exercício de cuidar de seu quarto e de si mesmo havia surtido um efeito renovador e sentia-se muito bem consigo mesmo. Uma sensação que há muito não experimentava.

Apesar de estar ali numa mesa de bar, não estava bebendo. Havia recusado a caneca que Albert lhe oferecera, o que provocou espanto e uma observação do tipo "olha só, alguém parece estar mudado!". E era assim que se sentia naquele dia. Não entendia ainda exatamente o que estava diferente, mas sentia-se com um ânimo redobrado e pensava em retomar as buscas por trabalho no dia seguinte.

Quando o relógio apontou sete e trinta e um, começou a ficar agoniado. "Será que ela não vem?", perguntou-se. Às sete e quarenta, já não se continha de tanta agitação e às sete e quarenta e cinco já começava a se entristecer, quando finalmente Elizabeth entrou no bar apressada. Seu olhar era terno como sempre, mas não conseguia disfarçar um pouco de culpa. O coração de Frank deu um salto quando a viu e uma forte sensação de alegria encheu seu peito. Ao chegar à mesa, Elizabeth foi logo se explicando:

– Me desculpe pelo atraso, Frank, mas novos feridos chegaram hoje e precisei ficar além do meu horário normal.

– Sem problemas. Eu mesmo acabo de chegar – respondeu Frank tentando disfarçar a própria ansiedade.

Ergueu o braço e fez um sinal para Albert, que atendeu prontamente trazendo o cardápio. Por se tratar de um bar e, além do mais, em época de racionamento de comida, não havia muitas opções e a escolha foi rápida.

– O mesmo de ontem, Albert, estava delicioso – disse Elizabeth.

– Dois então – completou Frank.

Albert nem precisou tomar notas. Limpando as mãos no avental perguntou:

– E para beber?

Frank e Elizabeth se olharam e antes mesmo que Frank pudesse dizer qualquer coisa, Elizabeth respondeu:

– Chá, por favor, para os dois.

Albert olhou para Frank surpreso, afinal aquela não era uma bebida que ele costumava servir. Frank retribuiu o olhar, arregalou os olhos e ergueu os ombros, como que dizendo: "dê um jeito e faça o que ela está pedindo".

Albert fez uma cara de resignado e disse a Frank:

– Você me deve mais uma. Vou buscar um pouco de chá lá nos fundos. Para sua sorte eu tenho um pouco para mim, mas vou dividir com vocês.

Só depois que Albert se foi é que Elizabeth pôde reparar melhor em Frank e deu-se conta da mudança de visual e melhor asseio.

– Frank, você parece até outra pessoa sem aquela barba por fazer. E cá entre nós, sua colônia é bem melhor que o seu perfume de ontem.

Frank riu um pouco sem jeito da brincadeira de Elizabeth, pois esperava que ela não houvesse notado seu mau cheiro do dia anterior e agradeceu o elogio. Elizabeth retomou a conversa.

— Então, Frank, pelo que entendi, seu avô fez com que você repensasse a religião e suas desavenças com ela, correto?

— Fez sim, Elizabeth. Mas me fez repensar em muitas outras coisas.

— Verdade? Conte-me, Frank. Estou curiosa.

Feliz com o interesse de Elizabeth, Frank retomou então sua narrativa e dividiria com ela novas lições de vida dadas pelo avô.

Um Líder?

No dia 1 de setembro de 1939, a Polônia havia sido invadida pela Alemanha nazista. No dia seguinte, o governo Inglês anunciaria o alistamento compulsório de todos os homens entre 18 e 41 anos de idade, o que deixava Frank e Frederick de fora, mas Peter teria de se alistar. A situação de guerra iminente deixava o clima na casa dos Farrow bastante ruim.

O sol já ia alto naquele dia 3 de setembro quando Frank e Benedict decidiram parar para descansar e tomar um pouco de água. O pedaço de terra já estava todo limpo, arado e adubado, pronto para receber sementes. De alguma forma, Frank também se sentia assim, como se o mato de sua alma houvesse sido carpido, por estar fazendo algo de útil com seu tempo e também por estar na companhia de alguém que parecia cuidar dele de uma forma que ele não havia experimentado antes. Era um cuidado desinteressado e que se preocupava mais com o que vinha de dentro. Estava tomando coragem para fazer algumas perguntas para o avô quando este o surpreendeu e quebrou o silêncio antes dele.

— Sua mãe comentou comigo que você não terminou os estudos. Tem alguma coisa que você gostaria de dividir comigo a respeito?

Frank sentiu-se inicialmente um tanto desconfortável com o assunto, afinal esta era mais uma das situações mal resolvidas e mal acabadas em sua vida, mas a forma de abordagem de Benedict não havia sido invasiva e fez com que ele se sentisse à vontade para abrir-se.

— Sempre criei problemas. Discutia com os professores, questionava suas regras e sua autoridade. A maioria deles não estava nem aí comigo. Nas aulas eu não parava quieto e queria fazer perguntas, questionar coisas, mas eles não deixavam e isso me revoltava. Diziam que eu atrapalhava suas aulas. Arranjei tanta briga com meus professores que acabei expulso.

— Expulso... Comentou Benedict, fingindo surpresa arregalando levemente os olhos. Em seguida ficou em silêncio, criando uma espécie de vazio para Frank preencher. O neto então continuou.

— Sim. Logo minha reputação ficou conhecida e outras escolas do bairro não queriam mais me aceitar. Meu pai também não tentou muito; acho que se cansou das reclamações. O fato é que me parece que a escola não foi feita para mim. Não consegui nada além de punições e mau tratamento lá.

— Não foi feita para você. Interessante! E você acha que deveria ter sido?

A pergunta de Benedict pegou Frank de surpresa e o fez pensar por um instante no que havia dito. Então respondeu:

— Não, claro que não. É só uma maneira de dizer que a escola e eu não nos enquadramos.

— Entendo. E aí você começou a trabalhar. As coisas foram diferentes, então?

Cabisbaixo, Frank respondeu:

— Não. Na verdade foi até pior. Não aceitava ordens dos meus chefes sem fazer perguntas que eles não estavam dispostos a responder. E eles estavam sempre exigindo de mim, sem querer dar nada em troca. Além do mais, queriam que eu fosse ambicioso e buscasse ganhar mais dinheiro fazendo horas extras. Eu me negava. Se eles quisessem algo de mim, teriam que me dar algo antes. No final, acabavam me demitindo. Acho que uma fábrica também não é lugar para mim.

— Entendo – respondeu Benedict de novo, deixando o silêncio seguir e criar mais espaço para que Frank falasse.

— Não sei o que acontece vô, mas minha sensação é que nenhum desses lugares é bom para mim. Só vi um mar de coisas negativas e isso sempre me deixava para baixo. E agora estou aqui, sem poder estudar e sem conseguir trabalho; no fundo do poço. Estou sem ânimo e sem propósito.

— OK, então deixa ver se eu entendi. Você acha que nem a escola nem o ambiente de trabalho foram feitos para você. Não te permitem que se manifeste e o que você parece receber deles é apenas maus-tratos, punições e interesses fazendo com que você se sinta usado. Tudo isso te deixa muito mal e no momento você se vê no fundo do poço. É isso?

— É isso. Obrigado pelo resumo – disse Frank.

— Bem, nisso tudo você está certo em uma coisa, Frank. Nem a escola nem a fábrica foram feitas para você. As escolas foram desenhadas para suprir uma necessidade coletiva de milhões de pessoas e as fábricas mantêm uma hierarquia necessária para fazer com que ela funcione e prospere, afinal alguém correu o risco de investir tempo e dinheiro num negócio que além de visar lucro, cria empregos para muita gente. Mas meu ponto principal não é este. Meu ponto é: de onde viria esta sua percepção de que o mundo tem que se ajustar a você? Na sua visão, a escola e a fábrica não servem para você, mas que esforço você fez para se adaptar e fazer com que servisse para a escola e para a fábrica? Então o mundo não é perfeito e não foi desenhado para o Frank. Mas qual foi a sua contribuição para que as coisas ficassem melhores do que estavam quando você as encontrou?

Enquanto o avô falava, Frank foi se encolhendo, cruzando os braços e as pernas, ficando cada vez mais numa posição defensiva. Porém, sabia que o que Benedict dizia era verdade. Havia sempre olhado as coisas por uma perspectiva egocêntrica, esperando sempre que o mundo a sua volta se ajustasse a ele e não o contrário. Mas Benedict ainda não havia terminado.

– Entenda uma coisa Frank, o mundo funciona com uma eterna mecânica de ação e reação. O que você dá ao universo ele te dá de volta. O que vai de você, vem para você. Entendi que você só recebeu destas instituições coisas que te machucaram, mas o que você deu a elas em primeiro lugar?

– Nada. Apenas questionamentos e agressões.

– E elas responderam com a mesma forma de energia. Quer nos questionar? Também questionamos você. Quer nos agredir? Também agredimos você.

Frank, agora além de estar todo fechado, estava de cabeça baixa. Parecia que tudo aquilo que o avô dizia lhe atingia em cheio. Então reagiu:

– É vô, você pensa que é fácil ser assim? Dói muito se sentir um desajustado.

A feição e o olhar de Benedict se transformaram de imediato e se encheram de compaixão e ternura.

– Filho, eu sei exatamente o que sente. Já fui assim também, lembra? E é por isso que estou lhe dizendo estas coisas. E você diz que isso tudo dói. Suas dores podem ser suas maiores aliadas se você souber escutá-las. Elas podem ser suas maiores mestras. O que elas estão tentando te dizer, Frank? O que elas estão te ensinando?

Benedict terminou seus questionamentos, virou-se e voltou ao trabalho, sabendo que havia deixado Frank um tanto surpreso com suas perguntas. Por isso não fez nenhum comentário quando notou que o neto não voltou as suas atividades, permanecendo sentado no chão com olhar fixo em um ponto qualquer, como se estivesse em outro lugar no tempo e no espaço.

Frank refletia sobre as palavras do avô, pois nunca havia olhado para seus sofrimentos por este ângulo, como se fossem seus mestres, como se estivessem tentando lhe ensinar algo. Sua reação nesses momentos havia sido sempre de revolta e de rejeição para com tais experiências. Reagia feito uma criança, que ao experimentar dor, chorava, reclamava e buscava alívio imediato para elas, nem sempre da forma mais adequada. Porém, agora começava a ver-se de outra forma. Sentia-se egocêntrico e algo um tanto infantil. De repente os questionamentos de Benedict lhe abriram uma perspectiva totalmente nova. Por um breve momento passou a ter apreço por seus erros e por suas consequentes dores. Elas poderiam conter uma infinidade de ensinamentos que lhe poderiam ser úteis. Mas ainda não haviam respondido a uma pergunta fundamental.

– Mas por que sou diferente assim? – perguntou Frank ao avô.

Benedict voltou-se para Frank, olhou-o nos olhos e disse:

– Porque apesar de não perceber, você é um líder. E não há nada pior que uma pessoa que é líder e não sabe, pois em vez de contribuir, cria distúrbios; em vez de agregar, divide. Você pensa com sua própria cabeça, tem suas próprias ideias, têm suas próprias iniciativas, o que são características de um líder. Mas se isso não for devidamente trabalhado e canalizado transforma-se em insubordinação, indisciplina, desalinhamento.

Frank ficou mais uma vez surpreso com a resposta do avô. Permaneceu ali parado, com a boca aberta, não sabendo como reagir. Depois de uma breve pausa, disse para si mesmo: "Eu, um líder?"

– Sim, meu neto, um líder. Porém a maioria das pessoas não sabe reconhecer um jovem líder quando veem um e por isso não trabalham seus traços de personalidade. Ao contrário, sentem-se incomodadas por eles. Mas a culpa não é só das pessoas. Você também precisa fazer a sua parte para se deixar transformar num verdadeiro líder.

– É mesmo? E qual seria a minha parte?

– Deixar-se liderar. Ser humilde e aprender que antes de liderar, é preciso ser liderado por alguém. Para ser seguido e ter seguidores, é preciso seguir a alguém primeiro. Se você não se vestir de humildade e se deixar guiar, moldar e ser liderado, nunca transcenderá para além de seu estado atual. Nunca transformará seus impulsos de líder em uma liderança que agrega valor e transforma o mundo a sua volta em algo melhor do que você encontrou. Ao contrário, se concentrará apenas em questionar e desafiar o status quo, sem propor nada que represente uma evolução. Em vez de criar valor, desvaloriza, em vez de gerar luz, gera apenas calor, como uma lâmpada velha que consome energia e que esquenta muito, mas não ilumina. Você espera por perfeição de seus professores, de seus chefes, dos sacerdotes, dos seus pais, porém não se coloca no lugar deles. Não busca entender que são seres humanos como você, cheios de medos e dúvidas, mas que já viveram muito mais que você e carregam consigo muitas cicatrizes dos seus campos de batalha e que podem te ajudar muito, te guiando e orientando. Mas você precisa se deixar guiar e orientar antes. Procure entender a si mesmo e aos outros como seres imperfeitos, inclusive os líderes que a vida te presenteia. Aprenda com suas experiências e sabedoria, mas saiba aprender também com suas imperfeições e com seus erros. Ser imperfeito não é o problema. É a norma. Não buscar a constante evolução, isso sim é um grande problema.

As palavras de Benedict tocaram fundo em Frank, pois era exatamente assim que se sentia. Era um criador de distúrbios, um desagregador, mas pela primeira vez em sua vida alguém dava sentido a tudo aquilo e já não via seus traços de personalidade como algo tão ruim. Talvez fosse apenas um diamante em estado bruto, que precisava somente ser lapidado. Mas seu avô ainda estava longe de ter terminado.

– E se você se sente no fundo do poço, isso é excelente.

– Excelente? Como assim? – perguntou Frank com um tom de indignação.

– Claro que sim. De onde você está só se pode ir para cima. Para baixo não dá mais. Agora só depende de você para começar a subir. Não existe lugar melhor para se começar a transformar sua vida que o fundo do poço. Faça desse o seu principal propósito nesse momento de sua vida. Você disse que não tinha um propósito? Pronto, já achou um.

Benedict olhou para Frank com ternura e deu uma piscadela, como se lhe tivesse dado um pequeno presente.

Frank se sentiu tocado com o olhar e o gesto do avô. Em poucos minutos suas palavras sábias haviam feito toda a diferença do mundo. Sentia-se diferente a respeito de si mesmo e queria começar uma revolução naquele mesmo instante. Poucas vezes em sua vida se sentira tão motivado a buscar um recomeço. Então lamentou:

— Que pena que você demorou tanto para aparecer em minha vida. Se houvesse aparecido antes, teria evitado tanto estrago. Tenho tanto que corrigir. Sinto que tenho um longo caminho a percorrer. Você me ajuda?

— Quando o discípulo está pronto, ele encontra o Mestre. Não se preocupe, pois tudo acontece no momento que deve acontecer. E é claro que te ajudo. Mas você deve querer ser ajudado antes, se não nada posso fazer.

Benedict parou de falar por um instante, largou a enxada e caminhou lentamente até Frank. Colocou então sua mão direita no ombro do neto e disse:

— Frank, fique alerta, pois na realidade nunca sabemos se o fundo do poço em que estamos é realmente o fundo. Você pode ter muito pela frente ainda até que chegue realmente no fundo, e por isso precisará ser muito mais forte do que pensa.

Frank riu da observação do avô e disse:

— Não tenho amigos, não tenho namorada, não tenho escola, não tenho trabalho, estou distante de Deus, minha família não acredita mais em mim, o que mais pode piorar?

Frank e Benedict não tiveram mais tempo para conversar. Escutaram um grito dentro da casa e imediatamente reconheceram a voz de Charlotte. Correram para dentro e a encontraram nos braços do marido, chorando copiosamente. Quando ambos perguntaram o que havia acontecido, Frederick lhes contou o que acabavam de escutar no rádio. A Inglaterra havia declarado guerra contra a Alemanha e Peter certamente iria ser convocado para lutar. Em questão de meses, seria a vez de Frank. O mundo estava mudando e mudando drasticamente.

Um Ensinamento Poderoso

Naquele dia não houve mais clima para o trabalho na terra. Benedict e Frank se dedicaram a consolar Charlotte e a escutar as notícias da guerra no rádio. Com a invasão da Polônia, Inglaterra e França não viram outro remédio a não ser declarar guerra à Alemanha e a mobilização já estava em pleno andamento.

Peter havia deixado seu trabalho e estava em casa, preparando uma mala para se apresentar ao setor de recrutamento do exército. Em um dado momento, ele virou-se para Frank e disse:

— Prepare-se "irmãozinho", pois em novembro você completará dezoito anos e então será sua vez.

Aquela observação gerou um calafrio em Frank e um arrepio lhe correu desde a nuca até os braços. Benedict parecia ter razão mais uma vez. Tudo levava a crer que o fundo do poço ainda estava longe.

Adivinhando os pensamentos do neto, Benedict colocou o braço direito sobre seus ombros, olhou-o nos olhos e disse:

— Seja forte, pois sua jornada mais dura ainda está por começar, mas algo me diz que você será um bem-aventurado ao longo desta difícil caminhada. Frank sentiu-se encorajado pelo comentário do avô e foi ajudar o irmão nos preparativos.

No final do dia, em meio a muito choro e abraços de despedida,

Peter se foi, com um olhar assustado e o coração apertado. Charlotte estava desesperada e não parava de chorar. Frederick tentava ser forte não demonstrando a dor que sentia, buscando amparar a esposa dizendo que a guerra duraria pouco e que logo ele estaria de volta. Evidentemente, nem ele mesmo acreditava no que dizia.

Frank foi para a cama mais cedo naquele dia, porém não conseguira dormir. Temia pelo irmão, temia pela família e mais que tudo, temia por si mesmo. Em dois meses teria de se alistar e oferecer seus serviços como soldado para defender seu país e não se sentia nem um pouco preparado para tal desafio. Foi quando se deu conta de que teria muito pouco tempo de convivência com o avô, e que precisaria tirar o máximo da saudável influência que ele lhe exercia.

Na manhã seguinte, procurou Benedict logo cedo e lhe disse:

– Avô, por favor, me ajude. Preciso que me prepare para o que está por vir. Estou apavorado.

Benedict abraçou-o fraternalmente e disse:

– Filho, o que você está me pedindo está muito além de minhas capacidades, pois o tempo é tão curto, mas farei o que puder para ajudá-lo.

– Quanto tempo crê que eu precisaria com você para que eu me sentisse mais sábio, mais seguro, mais equilibrado e espiritualmente mais evoluído?

Benedict riu com o canto dos lábios e respondeu:

– Uns dois anos.

Frank pensou por um momento e disse:

– E se trabalharmos mais duro? E se dobrarmos a quantidade de horas juntos? Talvez se conversássemos também nas noites e fins de semana, em quanto tempo eu conseguiria?

Com um olhar irônico, Benedict respondeu:

– Ah... Aí então seria diferente. Com todo esse esforço e dedicação tomaria então uns quatro anos.

Frank olhou para o avô com cara de quem não entedia essa aritmética maluca. Benedict riu-se da expressão confusa do neto e então explicou:

— Frank, esqueça-se do fator tempo. Se você focar apenas no final da jornada não prestará atenção no caminho e certamente se perderá, ou se distrairá do que realmente importa. Cada experiência, cada lição, cada momento de reflexão deve ser vivido intensamente, sempre no aqui e no agora, pois isso é tudo que você tem. O ontem já se foi, é passado e não pode ser alterado. E o amanhã é um mistério que não controlamos. Você deve viver no presente e focar no que ele te traz, a cada momento.

— Entendo vô. Mas o fato é que temos apenas dois meses juntos até que eu me aliste, e aparentemente isso não será o suficiente.

— Bem, façamos o melhor do tempo que temos. Além do que, nada garante que teremos dois meses. Repito, o futuro é um mistério que não controlamos.

Notando a angústia nos olhos do neto, Benedict decidiu que precisava fazer algo de imediato para aliviar sua tensão.

— Vamos começar com um exercício que lhe será útil para o resto da vida. Vou lhe ensinar a relaxar, a meditar e a orar e vou pedir para que faça este mesmo exercício todos os dias até o seu aniversário. Vamos lá?

— Vamos. O que tenho que fazer? — perguntou Frank um pouco surpreso, pois não esperava que os ensinamentos do avô começassem com algo tão prático como um exercício.

— Bem, primeiramente vá ao banheiro, alivie sua bexiga, limpe suas narinas e volte. Quando voltar, tire seus sapatos, deite-se em minha cama e coloque seus braços ao lado do corpo.

Frank levantou-se e procedeu como o avô havia solicitado. Apesar de não estar vendo sentido algum no que lhe era pedido, havia aprendido a confiar naquele homem. Uma vez deitado e bem acomodado na cama, Benedict pediu para que ele fechasse os olhos e começasse a respirar profunda e lentamente. Fez isso por uns dois minutos até que o avô quebrasse novamente o silêncio.

— Vamos começar a relaxar seus músculos, pouco a pouco. Concentremo-nos primeiro nos pés. Relaxe cada músculo deles, subindo então para os tornozelos... pernas... joelhos... coxas...

Agora pense em suas mãos e as sinta relaxar... agora os braços... Agora preste atenção em seu rosto e relaxe cada músculo facial, sua testa, deixe cair suas mandíbulas. Agora pense em seus ombros e veja como estão tensos. Relaxe-os.

Conforme Benedict foi lentamente orquestrando o exercício, Frank foi relaxando parte por parte de seu corpo e ficou impressionado com o nível de tensão em que estava, principalmente quando sentiu a rigidez de suas mandíbulas e de seus ombros.

– Agora preste atenção em seu peito e em seu abdômen. Nesta área concentramos muita tensão e demandará muita entrega sua para que a relaxe. Vamos com calma. Continue relaxando, pouco a pouco.

Frank de repente deu-se conta de algo que nunca havia notado. Sentia uma espécie de nó na área do estômago, como se uma bola de tênis estivesse dentro dele, e que ia se dissolvendo conforme ele respirava e relaxava.

– Uma vez relaxada esta área, volte aos ombros e ao pescoço, que podem ter-se contraído outra vez.

Benedict estava certo. Conforme Frank relaxou a área do plexo, os ombros haviam se contraído outra vez. Frank percebeu então que relaxar não era algo tão simples como imaginava. Entendeu também porque precisava ter limpado as narinas e a bexiga, pois só assim poderia respirar profundamente e relaxar o abdômen sem se urinar todo.

– Muito bem, Frank. Agora quero que imagine que diante de você existe um sol, que é só seu. Deste sol emana uma luz que é sua fonte de energia vital e espiritual, uma energia poderosíssima que vem de seu criador, com tudo que você precisa para passar por qualquer dificuldade em sua vida. Essa fonte de energia divina que escolhemos chamar de Deus esta aí, na sua frente, a sua disposição. Absorva esta energia poderosa. Sinta-se calmo e fortalecido a cada instante. Sinta o calor de sua luz e de seu poder. E mentalmente, fale com ela. Converse com sua fonte de energia divina. Peça a ela o que quiser: força, equilíbrio, amor, proteção, cuidado para com os que você ama. Junte-se a ela e sinta-se uno com esta fonte de energia, pois ela e você são na verdade uma só energia. Pense por um momento em todas as bênçãos que você vem recebendo desta força divina maravilhosa e agradeça por cada uma delas: casa, comida, família, uma cama, agasalhos para o frio, água para beber e para o banho. Coisas que não damos o devido valor, mas que são negadas a tantas outras pessoas menos privilegiadas. Sinta-se amado por esta energia divina.

Conforme Frank foi sendo guiado pelo avô, passou a sentir uma paz e uma energia que nunca havia experimentado antes. Sentia-se tão perto de Deus e tão amado por ele que queria que aquele exercício não acabasse nunca. Mentalmente falou com aquele "sol". Agradeceu ao seu criador por tudo que tinha. Também pediu ajuda, proteção e forças para enfrentar o que ainda estava por vir.

Benedict disse então para que ele ficasse ali, naquele estado de oração e meditação pelo tempo que quisesse ou sentisse necessário. Saiu silenciosamente do quarto e foi para sua horta.

Quarenta minutos depois, Frank despertou de um sono profundo na mesma posição em que havia iniciado o relaxamento e se viu sozinho no quarto de Benedict. A percepção que tinha era de que havia dormido por horas e sentia-se descansado, com as energias renovadas como há muito não experimentava. Saiu do quarto do avô ainda um tanto cambaleante e cobrindo os olhos que custavam a se acostumar com a luminosidade do dia.

Sem olhar para o neto e sem interromper seu trabalho na horta, Benedict perguntou:

— Como se sente, rapaz?

— Sinto muito, peguei no sono e dormi pesado. Desculpe-me, mas acho que estraguei o exercício.

Com um sorriso nos lábios, Benedict tratou logo de corrigir a percepção do neto.

— Absolutamente. Você não estragou nada. É natural que alguém caia no sono quando faz um relaxamento profundo. Não apenas o seu corpo descansa como também sua mente. E seu espírito, ao conectar-se com sua fonte de energia divina também se fortalece.

Conforme você for repetindo esse exercício todos os dias, você começará a sentir mudanças drásticas em sua vida em todos os campos, físico, mental e espiritual.

— Sobre a questão espiritual, essa maneira de rezar é muito estranha. Não fiz nenhuma das orações que me ensinaram na igreja e você me fez ver Deus como uma fonte inesgotável de luz, calor, energia. Eu estava acostumado a rezar imaginando um velho barbudo que vi uma vez numa pintura. É tudo tão diferente.

Benedict consentiu balançando a cabeça positivamente e percebendo a confusão do neto explicou:

— Esta é a forma com que fomos educados desde pequenos a imaginar Deus, pois para entendê-lo, precisamos humanizá-lo. E depois o usamos como instrumento de humanização. Dizemos que se não fizermos as coisas desta ou daquela maneira, seremos punidos por ele. Em função de Deus, criamos todo um código de conduta e comportamentos para reger nossa sociedade. Esqueça tudo isso Frank. A bondade não é uma questão religiosa. É uma questão ética. É uma escolha. Deus não precisa ter forma humana para fazer sentido. Deus sequer precisa fazer sentido. Nossa mente humana é limitada demais para entendê-lo em todas as suas dimensões. Precisamos apenas senti-lo dentro de nós, o resto vem naturalmente. A bondade, o amor, a caridade emanam naturalmente daqueles que trazem esta energia no coração. Abandone a necessidade de entender Deus, Frank. Apenas tenha fé. A fé é o caminho para vencer todos os seus medos. Quem tem fé, não teme.

— Você acha então que devo deixar de ir à igreja? Devo deixar de fazer as orações que aprendi?

— Não, Frank. Não me confunda. Qualquer maneira de se aproximar de Deus vale a pena, inclusive participar da missa e fazer suas orações de costume. Apesar de seguir meu próprio protocolo de comunicação com Deus, jamais deixei de rezar o Pai Nosso, por exemplo. As orações têm poder, Frank. O que estou sugerindo é que você desenvolva sua própria forma de comunicar-se com tudo que é divino, com abandono e fé, e que abra o canal de conexão com esta energia divina. Deixe-a entrar e ocupar o seu ser. A divindade também é parte do ser humano. Vá à igreja, reze suas orações de costume, mas não crie em sua cabeça uma imagem de Deus lá e nós cá. Quando fizer sua comunhão, por exemplo, faça exatamente isso. Entre em comunhão com Deus. Deixe-o entrar pelos seus poros, pelo seu ser, sinta essa divindade dentro de você. Esses rituais são poderosos, mas acabamos por repeti-los mecanicamente, sem aproveitá-los em sua totalidade.

Frank escutou em silêncio e então se deu conta de algo importante e rapidamente mudou de feição, como se houvesse descoberto algo novo.

— Espere um momento. Você disse que temos que sentir Deus e sua divindade dentro de nós. Seria essa então a resposta a minha pergunta de outro dia? Deus está dentro de nós?

Benedict apenas olhou o neto com uma expressão de carinho e felicidade pelo fato de Frank ter chegado a essa dedução por conta própria. Então concluiu:

— É isso Frank, você achou a resposta. Deus está dentro de nós e quando o identificamos aqui dentro ele passa a estar em toda parte. Passamos a enxergá-lo em tudo. Num nascer ou num pôr do sol, numa revoada de pássaros, numa criança que nasce e até mesmo nas coisas ruins que nos acontecem, pois sabemos que ele está orquestrando tudo em sua infinita sabedoria.

— Está bem. Acho que estou começando a entender melhor suas ideias. Mas onde foi que aprendeu tudo isso?

Benedict parou por um momento olhando para um ponto distante no tempo e no espaço, fazendo um esforço inútil para responder a pergunta do neto.

— Índia, China, Oriente Médio e em tantos outros lugares. Já não sei bem onde aprendi o que e quando. Acho que estou ficando velho, meu neto.

Ambos riram desta última observação, porém o olhar de Benedict foi se transformando lentamente, até ganhar um ar de seriedade e gravidade que preocupou Frank.

– O que houve vô? Por que ficou tão sério de repente?

Benedict aproximou-se, e olhando em seus olhos, disse-lhe:

– Frank, dizer que estou ficando velho já não é mais tão engraçado como era há alguns anos. Realmente estou começando a sentir o peso da idade chegando. Não creio que viverei para ver o final desta guerra. Portanto, creio que é chegada a hora de dividir um segredo com você.

Frank sentiu um arrepio descer por sua espinha. As palavras do avô lhe causaram profunda emoção. Havia criado um apego inexplicável ao avô e a ideia de perdê-lo era quase insuportável. Benedict então continuou.

– Depois de ter viajado por tantos países, conhecido tantas religiões e tantas filosofias diferentes, de ter lido tantos livros e escutado tantos líderes religiosos encontrei um mestre que finalmente fez sentido a tudo isso. Que juntou as peças deste imenso quebra-cabeça. Ele apareceu em minha vida de surpresa na forma de um ancião muito sábio, e nunca mais me abandonou. De fato, ele está aqui agora, neste momento, conosco.

Frank de imediato olhou a sua volta procurando aquela pessoa, mas não viu ninguém. Olhou então para o avô com um olhar de quem não estava entendendo nada. Benedict então continuou:

– Você ainda não poderá vê-lo, Frank. Ao menos não por enquanto. Mas estou seguro de que um dia ele aparecerá para você, quando você menos esperar. E se você se deixar guiar por ele, obterá dele todas as respostas que busca. Ele trás toda a sabedoria do universo e nunca te abandonará, desde que você não o abandone.

Frank, pela primeira vez desde que havia conhecido o avô, teve dúvidas sobre as suas faculdades mentais. Seu pai e sua mãe haviam dito várias vezes que ele não era muito "certo da cabeça" e que não dizia coisa com coisa. Agora ele estava ali, diante dele, falando sobre um velho que só ele enxergava. Não sabendo o que dizer e como reagir, Frank apenas balançou a cabeça positivamente e perguntou:

– E onde é que você o encontrou? Onde devo buscá-lo?

Com um olhar grave e tenso, Benedict disse:

— Não, não o busque. Buscá-lo será a pior maneira de encontrá-lo. Ele te encontrará quando você menos esperar.

— Ok. Entendi. Eu acho... Creio que já tive lições o suficiente por hoje. Vou ver se minha mãe precisa de alguma ajuda.

Percebendo a confusão do neto e sabendo que ele precisava de um tempo para digerir tudo aquilo, Benedict deixou-o ir.

Já dentro de casa, Frank tinha os pensamentos acelerados. Tinha muito que pensar e revisar em suas crenças e em sua forma de lidar com Deus. Tinha também agora uma tarefa diária que ainda não entendia muito bem. Estava preocupado com o avô, com sua saúde e sua sanidade mental. Ele havia falado sobre a possibilidade de ter pouco tempo de vida pela frente, o que por si só já o angustiava. Mas o que realmente o deixava confuso era o tal segredo do avô. O sábio ancião que só ele enxergava. Será que ele existia mesmo, ou era apenas uma ilusão de alguém que já não estava bem da cabeça?

Decidiu então que não deixaria estas dúvidas atrapalharem o pouco tempo que teria com Benedict. Se ele mencionasse o ancião outra vez, faria mais perguntas, mas por hora, esqueceria o assunto. Sentou-se ao lado do rádio e pôs-se a ouvir as notícias sobre a guerra. Sua preocupação com o futuro crescia mais e mais a cada momento.

Avançando o Sinal

Quando o relógio apontou dez horas, Elizabeth se desculpou com Frank e pediu licença para ir-se, afinal já começava a ficar tarde e o Great Lion já estava se esvaziando.

Frank se surpreendeu com o pedido, pois como sempre acontecia quando estava com Elizabeth, havia perdido a noção do tempo.

Esta já era a terceira noite que jantavam juntos e ele sempre a acompanhava até a estação de trens, mas hoje tinha uma ideia diferente. Iria se oferecer para acompanhá-la até em casa. Quando o trem chegou e Elizabeth se preparava para despedir-se, Frank fez um sinal para que esperasse e disse:

— Hoje te acompanho por todo o caminho, se você não se incomodar.

Elizabeth foi pega de surpresa com a novidade e não teve reação. Quase que numa fração de segundos, os dois já estavam dentro do trem e a caminho. Sentaram-se lado a lado num vagão que estava quase vazio e um silêncio um tanto incômodo se instaurou entre os dois. Frank pensou: "será que estou avançando muito rápido?". Elizabeth, então, quebrou o silêncio:

— Frank, você não precisava se incomodar. Agradeço a gentileza. Esperarei com você até que seu trem de retorno chegue.

Frank sorriu e agradeceu o cuidado, mas no fundo não

estava muito feliz com a retribuição, pois queria algo mais que simplesmente ir até a estação de destino. Ao descerem na estação de Elizabeth, Frank decidiu abrir suas intenções de uma vez.

– Elizabeth, eu gostaria de acompanhá-la até sua casa se não for pedir demais. Você já fez isso por mim uma vez quando eu não estava bem e eu ainda não tive a oportunidade de retribuir. Posso?

Elizabeth relutou um pouco, mas consentiu, mostrando-lhe o caminho. Sentia-se um pouco surpreendida com aquela mudança de atitude e ainda não sabia bem como reagir. Mas o fato de Frank tê-la acompanhado até ali lhe trazia um misto de medo e excitação.

– É longe? – perguntou Frank.

– Não. É logo ali. Por quê? Já está pensando em desistir? – perguntou Elizabeth com ar de deboche, e ambos riram nervosamente.

Após caminharem por alguns poucos minutos, pararam em frente a um pequeno prédio de apartamentos que tinha apenas quatro andares e uma aparência de descuido e pouca manutenção. Visão típica dos anos de guerra.

Por um momento Frank teve pena de Elizabeth, por sua rotina dura de enfermeira em tempos difíceis e por sua austeridade e simplicidade. Por outro lado, sabia que outras mulheres da mesma idade não haviam tido a mesma sorte. Olhou para o céu que estava menos nublado que de costume e vislumbrou a lua que brilhava com uma intensidade peculiar das noites de inverno.

Respirou fundo e disse para si mesmo: "É agora. Tem que ser agora". Aproximou-se de Elizabeth e com um frio polar no estômago e mãos trêmulas arriscou um carinho acima da orelha esquerda. Ela, por sua vez, sentiu-se imobilizada, não reagindo negativamente, porém tampouco retribuindo. Seu olhar assustado chegou a fazer com que Frank hesitasse por um segundo, mas ele estava determinado a ir até o fim com seu intento.

Chegou então um pouco mais perto e fez um movimento adiante para beijá-la. Foi quando sentiu a mão de Elizabeth em seu peito, segurando-o e evitando que concluísse seu gesto de carinho. Frank parou e olhou para ela, não entendendo bem a rejeição.

— Frank, vamos devagar. Perdi pessoas muito queridas durante esta maldita guerra, inclusive...

De repente seus olhos se encheram de lágrimas e Frank então se deu conta de que a guerra havia levado consigo alguém mais além dos pais de Elizabeth.

— Você não precisa falar a respeito se não quiser — disse Frank penalizado com a dor que via nos olhos dela.

Depois de alguns segundos em silêncio, Elizabeth se recompôs e continuou:

— Eu era noiva, Frank. Ia me casar. Meu noivo foi então recrutado para lutar na África e não mais voltaria. Foi morto em combate.

Um silêncio tétrico se fez entre os dois e Frank não sabia o que fazer ou dizer. Permaneceu ali calado por um momento e então disse:

— Sinto muito, Elizabeth. Eu não sabia. Você está bem?

— Sim, vou ficar bem. Não é nada pessoal. Gosto de você, mas esse é justamente o problema. Tenho medo de me apegar novamente. Vou precisar de mais tempo. Gostaria que continuássemos apenas conversando por um pouco mais de tempo. Você me entende?

Apesar de frustrado com a rejeição que havia experimentado, Frank estava feliz com o que acabava de escutar. Havia esperança afinal.

— Claro que sim, Elizabeth. Adoro sua companhia e não abro mão dela por nada deste mundo. Apenas gostaria de ter o privilégio de sempre acompanhá-la até sua casa. O dia em que se sentir mais segura, você me convidará para entrar e tudo será diferente. Estou certo disso.

Depois de uma breve pausa, ele continuou:

— Amanhã é domingo. Não é seu dia de folga? E se fizéssemos algo diferente como um passeio no parque? Podemos nos encontrar na estação Hyde Park Corner, às onze?

Elizabeth deu um sorriso terno e agradecido e fez um sinal positivo com a cabeça; disse boa noite e se foi.

Frank começou então um lento regresso rumo à estação. Apesar de ainda sentir algum incômodo quando fazia longas caminhadas, no meio do percurso decidiu ir caminhando para casa em vez de tomar o trem. Tinha muito que pensar e uma rejeição para digerir.

Enquanto fazia seu caminho de volta, pensou nas palavras de Elizabeth: "lutar na África"... "morto em combate". Lembrou-se então de que era para lá que seria mandado quando teve seu acidente e quebrou a perna, sendo então levado a tratamento e mais tarde, dispensado de seus serviços. Lembrou-se também de toda sua revolta e de ter sucumbido à bebida quando se viu sem família, sem trabalho e sem poder lutar por seu país. Após ter escutado sobre o destino trágico do noivo de Elizabeth, começava a ver as coisas por um ângulo um tanto diferente.

Enquanto ia caminhando a passos lentos pelas ruas escuras de Londres, palavras uma vez ditas por uma voz familiar soaram em sua memoria. "Quem perde ganha e quem ganha, perde. Tudo é relativo. Nada é totalmente ruim e nada é totalmente bom. Quando você perde alguma coisa, algo estará ganhando, e para que ganhe alguma coisa, terá de abrir mão de outra".

Disse então em alto e bom som para quem quisesse ouvir: "Sábias palavras, Benedict. Sábias palavras".

Ao ouvir sua própria voz ecoar na noite londrina, olhou a sua volta para ver se alguém mais o havia escutado, mas se tranquilizou quando não viu viva alma.

Seria uma longa e solitária caminhada de volta para casa.

O Passeio no Parque

O domingo 28 de fevereiro estava menos frio que de costume para esta época do ano, e Frank chegara ao ponto de encontro quinze minutos antes do combinado. De repente, deu-se conta de que poderia ter trazido flores para Elizabeth. Olhou a sua volta para ver se encontrava uma floricultura ou mercado, mas não encontrou nenhuma opção para que pudesse remediar aquela situação rapidamente. Foi quando percebeu que Elizabeth já se aproximava pelo outro lado da rua e disse a si mesmo: "Excelente, Frank, mais uma oportunidade perdida".

Porém, ao lembrar-se da reação de Elizabeth na noite anterior quando tentou beijá-la, conformou-se em pensar que provavelmente seria melhor daquela maneira. Pôs-se então a observá-la enquanto ela atravessava a rua. Estava vestida de forma um pouco mais sóbria que de costume, toda de cinza, com uma saia que ia até um pouco abaixo dos joelhos, um colete um pouco mais grosso para fazer frente à baixa temperatura ao ar livre e um chapéu que escondia o cabelo preso. Mas a maquiagem que usava hoje, ainda que discreta, emprestava-lhe um brilho a mais que Frank ainda não havia tido a oportunidade de apreciar e a notou mais bela que em outras ocasiões. Enquanto ela se aproximava, pensou consigo mesmo: "comporte-se Frank, você não quer estragar tudo, quer?".

Elizabeth sorriu e o saudou com beijo de canto de rosto e disse algo sobre o clima favorável. Um pouco desconcertado com a nova forma de saudação ele sorriu, concordou e ofereceu o braço direito para que ela se apoiasse enquanto caminhavam.

Logo encontraram um banco para sentar-se com uma vista privilegiada do parque. Mesmo em tempos de guerra, Londres ainda conseguia manter o seu charme aristocrático. Ambos ficaram em silêncio e apreciaram aquele momento raro de relativa paz e beleza, até que Frank quebrou o silêncio.

— Me desculpe por ontem. Eu...

Elizabeth reagiu de imediato colocando sua mão delicada e perfumada sobre os lábios de Frank e disse:

— Shhhhh... Não falemos de ontem. Aproveitemos este belo momento. Conte-me como acabou aquela história com seu avô. Entendo que ele teve uma influência muito forte sobre você, mas quero entender principalmente como é que uma energia tão positiva pôde te deixar tão mal. Você vai me explicar isso?

— Claro que sim, Elizabeth. Você logo entenderá tudo; as peças logo se encaixarão. Se a guerra fez estragos em sua vida, também fez na minha. Vou te contar.

As Pedrinhas no Balde

O mês de Outubro de 1939 chegou com mais agressões entre a Alemanha e os aliados. A invasão da Bélgica, da Holanda e de Luxemburgo pelos nazistas já era considerada como certa, e tropas inglesas já haviam sido mobilizadas para a fronteira belga como também para a França e era para lá que Peter havia sido enviado.

A missa dominical acabara de terminar e Frank já ia caminhando em direção à porta principal da igreja quando decidiu ficar ali por mais um instante. Esperou que todos saíssem, sentou-se no último banco e pôs-se a admirar a decoração e a arquitetura daquele templo, que havia frequentado durante tantos anos, mas que nunca havia tomado o devido tempo para contemplá-lo.

Desde que havia tido suas conversas sobre espiritualidade e religião com Benedict, havia aprendido a separar as duas coisas em sua cabeça e em seu coração, e havia feito as pazes com o fato de que nem tudo fazia o melhor sentido ou era perfeito nas religiões. Agora se sentia em paz na missa e aproveitava tudo de bom que ela tinha para oferecer e o que não gostava ou aprovava, simplesmente ignorava e descartava como se descarta as cascas de uma fruta. Absorvia o alimento espiritual que precisava e isso lhe bastava.

Fez mais algumas orações por sua família, pelo fim da guerra, pelo irmão e por si mesmo. Agradeceu por tudo o que tinha e também por tudo o que não tinha e foi para casa.

Ao sair da igreja arrependeu-se de não ter trazido uma jaqueta mais grossa, já que o frio de outubro já começava a mostrar suas garras.

Caminhou apressadamente na esperança de conversar um pouco com o avô antes que o almoço fosse servido. Depois de mais de um mês de convivência com ele, sentia-se mais calmo e sereno, porém ainda não entendia muito bem porque atraia tanta coisa negativa para si mesmo.

Entrou em casa sem ser notado e foi logo para os fundos onde encontraria Benedict contemplando sua horta que já estava bem verde e cheia de verduras e legumes quase prontos para serem colhidos.

— Bom dia, vô! Está bem bonita sua horta. Parabéns!

— Nossa horta, meu neto. Nossa horta. Você também trabalhou nela e merece tantos créditos quanto eu. Como está você hoje?

Frank sentiu-se orgulhoso do comentário do avô. Ele realmente havia colocado várias horas de esforço ali, e ser reconhecido por isso o fez sentir-se muito bem.

— Estou bem, mas queria te perguntar uma coisa. Os relaxamentos, meditação e orações feitos como o senhor me ensinou estão fazendo um grande efeito. Agora me sinto mais centrado e equilibrado, menos revoltado com certas coisas. Mas será que só com isso vou deixar de ser um desajustado? Será que vou deixar de encontrar coisas tão negativas em minha vida?

— Hum... Essa é uma ótima pergunta, Frank. Vou te contar uma historinha que talvez te ajude a encontrar a resposta. Sente-se nesta sombra.

Interessado, Frank mais que depressa obedeceu e sentou-se com o avô.

— Diz uma antiga fábula que um sábio costumava sentar-se a sombra de uma grande árvore na entrada de uma pequena vila medieval. Ali ele recebia muitas pessoas que queriam seus conselhos e palavras de sabedoria. Certo dia veio até ele um homem que estava se mudando para aquela vila e este lhe perguntou: "Como sou novo aqui, gostaria de saber se tomei a decisão certa de vir para cá. Poderia dizer-me como é a gente desta vila?" O sábio pensou por um segundo e respondeu-lhe com outra pergunta: "Como eram as pessoas da vila de onde você veio?" Surpreso com a pergunta, o homem mudou de feição. Pôs-se um tanto irritado e disse: "Era uma gente terrível. As pessoas de lá brigavam por qualquer coisa, sempre com caras emburradas, nunca dispostas a ajudar uns aos outros. Cada um cuidava isoladamente de sua vida e não demonstrava nenhum interesse em saber da vida dos outros. Sentia-me muito isolado e solitário. E sempre que me aproximava de alguém, me metia em alguma confusão. Por isso resolvi sair de lá, pois era muito infeliz". O sábio olhou-o com pena e disse: "Pois sinto muito meu amigo, o povo desta vila é exatamente igual. Boa sorte!" O homem então se decepcionou e se foi. Mais tarde, naquele mesmo dia, outro homem veio até o sábio, por coincidência, com a mesma situação e a mesma inquietude. O sábio reagiu da mesma forma e com a mesma pergunta. Só que desta vez a resposta foi diferente. Este segundo homem respondeu: "Ah, era uma gente maravilhosa. Sempre te saudava com entusiasmo, te ajudava no que você precisasse, comemorava tuas vitórias e te consolava em tuas derrotas. Ficávamos ao redor de uma fogueira contando nossas histórias e cantando até altas horas. Nós nos amávamos muito. Só saí de lá porque precisei e já sinto muito a falta de meus amigos". O sábio então sorriu candidamente e com um olhar de compaixão disse: "Pois fique tranquilo, meu amigo. Você veio para a vila certa. As pessoas daqui são assim também". O homem se pôs todo feliz, abraçou seu conselheiro e se foi.

— Não entendi vô. O sábio não estava falando da mesma vila? Como pode ter dado duas respostas, tão diferentes? Ele não teria mentido a um deles?

— De maneira nenhuma, meu neto. Cada uma daquelas pessoas levava dentro de si o que deu de resposta, assim que não importa onde fossem, encontrariam exatamente o que viveram em suas respectivas vilas. O que levamos conosco é o que encontramos. Aquilo que damos, recebemos. Onde quer que estejamos o mundo a nossa volta reflete o que somos e o que damos a ele.

Um longo e incômodo silêncio se impôs entre os dois, e Frank pôs-se a pensar sobre a história que acabava de ouvir. Pensou sobre sua atitude difícil e agressiva que havia tido, até então, para com tudo e com todos, e de como o mundo a sua volta havia retribuído exatamente da mesma maneira. Quebrando o silêncio, disse quase que para si mesmo:

– Gostaria de apagar todos os meus erros do passado. Gostaria de ser sábio assim como você.

O avô riu-se de sua observação e isso deixou Frank confuso. Não tinha ideia do que teria dito que seria engraçado. Logo o avô tratou de explicar.

– Frank, se eu pudesse apagar todos os meus erros do passado, estaria apagando também toda a sabedoria de meu presente. Não funciona assim, filho. Se soubermos fazer uso de nossos erros, eles se tornarão nossos maiores mestres, lembra-se?

Sim. O avô já lhe havia dito isso.

– Quando nos tornamos mais sábios, fazemos melhores escolhas, tomamos melhores decisões. Mas para que cheguemos a isso necessitamos ter muita experiência, que só vem através de más escolhas e más decisões. Não há outro caminho, Frank. Você não pode se tornar um marinheiro viajado através das viagens alheias, pode? Consegue saber o gosto dos pratos de um restaurante lambendo o cardápio?

Frank riu-se desta última analogia, mas ela havia atingido o alvo. Havia entendido o avô. Precisava ser mais aberto a novos erros e aprender com eles e não havia razão para arrependimentos sobre o seu passado. O que importava era recomeçar daquele ponto em diante. Precisava mudar sua atitude para com as pessoas e para com a vida.

– Frank, tem algo que preciso te falar e que não vai ser muito divertido. Temos mais ou menos um mês pela frente até que você se apresente para o serviço militar e esta guerra está dando todos os indícios de que vai durar algum tempo. Em breve você vai se separar de sua família e de suas referências atuais e viverá tempos difíceis. Acho que o que estou querendo dizer é que as coisas vão piorar um pouco, talvez muito, antes que melhorem. O importante é que você viva um dia de cada vez, com o espírito de um aprendiz, até sair do outro lado. Em alguns momentos você achará que chegou lá, do outro lado, mas será apenas uma ilusão. Quando você chegar lá, no seu íntimo, você saberá. Não perca a fé em sua vida e no seu futuro, não importa o que aconteça. Manter uma atitude mental positiva pode fazer toda a diferença do mundo para que você não só vença suas dificuldades, mas saia delas ainda mais forte e evoluído como ser humano e como espírito. E lembre-se, um dia você encontrará um sábio ancião que lhe guiará. Basta estar atento que um dia ele aparecerá.

Mais uma vez o avô mencionava o ancião que lhe apareceria do nada e mais uma vez isso lhe perturbava. Por que precisaria ele de outro mestre? Porém, isso não tomou muito de sua atenção. O avô havia tocado num ponto importante e que não queria desperdiçar. Já há tempos vinha se notando uma pessoa muito negativa; sempre pensando no pior que poderia acontecer, focando no que as situações tinham de ruim e no que as pessoas poderiam fazer de mal a ele. Também se via como alguém que carregava muita carga negativa, pensando pouco de si mesmo e não acreditando em suas próprias qualidades. Decidiu então que esse era o momento de abordar o assunto.

— Vovô, como fazer para ter uma atitude mental mais positiva? Tenho muita dificuldade com isso. Estou sempre vendo o lado negativo de tudo, me preparando para o que possa dar errado. Estou sempre vendo um final infeliz para as coisas e por isso prefiro nem começá-las.

Benedict manteve-se parado, olhando Frank nos olhos com um sorriso irônico nos lábios. Frank sentiu aquele olhar como se fosse um comando para que parasse por um instante e pensasse no que acabava de dizer, comando que obedeceu instintivamente. De alguma forma ele e o avô começavam a se comunicar sem que palavras fossem necessárias.

"Estou sempre vendo um final infeliz para as coisas e por isso prefiro nem começa-las." Frank estava assustado com sua própria confissão. Ele vinha definindo um final infeliz para si mesmo. Sua expressão de surpresa dizia tudo. Era como se uma lâmpada houvera se acendido acima de sua cabeça. Aproveitando o momento, o avô disse:

— Não sabia que você tinha essa faculdade de prever o futuro, Frank. Por que nunca me falou nada a respeito?

Frank riu-se da brincadeira, mas o olhar terno e profundo do avô deixava claro que aquilo era muito mais que uma piada.

— Frank, pense bem no que você está fazendo com você mesmo. Sem ter qualquer ideia do que a vida vai lhe trazer, você mesmo está se limitando, prognosticando seu futuro como algo ruim e como algo que vai dar errado. Como você pode saber se nem se permitiu tentar? Se você se pensar um derrotado, não haverá outro resultado possível. Você tratará de realizar sua própria profecia. Na verdade, você deve munir-se de um espírito mais aventureiro, meu filho, e começar tudo com um final em aberto, sempre pensando no êxito. Mas se ele não vier, que maravilha. Mais uma vivência. Mais uma experiência, mais crescimento, mais desenvolvimento. Com esse espírito, nada é perdido, nada é derrota. Você se torna uma esponja de positivismo que absorve tudo que acontece a você como algo que está te fazendo melhor e mais forte, dia após dia. Experiência após experiência.

Frank escutava tudo aquilo impressionado com a filosofia do avô, porém dentro de si permanecia incrédulo.

— Falando assim parece muito fácil, vô. Mas não sei como mudar de atitude assim. Não creio que vou conseguir.

— Então não irá. Simples não é? E se é simples assim para o lado negativo, também o é para o positivo. Sabe qual o ingrediente que falta de um lado e sobra do outro? Fé. Você acredita que não irá conseguir, então não irá. Agora, se usar sua fé em Deus, sabendo que você não viverá nada que não é para viver, que as coisas dando ou não dando certo você só crescerá e que estará cumprindo com sua profecia espiritual e não com sua própria profecia negativista, o que poderá te parar?

Frank fez então uma expressão de quem não havia acompanhado o raciocínio do avô. Benedict então deu um passo atrás para poder dar dois adiante.

— Frank, está te faltando fé em Deus, filho. Aquela fé de quem coloca seu próprio destino nas mãos de alguém superior e que nos ama de uma forma que jamais entenderemos. Você veio a este mundo neste lugar, nesta época e nesta família para viver uma série de experiências que visam o seu desenvolvimento como espírito. Esqueça-se do Frank. O Frank é apenas um personagem que seu espírito está vestindo neste momento. É um veículo material para que seu espírito viva as experiências, boas ou ruins, que ele precisa viver para seguir a caminho da luz. Se você se esconder do mundo e privar seu espírito destas vivências, ele ficará estagnado e não evoluirá. Não crescerá. Permanecerá longe da luz divina como um espírito que ainda tem muito que aprender. Não encarcere a si mesmo, Frank. Acredite que Deus tem um plano para você e aventure-se. Deixe seu espírito viver; não o aprisione. Tenha fé e viva a vida com coragem e coração aberto, rapaz. As recompensas são inimagináveis.

Frank olhava para um ponto perdido, como se tudo aquilo que o avô dizia o fizesse ver o mundo sobre uma óptica totalmente diferente. Era quase como se estivesse passando por um processo de recriação de si mesmo.

— E lembre-se, filho, para o espírito não há vitória ou derrota, há apenas crescimento e desenvolvimento. A partir do momento em que você passa a ver a vida sobre este prisma, tudo vale a pena.

— Tudo isso parece maravilhoso, vô. Mas sinto que não tenho uma direção a seguir. Não sei qual o próximo passo. Não sei para que lado eu devo ir.

Benedict então se levantou, pediu para que Frank o seguisse e começou a fazer coisas que pareciam não fazer nenhum sentido. Pegou um balde e colocou-o no chão. Depois juntou dez pedrinhas e as posicionou no centro da horta a uma distância de uns cinco metros do balde. Quando tudo estava pronto, chamou Frank e disse:

— Frank, este é um exercício bem fácil. Pegue uma pedrinha de cada vez e as arremesse tentando acertá-las dentro do balde.

Frank se sentiu um tanto ridículo fazendo o que, a seus olhos, parecia ser uma brincadeira de criança sem qualquer sentido, mas como havia aprendido a confiar no avô, obedeceu.

Lançou a primeira pedra e errou por uma larga distância. Tanto que chegou até a enrubescer. Tomou a segunda pedra e medindo melhor o esforço, lançou-a bem mais próxima do balde, mas errou novamente. Olhou para o avô com um olhar mais seguro, como que dizendo "estou pegando o jeito". A terceira pedra acertou a borda do balde. A quarta finalmente acertou o alvo e Frank celebrou como se fosse uma criança. Já não se sentia tão ridículo e começou a divertir-se com aquilo. Benedict à distância se limitava a observar.

Das últimas pedrinhas apenas uma, a sétima da série, errou o alvo. Por ter acertado a maioria das pedrinhas, Frank terminou o exercício com um olhar orgulhoso, como que dizendo ao avô "Viu? Acertei a maioria".

Benedict então recolheu cada uma das dez pedras e levou-as de volta aos pés de Frank. Frank abaixou-se, tomou três das pedras em suas mãos e já estava pronto para repetir o exercício quando Benedict disse:

— Espere. Desta vez vamos fazer algo diferente, você vai fechar os olhos.

Sorrindo, Frank reagiu como uma criança que está se divertindo.

— Sem problemas, já sei onde o balde está. Acho que conseguirei acertar algumas.

Com um sorriso irônico, Benedict completou:

— Mas aí é que está o detalhe. Vou mover o balde e você não saberá onde ele vai estar.

O semblante de Frank mudou drasticamente. Indignado, falou:

— O que? E como você espera que eu acerte alguma pedra se não sei onde o balde está e tenho os olhos fechados?

— Tenha fé — disse Benedict, que se limitou apenas a olhar para Frank esperando que o neto fechasse os olhos.

Frank respirou fundo, fechou os olhos e resmungou irritado em voz baixa:

— É maluco mesmo.

Ao comando de Benedict, Frank passou a atirar as pedras, cada uma para um lado diferente. Cada arremesso tinha uma força distinta, sempre tentando adivinhar a direção e a distância em que o balde poderia estar. Uma após outra, as pedras foram atingindo o chão e Frank foi se frustrando com aquilo. Quando lançou a última pedra, abriu os olhos sentindo-se irritado. Ainda teve tempo de ver a pedra atingir o chão, a uns noventa graus de onde o balde estava. Todos os arremessos erraram o alvo e ele se sentia ridículo outra vez, como se houvesse perdido seu tempo.

Benedict o olhou com olhos austeros, sério como se aquela tivesse sido uma importante tarefa. Fez então um sinal com a mão direita chamando Frank e se encaminhou para seu quarto. Como um bom discípulo, Frank o seguiu. Estava ávido por uma explicação.

— Como foi que você se sentiu no primeiro exercício? — perguntou Benedict.

— No começo me senti meu ridículo, mas depois foi divertido. Demorei um pouco para pegar o jeito, mas aos poucos fui medindo melhor a força e a direção e logo peguei confiança. Daí em diante eu mais acertei que errei.

— Hum, interessante! E no segundo?

— Ah, esse foi terrível! Não sabia para onde atirar. Comecei a jogar pedras para qualquer lado e mesmo tendo fé que poderia acertar alguma na base da sorte, não deu. A fé não me adiantou de nada. Se este era um exercício para aprender a ter fé, teve o efeito contrário.

– Pois não era, Frank. Você logo entenderá. O que representou o balde para você?

Frank parou para pensar, pois sabia que deste momento em diante viriam os ensinamentos. Já havia se acostumado ao estilo pergunta e resposta do avô. Então disse:

– Bem, acho que o balde passou a ser o meu alvo. Meu objetivo passou a ser acertar as pedrinhas nele.

– Muito bem. E o que aconteceu quando você se concentrou no objetivo.

– Ah, no início errei feio, mas depois fui melhorando e fui acertando e me diverti com isso.

– Perfeito! Mas o que houve quando você já não sabia onde estava o alvo? O que se passou dentro de você quando o objetivo não estava claro?

– Passei a jogar pedra para qualquer lado esperando acertar com a ajuda da fé. Mas depois dos primeiros arremessos comecei a jogar as pedras a esmo, sem qualquer cuidado ou esperança de acertar.

– OK. Alguma semelhança com o momento atual de sua vida?

Frank sentiu essa pergunta de forma diferente. Pegou-o tão de surpresa que não sabia o que dizer. Mas logo começou a entender o ponto do avô. Não tinha objetivos na vida. Não tinha um alvo. Suas metas de vida não estavam claras e por isso andava atirando para qualquer lado e já estava cansado e sem esperanças de acertar. Novamente o avô fez uso de um silêncio absoluto e duradouro, deixando que Frank o preenchesse quando estivesse pronto.

– Claro. Claro que tem semelhanças. Começo a entender o exercício.

– É isso mesmo, Frank. Na primeira parte, ao ter o objetivo claro em sua mente você logo partiu para a ação. Um pouco desajeitado no começo, mas logo foi pegando o jeito e ganhou confiança. Porém, quando ficou confiante demais deixou de dar o melhor de si e voltou a errar. Deu-se conta disso, corrigiu a rota e acertou todas as demais. Assim também é na vida. Quando começamos a perseguir um novo objetivo, as primeiras ações são meio erráticas, até que pegamos o jeito e começamos a acertar. Então pegamos confiança e vamos em frente. Novos erros ocorrerão, mas o objetivo segue ali. Com pequenos ajustes acertaremos mais que erraremos. Basta perseverar. Agora, quando não temos claro qual é a meta ou o objetivo passamos a tomar ações desnorteadas atirando para todo lado na esperança de acertar alguma coisa. Podemos até acertar Frank, mas só vamos saber no que acertamos depois de atirar. Podemos ter acertado algo que nem queríamos acertar em primeiro lugar. Uma de suas pedras quase me acerta a testa.

Frank riu do comentário do avô, mas continuou em silêncio, pois sabia que ele ainda não havia terminado.

– As últimas pedras que você atirou já foram atiradas por obrigação. Já havia perdido a vontade de atirar, exatamente como você está agora em sua vida, correto? Se eu te oferecesse mais uma pedra, provavelmente você se recusaria a continuar atirando. Numa situação como essa, Frank, a fé pode fazer muito pouco por você. Ela também precisa de direção. Ela também precisa de um alvo. Em resumo, você precisa desenvolver metas e objetivos para sua vida, pois isso te dará novas energias e logo você partirá para a ação. Uma pessoa sem metas ou objetivos não sabe para onde ir e logo perde a vontade de continuar tentando, pois não sabe exatamente o que tentar, me entende?

– Bem, acho que agora minha meta é me alistar e lutar pelo meu país.

– Sim, Frank, essa pode ser sua nova meta. Porém, fique atento, pois essa é uma meta que veio de fora para dentro e pode não ter alinhamento nenhum com seu verdadeiro eu. Quando um ovo é quebrado de fora para dentro ele é bom apenas para fazer uma omelete. Mas quando ele é quebrado de dentro para fora, o resultado é uma nova vida. Procure descobrir suas próprias metas, seus próprios objetivos na vida. Quebre-se de dentro para fora, Frank. Não viva sua vida em função de objetivos e metas alheios. É muito fácil ser seduzido por metas externas, pois muitas vezes elas já vêm prontas, embaladas de belos ideais que nos iludem.

A sociedade também nos vende sonhos e ideais de vida. Mas se pararmos para analisá-los friamente, notaremos que eles não são necessariamente nossos. Nem nunca foram. Lembre-se, Frank, a vida é sua, de mais ninguém.

Após sua explanação, Benedict uma vez mais fez uso do silêncio para permitir que o neto refletisse. Após alguns minutos de quietude e reflexão, Frank levantou-se e caminhou lentamente em direção a seu quarto sem dizer palavra, movendo-se como se estivesse em transe. Tinha muito que pensar sobre si mesmo, sobre sua atitude medrosa e negativa, mas principalmente sobre a falta de metas e objetivos próprios. Sentia necessidade de rever e alinhar tudo aquilo. Mas não tinha a mínima ideia de como fazê-lo.

Parte 2

Caminhos que se Separam

A Tempestade

Passaram-se alguns dias antes que Frank fosse conversar de novo com Benedict. Continuava com os exercícios de relaxamento e meditação; orava como o avô ensinara, sempre imaginando um imenso sol irradiando a luz divina do criador à sua frente. Vinha frequentando a igreja sem reservas e convivendo com o mundo a sua volta de uma maneira muito mais harmônica e positiva. Porém, algo estava faltando e sentia-se frustrado. A sensação era de que só conseguia aproveitar parcialmente as coisas que o avô lhe ensinava. Por isso decidiu dar um tempo em suas conversas com ele, pois sentia que já não podia mais absorver muito.

Charlotte e Frederick já haviam se resignado há algum tempo com a aproximação de Frank a Benedict; afinal, tal proximidade só havia feito bem ao filho e não mais o censuravam por isso. E com a chegada iminente do alistamento, também deixaram de fazer qualquer pressão para que ele buscasse ocupação. O tempo agora era de esperar e de aproveitar ao máximo a presença do filho mais novo em casa.

Faltando duas semanas para seu aniversário e consequentemente para o seu alistamento, Frank já se via envolvido em preparativos. Buscou informação de onde alistar-se e o que precisaria levar consigo. Já começava a preparar-se emocionalmente para separarse dos pais, do avô, de seu quarto e dos confortos de sua casa, como mesa posta com a comida caseira da mãe, o sofá da sala, seus cobertores limpos e a liberdade de horários que a falta de uma ocupação formal havia trazido.

Todo este conjunto de mudanças trazia embutida a dor de separação que ele nunca havia experimentado em sua vida. Era como se algo estivesse morrendo, mas ele não sabia dizer exatamente o que ou quem. Porém, ao mesmo tempo existia nele uma espécie de excitação, uma força que crescia dentro dele, uma energia que não sabia bem o que era, mas que o fazia sentir-se como uma criança que está prestes a ganhar um presente e que não vê a hora de abrir o pacote.

Como já havia se tornado um hábito quando uma tempestade de emoções e sentimentos se apresentava e o confundia, Frank mais uma vez foi até o avô. Quando bateu à porta entreaberta, viu que Benedict escrevia algo que rapidamente fechou e, ainda que sutilmente, tratou de esconder. Respeitando aquele gesto, Frank olhou para fora do quarto e esperou que ele sinalizasse para que pudesse entrar. Ficou curiosíssimo e não conseguiu conter a pergunta.

– O que você estava escrevendo, vô? Uma carta?

– Não exatamente. Um dia você saberá. O que posso fazer por você, filho?

Aquele tratamento carinhoso do avô sempre facilitava o trabalho de abrir seu coração e de falar de seus sentimentos e confusões emocionais. Deixando de lado a curiosidade sobre o que o avô escrevia, decidiu ir direto ao assunto.

– É que para variar, estou confuso. Podemos conversar um pouco?

– Claro que sim, meu neto. Mas antes você terá que tirar essa expressão negativa do rosto. Não deveria existir culpa em sentir-se confuso. Afinal você só tem dezoito anos, ou quase, e estar confuso é normal nesta idade. Bem, na verdade, acho que passamos por diferentes confusões durante a vida toda.

Frank sentiu ali uma oportunidade de esclarecer outro ponto, antes de entrar no verdadeiro motivo que o levara até ali.

— Já que você mencionou isso, queria dizer que nem tudo o que conversamos eu consigo organizar ou fazer uso. A questão das metas e objetivos próprios, por exemplo. Não consegui ver claramente quais são. Ainda me sinto sem saber onde está meu balde.

— Entendo isso Frank, e também é normal que seja assim. Muitas coisas que estou falando para você tomaram anos para que eu as organizasse em minha cabeça e elas começassem a fazer algum sentido. Seguramente com você não será diferente. E você certamente usará estes conhecimentos um dia de uma forma diferente das que eu usei. Cada um é um neste universo. E tudo tem sua hora. Um dia estas informações chegarão a você de uma maneira mais organizada e fácil de entender e você também estará mais bem preparado para fazer melhor uso delas. Veja esse nosso tempo juntos apenas como uma iniciação. E nunca se esqueça de estar aberto para encontrar o sábio ancião. Ele só aparecerá para você se você estiver aberto a isso. E quando você o encontrar, ele te ajudará nos momentos de confusão.

Mais uma vez o avô falava sobre o tal ancião. Como o tempo de convivência entre eles ia ficando cada dia mais curto, apesar do incômodo que aquele aparente devaneio de Benedict o fazia sentir, decidiu explorar um pouco mais o assunto.

— Vô, você já falou deste ancião algumas vezes. Como foi que você encontrou o seu pela primeira vez?

Benedict ficou em silêncio por alguns segundos olhando para o alto num ponto qualquer, como se aquela pergunta o fizesse revirar memórias muito antigas de momentos não tão felizes. Quando quebrou o silêncio, seus olhos continuavam vidrados como se estivesse numa espécie de transe. Sua voz era grave e pausada.

— Eram épocas duras em minha vida, Frank. Eu tinha pouco mais de trinta anos e me sentia muito só, numa terra estranha, de hábitos diferentes. Estava na Índia onde começava a ter os primeiros ensinamentos sobre espiritualidade, meditação, poder da mente. Mas meus conflitos internos ainda eram demasiado fortes. Sentia muita saudade de casa e odiava o exército e as coisas que tinha que fazer em nome da soberania britânica. Vivia um momento confuso em minha vida. Bebia muito para anestesiar essas dores, e pouco a pouco meu corpo começava a sentir os efeitos dos maus-tratos que eu mesmo impunha a ele. Cheguei a um ponto em que pensei que ia morrer, lenta e miseravelmente. Um dia acordei com uma tremenda ressaca e fui até um lago que existia perto de meu acampamento onde a água era pura e cristalina. Estava ávido por água fresca. Quando cheguei à beira do lago, ele apareceu de repente. Do nada. Olhei à minha volta e não havia mais ninguém ali. Éramos apenas eu e ele. Assustei-me e senti medo. Fechei os olhos e quase corri. Mas algo me disse para entregar-me àquela visão. Respirei fundo, abri os olhos novamente e ali estava ele olhando fundo em meus olhos.

— E aí? O que aconteceu?

Frank estava hipnotizado pela história do avô e queria saber como ela terminaria.

— A partir do momento em que perdi o medo e aceitei sua presença, passamos a conversar. Falamos por horas e por alguma razão que não entendo até hoje, ninguém mais apareceu ali. Nossa primeira conversa não foi interrompida em nenhum momento. Desde então, sempre que quero ou preciso eu o invoco e temos longas conversas. Ele trás dentro de si toda sabedoria do universo.

— Você pode invocá-lo agora? Não posso conversar com ele?

Benedict saiu do transe repentinamente e olhou para Frank com um sorriso nos lábios e um olhar cheio de candura. Então disse:

— Não funciona assim, Frank. A condição para que ele venha é que eu esteja totalmente só. Quando você o encontrar entenderá.

Frank não gostou muito daquela resposta. Parecia conveniente demais que o tal sábio ancião só aparecesse quando Benedict estivesse sozinho. Convenceu-se então que aquela história era mesmo apenas um devaneio do avô e resolveu voltar ao assunto que o trouxera ali.

– Vamos falar das minhas confusões atuais? Por enquanto tenho você e você é meu sábio ancião, há, há, há...

Sem rir muito da piada do neto, pois sentia a incredulidade no ar, Benedict virou-se para Frank e devotou a ele atenção total.

– Tenho me sentido muito estranho. Todas essas mudanças que estão prestes a acontecer vêm me fazendo sentir uma tristeza que vem lá do fundo e que não entendo muito bem. Mas ao mesmo tempo, existe uma sensação nova, como se eu estivesse ansioso para que essas mudanças aconteçam. São sensações tão diferentes uma da outra que não me parece que deveriam estar aí ao mesmo tempo.

Com o costumeiro olhar calmo e tranquilo, Benedict reagiu a esta última observação do neto.

– Bem-vindo ao mundo dos seres humanos, Frank. Somos seres cheios de dualidades. Ter sentimentos extremos ao mesmo tempo ou em questão de minutos faz parte de nossa humanidade, por isso não se sinta mal por isso. Somos todos assim. Mas falemos primeiro dessa tristeza. Feche seus olhos e me diga o que te vem à mente sobre ela.

Frank obedeceu à solicitação do avô. Fechou os olhos, esqueceu-se de qualquer outro sentimento e voltou-se totalmente para a tristeza que sentia. Não demorou muito para que as palavras começassem a sair de sua boca:

– A primeira coisa que me vem à cabeça é minha mãe... não a verei por muito tempo... e isso dói... penso sobre meu pai e o fato de que não nos entendemos... que eu irei embora sem resolver isso... penso que perderei você e nossas conversas, que tem me ajudado muito... penso em minha casa, minha cama, a comida de minha mãe... e me sinto principalmente assustado com o fato de que...

Houve então uma longa pausa, antes que Frank continuasse. Existia em seu rosto um semblante de surpresa, como se acabasse de ter um momento de descoberta. Então prosseguiu:

– Eu não poderei mais ser... criança...

Neste momento, Frank não pode conter a emoção e começou a chorar. As lágrimas escorriam sobre sua face e não havia nada que ele pudesse fazer. Tentou conter o choro, mas foi imediatamente advertido por Benedict, que disse para que ele deixasse aquilo sair de seu peito.

Frank chorou por alguns minutos com as mãos cobrindo a face, até que as emoções se abrandaram. Conforme foi se acalmando, sentia-se muito melhor, mais leve. Finalmente teve coragem de encarar Benedict e encontrou nele um olhar terno e empático, de quem sabia exatamente o que ele estava sentindo.

— Ok, Frank, deixemos esta emoção de lado por um momento. Pronto para falar de sua excitação com as mudanças? Quando estiver, feche os olhos novamente e pense apenas sobre ela e diga-me o que vem a mente.

Frank tomou ainda alguns segundos para estabilizar aquele momento intenso que havia experimentado. Respirou fundo e então obedeceu ao pedido do avô. Novamente o resultado não demoraria a aparecer.

— Sinto primeiramente um pouco de medo... medo do que não conheço... medo de como serei tratado pelos outros... medo de sofrer... medo de morrer... mas por trás deste medo existe uma curiosidade enorme sobre o que vou encontrar... o que vou aprender... as aventuras que vou viver... Sobre as pessoas que vou conhecer... Existe uma vontade de viver coisas novas... de me redescobrir... de ver quem será o Frank nesta nova vida que em breve se iniciará... Tenho vontade de viver tudo o que está por vir, apesar dos medos.

Ambos permaneceram em silêncio por um momento, e então Benedict ordenou que Frank abrisse os olhos. Olhou-o candidamente e perguntou.

— O que você aprendeu neste exercício, Frank?

Para quem estava esperando uma interpretação pronta por parte do avô, Frank se surpreendeu com a pergunta e precisou parar para pensar por um momento.

— Bem, primeiramente ficou muito mais claro porque sinto tanta tristeza neste momento. Em breve estarei deixando para trás tudo que me mantém protegido, cuidado e alimentado. Estarei deixando as pessoas que, cada uma a sua maneira, me amam. Todas as minhas referências estarão mudando.

– E como você vê tudo isso agora? – perguntou Benedict.

– De uma forma muito diferente. Sinto uma gratidão para com meus pais que nunca havia sentido antes. Sinto amor e respeito por tudo que me cerca. Nunca havia me dado conta de como tenho muito. Parece que precisei sentir a perda de tudo isso para dar valor.

Como sempre fazia nesses momentos de descoberta, Benedict permitiu que o silêncio preenchesse o quarto e deixou que Frank elaborasse seus pensamentos e emoções por um instante. Depois perguntou:

– E sobre a outra razão de sua tristeza?

Frank permaneceu em silêncio por mais um instante. Aquela emoção lhe era mais difícil de elaborar. Com a voz cheia de emoção, disse:

– Senti uma coisa muito forte sobre não poder mais ser criança, vô. É como se algo em mim estivesse morrendo e isso me deixa muito triste. Por que tem que ser assim? Por que meu lado criança tem que morrer? Virar adulto é muito duro.

A expressão de Benedict de repente passou da candura a seriedade. Com olhar penetrante, envolveu o rosto de Frank com as duas mãos e respondeu:

– Sim, Frank, amadurecer é muito difícil e esse é um processo que não acabará nunca. Seu velho avô ainda está amadurecendo neste exato momento. E essas experiências sempre vêm acompanhadas de mudanças, dores, frustrações. E podem ser tão duras, tão difíceis, que você jamais deve permitir que a criança que existe dentro de você morra, Frank. A sua infância pode estar terminando, mas a sua criança interna não deve morrer. Nunca. Ela sempre existirá dentro de você. Não a sufoque. Não a reprima. Na verdade, você deve sempre resgatá-la em seus momentos difíceis.

O olhar confuso no rosto de Frank deixava claro que ele precisava de mais informação sobre aquilo. Percebendo isso, Benedict perguntou:

— Quando você era criança e alguma coisa o deixava triste, como reagia?

— Bem, eu chorava um pouco, ficava com raiva, mas assim que um amigo se aproximava ou encontrava um novo brinquedo logo esquecia e passava a me divertir outra vez. Tudo durava muito pouco. Eu queria mais era me divertir.

— Exatamente. Esse é o resumo do que estou te dizendo, Frank. Não deixe de brincar, não deixe de se divertir; e quando uma dor vier te visitar, sinta-a, aprenda com ela, mas não fique travado nela por muito tempo. Volte a brincar, volte a se divertir, encontre um brinquedo novo. Volte a ser criança sempre que possível, Frank. Essa criança dentro de você é quem te carregará através das dificuldades, muitas vezes na vida.

Mais uma vez o silêncio preenchia todos os espaços do quarto. Percebendo que aquele assunto já havia se esgotado, Benedict fez a transição sobre a outra metade dos sentimentos do neto.

— E sobre tua excitação e ansiedade, o que você aprendeu?

— Que estou prestes a viver uma nova aventura. Que apesar de ter medo do que desconheço, terei a oportunidade de viver coisas novas. Terei a possibilidade de viajar para terras distantes, conhecer pessoas novas. Estou me sentindo como se tivesse cinco anos de idade, ganhando um brinquedo novo.

— Ahaaaaaa...!

O grito de Benedict chegou a assustar Frank, que não entendeu a reação do avô.

— Percebeu o que você acabou de me dizer, Frank? Para quem acabou de falar que a criança em você está morrendo, ela me parece bem viva. Ela está aí, Frank. É esta excitação sobre o novo, sobre novas descobertas, sobre as oportunidades de se recriar e se reinventar que você não deve perder nunca. Permita sempre que essa criança viva e se fortaleça, fazendo de sua vida algo mais aventureiro e pitoresco. Ser adulto o tempo todo pode ser muito chato, Frank. Navegue nesta onda de excitação, filho, e deixe-a te guiar nos momentos de transição. Garanto que você aproveitará muito mais e melhor a sua vida e tudo que vier de mudança e novidade. O novo sempre vem, e quanto mais você estiver aberto para ele, menos sofrerá com as mudanças inesperadas da vida. Essa é a verdadeira arte. Esperar o inesperado.

De repente Frank se sentia muito melhor. Pôde entender perfeitamente o que o avô dizia e sentiu o quanto era importante manter-se um pouco criança.

– Obrigado, vô. Mais uma vez sinto que você conseguiu me acalmar. Não sei o que farei sem essas nossas conversas. Às vezes sinto que a confusão é tão grande dentro de mim que vou enlouquecer. É como se ao meu redor existisse uma tempestade infinita e um mar revolto que não se acalma. Não vejo a hora que essa tempestade vá embora.

Frank então se deu conta de que Benedict não o olhava nos olhos naquele momento e trazia uma espécie de riso irônico nos lábios. Não conteve a curiosidade:

– O que foi? Do que você está rindo?

Benedict virou-se então lentamente para ele e disse algo que ficaria em sua memoria por muitos anos:

– Pare de fugir da tempestade, Frank. A tempestade está dentro de você. Para que ela se vá, terá de enfrentá-la. Um dia você entenderá isso. Quanto às nossas conversas, não se preocupe, quando você encontrar o sábio ancião, estará em ótimas mãos. E minha intuição diz que você o encontrará muito mais cedo em sua vida do que eu. Agora deixe seu avô trabalhar. E aposto que você já tem preparativos por começar, correto?

Sim, Benedict estava certo. Frank tinha muito que fazer, mas não tinha cabeça para elas naquele momento. Como de costume, quando tinha suas longas conversas com Benedict sentia-se um pouco tonto e precisava digerir tudo aquilo. Saiu então pelas ruas do bairro a caminhar e pensar. Aproveitou para despedir-se das coisas que lhe eram familiar, como sua antiga escola, o mercado e finalmente a igreja.

Vendo a porta aberta, resolveu entrar para confessar-se, mas não encontrou ninguém. Sentou-se então no primeiro banco e ficou ali, parado, olhando para a imagem de Cristo crucificado, que ficava no centro do altar. Por um momento sentiu compaixão por tamanha dor e sofrimento que aquela imagem transmitia. Ele havia se sacrificado pelos que amava. Sentiu então uma identidade incrível com aquela imagem e disse em voz baixa:

— É, Pai, eu também estou prestes a me sacrificar pelo meu país e por aqueles que amo. Dai-me tua proteção. Não permita que nada de mal me aconteça. Dai-me a bênção de regressar o mais breve possível.

Chorou um pouco e então se levantou, fez o sinal da cruz e começou o caminho de volta para casa. Já chegava o momento de iniciar os últimos preparativos. A hora de ir se aproximava.

Feliz Aniversário, Frank

O dia 7 de novembro de 1939 chegou à casa dos Farrow com um misto de alegria e tristeza, afinal Frank completava 18 anos e atingia a maioridade, mas ao mesmo tempo, chegava a hora de se alistar e ir servir ao seu país em uma guerra cruel. Uma guerra que começava a custar muitas vidas, e que para aquela família, já levaria consigo o segundo membro em um curto espaço de tempo.

Ainda que o principal palco da guerra, por enquanto, estivesse do outro lado da Europa, os rumores de que a França e demais países vizinhos seriam em breve invadidos preocupava a todos. Se hoje os soldados britânicos estavam sendo recrutados como forma de preparação, todos sabiam que assim que o grande aliado fosse vítima de agressão, as forças britânicas entrariam em ação. Era tudo uma questão de tempo. Sem contar que as agressões aéreas entre a Grã-Bretanha e a Alemanha nazista já haviam começado e a sensação de insegurança crescia a cada dia.

Charlotte e Frederick sentiam-se desconsolados e tinham dificuldades em disfarçar sua preocupação com os filhos.

Frank não esperava por grandes celebrações, afinal eram épocas difíceis e o momento deixava pouco a ser comemorado. Saiu de casa cedo e foi mais uma vez à igreja orar e pedir proteção para o que viria pela frente.

Porém, a mãe preparou-lhe uma surpresa: enquanto Frank estava fora, fez um bolo e no final do dia juntou todos na cozinha para que cantassem "Parabéns a Você" e cada um deu a Frank um pequeno presente.

O Pai foi o primeiro. Não era muito de seu feitio ser afetuoso, mas hoje quebrou tal regra. Deu um abraço em Frank, olhou em seus olhos e disse:

— Parabéns, filho. Você já é um homem. Leve isso com você e escreva suas memórias. Um dia podem te valer de alguma coisa quando você voltar.

Quando terminou de falar, seus olhos estavam vermelhos e mal podia conter a emoção, talvez por carecer de uma maior convicção de que veria o filho regressar da guerra. Afastou-se rapidamente, pois não gostava de demonstrar o que em sua mentalidade antiquada era um sinal embaraçoso de fraqueza.

Frank abriu o pacote e surpreendeu-se com um diário novinho que o pai lhe havia comprado.

Charlotte veio logo em seguida. Com um pacote parecido com o do pai, e Frank pensou por um momento que ambos poderiam, por coincidência, ter-lhe comprado o mesmo presente:

— Filho, é com muita alegria que venho notando você mais perto de Deus novamente. Parece que as conversas com meu pai não foram algo ruim no final das contas.

Charlotte riu-se da própria observação irônica, deu uma piscadela para o pai, e continuou falando:

— Por isso quero te dar isto. Você precisará muito desta força.

Quando terminou de abrir o pacote, Frank se surpreendeu e se emocionou. Ali estava a Bíblia que ele mesmo havia tomado emprestado em momentos passados de aflição. A mãe lhe estava presenteando com sua própria Bíblia.

— Mas mãe, esta é a sua Bíblia! Como vai fazer com suas leituras? Não posso aceitá-la.

— Não se preocupe comigo, Frank. Ela certamente terá maior utilidade estando com você. Além do que, servirá para você se recordar de sua mãezinha nas horas mais solitárias.

Frank estava emocionado. Finalmente, Benedict se aproximou. De repente Frank se lembrou da primeira vez que o viu meses atrás e se deu conta de que a barba e o cabelo do avô estavam ainda mais longos, reforçando ainda mais sua aura de mago celta medieval. Benedict entregou-lhe então um papel enrolado em forma de canudo, amarrados com uma fita vermelha. O velho posicionou-se em frente ao garoto, postou uma mão em cada um de seus braços, olhou-o nos olhos como era de seu feitio e disse:

— Frank, você sabe que sou um homem sem posses, por isso preparei algo para você eu mesmo. Neste pedaço de papel está uma coleção de frases, pensamentos que lhe serão de grande utilidade nos momentos difíceis. Quero te dar como última tarefa, a de lê-las e praticá-las mentalmente todos os dias. Escolha um horário e todos os dias, naquele horário, leia três delas e as mentalize e memorize. Pouco a pouco elas terão um efeito poderoso sobre você e sobre os seus pensamentos.

As palavras "última tarefa" tiveram um impacto forte sobre Frank e agora algumas lágrimas contidas ameaçavam brotar de seus olhos. Não queria que aquela relação acabasse. Havia criado um apego todo especial pelo avô.

Tentando mudar um pouco a energia e o clima de despedida, Charlotte disse:

— Agora chega de choradeira. Leve seus presentes para o quarto, ponha-os de uma vez na mala e vamos comer um pedaço de bolo.

Frank então limpou os olhos com a ponta dos dedos e fez como a mãe sugeria. Apesar de estar curiosíssimo para ler as frases de Benedict, guardou o canudo, ainda com a fita vermelha, entre as roupas da mala de forma que a Bíblia e o diário não o amassassem e regressou para a cozinha para saborear o pedaço de bolo que a mãe já havia cortado para ele.

Enquanto comiam e saboreavam o bolo, Frederick e Benedict passaram a contar suas histórias de amizade e camaradagem vividas em suas participações na guerra anterior, buscando reforçar não só o fato de que haviam sobrevivido, mas como também haviam experimentado bons momentos e crescido como homens e como pessoas. Aquela tentativa quase orquestrada de levantar o moral de Frank, aliados à surpresa da mãe e aos presentes recebidos tiveram um efeito positivo e ele agora se sentia melhor. Quando já ia se levantando para se recolher ao seu quarto, Benedict o abraçou mais uma vez e disse:

— O importante é que você viva esta época que será difícil para todos, um dia de cada vez Frank, com espírito de um aprendiz, até sair do outro lado.

Frank permaneceu em silêncio por um instante e então perguntou:

— E como saberei que cheguei do outro lado?

— Ahhh, você está aprendendo a fazer ótimas perguntas. Isso é muito bom. Muitas vezes em nossa vida, boas e novas perguntas são mais importantes que velhas e obsoletas respostas.

Benedict caminhou então lentamente até a porta da cozinha, já fazendo seu caminho em direção ao quarto dos fundos, mas antes que saísse, virou-se para Frank, deu-lhe uma piscadela e disse:

— Não se preocupe. Você saberá.

Já em seu quarto, Frank abriu sua mala e buscou o presente que o avô lhe havia dado. Retirou a fita vermelha com cuidado e desenrolou a folha de papel. Nela, ele encontrou quinze frases cuidadosamente enumeradas que haviam sido escritas à mão, com uma caligrafia bastante caprichada, o que demonstrava claramente o carinho colocado por Benedict no preparo daquele presente.

Num ato que era mais de pura curiosidade que qualquer outra coisa, e sem realmente refletir muito sobre as frases, Frank pôs-se a lê-las uma a uma.

1) *A cada dia estou me tornando um ser humano melhor e mais forte. Superarei um a um os obstáculos que a vida vier a colocar em meu caminho. Persistirei e vencerei.*

2) *Converterei os erros ou falhas cometidos por mim em aprendizado, não em culpa.*

3) Usarei todas as oportunidades que a vida me der para ajudar outras pessoas. Tratarei os outros como eu gostaria de ser tratado, mesmo que eu não o seja.

4) Buscarei sempre aprender algo novo. Tenho diversas qualidades e fortalezas, mas muitas delas ainda estão por serem descobertas.

5) Colocarei foco e energia nas coisas que posso controlar e nas mãos de Deus, com toda minha fé, as coisas que não posso. Ele saberá o que fazer.

6) Exercitarei sempre o perdão para com aqueles que me fazem mal. Farei do perdão um ato de amor para com aquele que me magoar e para comigo mesmo.

7) Farei o melhor possível de meu momento presente, pois ele é tudo que tenho. Farei de meu passado um aprendizado e de meu futuro um infinito de possibilidades.

8) Construirei eu mesmo um mundo melhor, sendo o agente das mudanças que quero nele.

9) Para entender meu próximo, colocar-me-ei em seu lugar e sentirei suas dores e alegrias.

10) Tudo o que é bom ou ruim um dia passará. Tirarei o melhor de cada experiência e seguirei em frente. O que não me mata me fortalece.

11) Criarei meus próprios pensamentos positivos. Uma atitude positiva começa dentro de mim e não depende do que está ao meu redor.

12) Amar ao próximo é uma questão de opção e de atitude, não de sentimentos. Escolherei amar e o farei através de minhas ações, todos os dias.

13) Medos e limitações são em geral frutos da imaginação. Não são fatos, são crenças. Não permitirei que estas crenças me limitem. Buscarei ser tudo o que posso ser.

14) Meu futuro é uma página em branco e a caneta está em minhas mãos. Escreverei o que eu quiser e eu quero para mim a mais bela história que eu possa criar.

15) Agradecerei a Deus todos os dias por tudo o que tenho e por tudo que não tenho; afinal de contas, ele sabe melhor que ninguém do que realmente preciso em minha vida neste momento.

Ao terminar, já com os olhos cansados, Frank virou-se de lado e adormeceu. Não teve tempo de refletir sobre as frases, mas no fundo intuía que aquilo não era apenas para tempos de guerra. O presente do avô era algo para a vida toda.

Despedidas

Frank despertou para um dia frio e cinzento e pensou que não poderia existir melhor cenário para suas despedidas. Tomou um bom banho e um café da manhã reforçado; afinal, não estava seguro de quando iria banhar-se ou comer bem outra vez.

Conforme o planejado no dia anterior, às 10 da manhã ele estava pronto e Frederick o acompanharia até a estação onde então tomaria o próximo trem em direção a uma nova vida.

Na porta de saída, todos o esperavam com olhares pesados, mas Charlotte tratou logo de disfarçar seus sentimentos mais sofridos. Abraçou o filho, disse que estava orgulhosa dele, que tudo ficaria bem e que logo eles se veriam novamente quando chegasse o Natal.

Benedict veio logo em seguida. O puxou para um canto da sala, abraçou-o com afeto e sussurrou em seu ouvido:

– Isso não é o fim, ok? Nossos caminhos ainda se cruzarão. Talvez de uma forma um pouco diferente. Mas estaremos juntos outra vez, eu prometo.

Frank achou estranho o comentário do avô, mas estava demasiadamente emocionado para questioná-lo naquele momento. Saiu lentamente porta afora onde encontrou o pai que já o esperava na calçada. Como era de seu feitio, Frederick havia se afastado, já que presenciar momentos mais emotivos não estava em sua lista de atividades favoritas.

Depois de ter dado apenas alguns passos, Frank deu um profundo suspiro e apertando fortemente os punhos, virou-se. Olhou para sua casa mais uma vez, olhou para a mãe e o avô, deu-lhes um último aceno e segurando as lágrimas seguiu em frente, caminhando lado a lado com o pai que permaneceu calado o tempo todo.

Perdido em seus pensamentos e emoções de todo tipo, Frank não viu o tempo passar e quando se deu conta já estava na estação, pronto para subir no trem. Olhou então para o pai, esperançoso por um abraço e um momento mais fraterno, mas este apenas colocou a mão em seu ombro e sem olhar em seus olhos, disse:

– Você vai ficar bem, Frank. Logo nos veremos. Ok? Cuide-se bem, filho.

Frank consentiu em silêncio e subiu no trem, que logo se pôs em movimento.

Já em seu assento e com a mala no colo, Frank estirou o pescoço e olhou pela janela procurando o pai em busca de um último aceno, mas não o encontrou.

De repente, teve uma sensação terrível, como se houvesse desperdiçado uma oportunidade única de abraçar o pai e dizer que o amava. Pensou por um instante na mãe, no avô, no irmão, na sua casa e em tudo que estava deixando para trás.

Olhou então em volta e não viu sequer um rosto conhecido e um frio na barriga o fez cair na mais dura realidade: de que o momento tão temido havia chegado. Estava sozinho, e daquele momento em diante sua vida jamais seria a mesma. O inesperado mais uma vez o esperava.

O Fim de uma Fase, o Começo de Outra

— E aquela foi a última vez que os vi — disse Frank, terminando sua narrativa. Tinha o semblante triste e o olhar perdido em algum ponto distante do parque.

Elizabeth estava em total silêncio e o encarava com um olhar de pena e compaixão. Por pouco conseguia conter as próprias lágrimas.

— Mas como assim, Frank? Você não regressaria no Natal? Não pôde voltar para casa em nenhum momento?

Frank deu um sorriso irônico e respondeu:

— Querida, essa é outra longa história, pois minha vida no exército seria muito mais difícil e complicada do que você imagina. Mas já te aborreci demais com minhas desventuras. Está com fome? Eu estou. Vamos procurar algo para comer? Creio que teremos dificuldade de achar algo saboroso e com bom preço nestes dias. Devia ter pensado nisso ontem quando te convidei para passear no parque.

Elizabeth concordou com a sugestão de imediato. Mudou rapidamente de expressão, abriu um largo sorriso e do fundo de sua bolsa tirou dois sanduiches cuidadosamente embrulhados que ela mesma havia preparado.

Surpreso, Frank retribuiu o sorriso e disse:

— Que maravilha! Eu não sabia que íamos fazer um piquenique.

Você é realmente surpreendente, Elizabeth.

– Vou tomar isso como um elogio, Frank. Vamos comer e caminhar um pouco? Vou te deixar respirar por umas horas, mas depois vou querer saber o que houve durante o tempo em que esteve no exército, até o dia em que nossas vidas se cruzaram no hospital. Estão faltando muitas peças neste quebra-cabeça. Minha intuição diz que tem muito mais aí que uma perna quebrada.

Frank mastigou sua primeira mordida do sanduíche em total silêncio e manteve o olhar perdido em algum ponto do parque. Elizabeth estava certa, e falar sobre aquele capítulo de sua vida não seria divertido. Mas, em contrapartida, a curiosidade de Elizabeth o inebriava e apontava para uma direção que muito o agradava. Teria mais tempo com ela. Muito mais tempo. Falaria para ela de sua passagem pelo exército; ainda tinha muito que revelar. Porém, antes disso, lembrou-se que tinha algo mais para compartilhar sobre o velho Benedict. Levantou-se e tirou do bolso esquerdo um pequeno objeto e o mostrou a Elizabeth. Ela olhou com atenção e curiosa perguntou:

– O que é isso, Frank, uma chave? Pra que serve? O que ela abre?

– Não tenho ideia.

– Como assim, não tem ideia? Por que está me mostrando isso?

– Quando cheguei ao campo de treinamento do exército e fui desfazer minhas malas achei um envelope lacrado, sem nada escrito no lado de fora. Achei que fosse uma cartinha de minha mãe, mas não era. Dentro do envelope havia apenas um bilhetinho de Benedict e esta chave.

– E o que dizia o bilhete? – perguntou Elizabeth, cada vez mais curiosa.

– "Guarde esta chave com cuidado. Um dia ela poderá ser muito útil."

– Só isso?

– Só isso. Nada mais.

– Não dizia pra que servia?

– Nada. Mais um dos muitos mistérios de Benedict.

Elizabeth ficou em silêncio por uns instantes saboreando seu sanduiche e pensando em tudo que havia escutado até então. Depois de algum tempo, voltou com outra pergunta que a muito queria fazer:

— Você encontrou o tal sábio ancião?

Frank deu uma gargalhada contida, mas cheia de ironia. Elizabeth logo entendeu que a resposta era negativa, mas continuou com o assunto.

— Está bem, já entendi que não. Mas acha que irá encontrar? Que ele existe?

Frank ponderou um pouco antes de reagir, pois não estava muito certo de sua resposta. Depois de alguns segundos de silêncio, respondeu:

— Sim e não. Acho possível que ele exista, mas na cabeça de meu avô apenas. Não creio que eu vá encontrar um velho que sabe de tudo, que é só meu e que eu chamo quando quiser. Tem algo mais aí nesta história que Benedict não me contou.

— É, concordo com você. Que pessoa interessante esse seu avô. Realmente uma pena ele ter morrido nos bombardeios de 1940.

Frank olhou para Elizabeth com um ar de quem ainda tinha outra surpreendente revelação. Elizabeth imediatamente entendeu que algo mais viria e rapidamente perguntou:

— O que foi? Por que está me olhando com essa cara?

— Eu disse a você quando estava no hospital que meus pais morreram nos bombardeios aéreos. Nunca disse que Benedict havia morrido.

— O quê? Benedict está vivo? E onde está ele? – reagiu Elizabeth, totalmente surpreendida pela novidade.

— Não sei ao certo. Antes dos bombardeios começarem recebi uma carta de meus pais dizendo que estavam sós. Benedict havia resolvido voltar para a fazenda Bread & Joy em Lincolnshire e se foi. Quando fui dispensado do exército escrevi para a fazenda pedindo informações sobre ele. Um senhor chamado Carl, funcionário da fazenda, me respondeu dizendo que um belo dia ele desapareceu, deixando para trás todos os seus pertences pessoais. Disse também que ele tinha o hábito de fazer longas caminhadas pelos campos bem cedinho, antes de começar a trabalhar e que após uma dessas caminhadas nunca mais havia retornado. Fizeram algumas buscas, mas não o encontraram, vivo ou morto. Respondi pedindo que me avisasse se um dia o encontrassem, mas nunca recebi qualquer retorno. Porém minha intuição diz que um dia ainda reencontrarei aquela figura incomparável. Elizabeth estava atordoada com aquela revelação. Benedict talvez ainda estivesse vivo.

Terminaram os sanduiches, e o sol da tarde já fazia a temperatura bem mais agradável, perfeita para uma caminhada. Frank levantou-se e ofereceu seu braço direito para Elizabeth, que prontamente respondeu favoravelmente ao convite. Caminharam então pelo parque em silêncio por um longo tempo. A sensação de paz e harmonia entre os dois crescia a cada minuto, enquanto apreciavam as flores, os pássaros, os aromas e a bela vista que o parque proporcionava. Foi então que Elizabeth surpreenderia Frank uma vez mais.

– Frank, eu quero que venha comigo até meu apartamento. Preparo um chá para nós dois e você continua me contando sobre suas aventuras no exército. O que você acha?

Frank sentiu uma onda de felicidade invadir seu peito e queria sair pulando feito uma criança. Mas com um esforço sobre-humano conseguiu conter-se e respondeu serenamente, olhando nos olhos de Elizabeth:

– Eu adoraria. Será uma honra.

Posicionou-se então de frente para Elizabeth, colocou ambas as mãos em seu pescoço, com os polegares tocando levemente suas orelhas e fez de novo um contato visual profundo, pedindo permissão para o próximo passo.

Desta vez não houve reação negativa por parte dela. Seus olhos não só lhe deram a esperada permissão, mas praticamente pediram para que ele fosse em frente. E o tão esperado beijo então aconteceu.

Depois de alguns segundos abraçados em meio aquela paisagem pitoresca do parque, viraram-se e de braços dados seguiram em direção à estação de trem. O dia para eles estava apenas começando.

A Nova Vida

Uma vez sentados confortavelmente no trem, Frank colocou seu braço direito atrás de Elizabeth abraçando-a e esta retribuiu repousando a cabeça em seu ombro. Frank sentia uma sensação de paz e harmonia que nunca havia experimentado.

Ainda um pouco atordoado e confuso com aquela mudança de atitude inesperada, não pôde conter a curiosidade:

– Elizabeth, o que a fez mudar tão rápido de...

Antes mesmo que pudesse terminar a frase, Elizabeth colocou suavemente a sua mão perfumada na boca de Frank e fez um som bastante característico.

– Shhh!

Ele imediatamente calou-se e pensou consigo mesmo: "Muito bom Frank, lá ia você novamente estragando tudo. Ainda bem que um de vocês, pensa pelos dois".

Porém, ao refletir um instante sobre esta mudança de atitude de Elizabeth, deu-se conta de que ela poderia estar baixando suas defesas e que isso era um bom sinal, mas o fato de que não queria falar a respeito o preocupava. Tinha dúvidas se essa poderia ser uma mudança duradoura ou algo de momento, e sem entender bem porque, teve um pouco de medo do que aquilo poderia significar.

Seus pensamentos foram logo interrompidos. Elizabeth de repente recuou a cabeça e olhando-o de lado, disse:

— Por que não aproveita que estaremos no trem por mais algum tempo e me conta como foi sua experiência no exército? Estou curiosa para saber o que houve de tão ruim lá. Afinal, seu avô havia te dado uma boa iniciação e ótimas ferramentas para que você pudesse enfrentar os desafios que estavam por vir.

A curiosidade que ela demonstrava por sua vida e por suas experiências o inebriava. A atenção devotada o fazia sentir-se a pessoa mais importante do mundo. Suas perguntas também o faziam pensar e refletir, o que muito o ajudava a melhor entender suas próprias vivências.

— É verdade, Elizabeth, ele só esqueceu-se de me avisar que tais ferramentas não me serviriam de muita coisa no exército.

Elizabeth o olhou com uma expressão de quem não havia entendido aquela observação e ele então procurou explicar-se.

— Quando cheguei ao campo de treinamento fui logo levado ao meu dormitório e então me mostraram minha cama e onde poderia guardar minhas coisas. Disseram-me que os treinamentos começariam naquela mesma tarde e me mandaram vestir o uniforme. Passei então por uma série de testes físicos, e no final daquela semana recebi a notícia de que não reunia as mínimas condições para o combate. Meu condicionamento físico era tão ruim que me mandaram para outra divisão em outro acampamento, em Exeter, onde encontrei outros recrutas em estado primário de condicionamento. Foi aí que conheci o Sargento Dixon, e minha vida jamais seria a mesma.

Elizabeth ouvia atentamente e tinha vontade de fazer varias perguntas, mas num esforço supremo manteve-se calada, pois não queria interromper a narrativa de Frank, que continuou.

— Nesse novo acampamento havia muitos outros que, de uma maneira ou de outra, eram como eu. Gente sedentária, obesa, magra demais. Ou seja, todos os que ainda tinham que trabalhar muito para serem chamados de soldados e estarem aptos para lutar e defender o país num campo de batalha. E Dixon parecia estar aí para fazer de nossa vida um inferno. Fique tranquila que logo você entenderá tudo.

Chegando ao Novo Campo de Treinamento

A longa viagem de trem havia surpreendido Frank. Mal havia começado a se acostumar com sua cama e com o campo de treinamentos ao sul de Londres quando recebeu a notícia de que seria enviado para Exeter, no extremo oeste da Inglaterra, onde passaria por um longo período de preparação para o combate.

O mês de novembro havia terminado com a notícia de que o governo polonês havia se exilado em Londres, pois o país havia sido ocupado e dividido em dois pela União Soviética e pela a Alemanha. O frio de dezembro, que já começava a dominar e encurtar os dias, aliado à saudade que Frank sentia de casa pareciam trazer sobre ele uma energia pesada e depressiva.

Pela primeira vez em sua vida experimentava um mês de dezembro sem o espírito natalino e mal podia esperar para ter sua liberação de Natal e poder voltar para casa, nem que fosse por alguns poucos dias.

Ao chegar ao novo campo de treinamentos passou por um ritual semelhante ao que havia experimentado no anterior, sendo apresentado ao seu dormitório e cama. As acomodações eram muito semelhantes às do outro campo, mas existia algo de diferente no ar e nas expressões faciais. Algo pesado e negativo se sentia ali. Ao passar por alguns futuros colegas de treinamento, um deles o olhou com ar de ironia e disse:

– Bem-vindo ao paraíso soldado Farrow.

Frank continuou caminhando em silêncio preferindo não responder, mas pensou que tal frase dita naquele tom, não poderia ser um bom sinal.

Ao encontrar sua cama, ia colocar sua maleta em baixo dela, mas antes pegou o diário que havia sido presenteado pelo pai. Achou que seria um bom momento para colocar seus pensamentos em dia antes da hora do jantar e começou a escrever. Foi quando percebeu uma agitação no dormitório, com todos os outros soldados guardando revistas e outras leituras apressadamente. Alguém então passou rapidamente por Frank e lhe sussurrou:

– Guarda isso que aí vem o Dixon.

Um pouco surpreendido pela situação e sem entender bem a mensagem que lhe havia sido sussurrada, Frank foi lento em sua reação. Quando se deu conta, já havia sobre ele uma sombra enorme, projetada pela débil iluminação do dormitório. Olhou para cima e encontrou uma figura um tanto assustadora olhando para ele com uma expressão de fúria. No bolso esquerdo do uniforme pôde então ler um nome que ficaria em sua memoria para sempre. Sargento Dixon. Frank foi então se levantando para fazer a saudação ao seu superior e deixou seu diário sobre a cama.

Quando se pôs de pé e colocou-se em posição de sentido, percebeu então ver a diferença de estaturas que existia entre ele e Dixon. O sargento era altíssimo, pelo menos uns vinte centímetros mais alto e tinha um corpo enorme, cheio de músculos. Se isso já não bastasse para formar uma figura bastante intimidadora, seu rosto carregava uma expressão fechada e que parecia jamais ter conhecido sorriso.

O sargento então aproximou seu rosto ao rosto de Frank, olhou-o nos olhos, e passou a inspecioná-lo de cima a baixo. Frank sentiu um arrepio ruim e um nó na região do estômago. Dixon passou então a cheirar Frank de uma forma que todos pudessem ouvi-lo. Então disse em alto e bom som:

— Hum! Cheirinho de filhinho da mamãe.

Os outros soldados começaram a rir e Dixon olhou mais uma vez nos olhos de Frank, que a essa altura já começava a tremer, num misto de medo e indignação. Dixon então olhou sobre a cama e encontrou o que procurava. Mudou de expressão, demonstrando ainda mais raiva em seus olhos. Pegou o diário de Frank e gritou em seu ouvido esquerdo:

— O que é isso soldado Farrow?

Frank já sem poder respirar direito respondeu com a voz trêmula:

— É apenas o meu diário, senhor.

Frank então passou a preocupar-se quando escutou risinhos ao seu redor. Algo não ia bem. Dixon ergueu o diário de Frank e começou a mostrá-lo a todos, dizendo:

— Apenas um diário, senhores. Apenas um diário. Vamos ver se isso é verdade?

Dixon passou então a folhear o diário procurando por algo. Frank ficou revoltado com tal invasão de sua privacidade e teve o ímpeto de saltar em direção ao sargento para lhe tomar o diário de sua mão, mas o medo o conteve. De repente Dixon parou de folhear o diário e olhou para Frank com um olhar de deboche, como que dizendo que havia encontrado o que procurava.

— Escutem isso senhores: "Acabo de chegar a meu acampamento em Exeter onde me ensinarão as artes da guerra e em breve saberei se irei lutar na Europa ou em algum outro campo de batalha em terras estrangeiras".

Permaneceu em silêncio por alguns segundos andando como tigre numa jaula mostrando o diário de Frank a todos, até que num dado momento avançou em direção a Frank gritando:

— O que você está tentando fazer soldado Farrow? Quer nos matar a todos? Isso não é um diário, é um depósito de informações secretas. Já imaginou se isso cai nas mãos de um alemão? Você estará dizendo a ele exatamente onde atacar-nos.

Dixon então voltou para o centro do dormitório, para um lugar onde todos pudessem vê-lo e continuou seu discurso inflamado.

– Que isso sirva de exemplo a todos. Esse diário está sendo confiscado e será destruído. Se alguém mais tem um diário, que o entregue imediatamente, para que tenha o mesmo destino. E é importante que todos saibam que em meu acampamento só um tipo de leitura é permitido, que são os livros sobre guerra, as grandes batalhas, as grandes estratégias, os grandes generais. Mais nada!

Estas últimas duas palavras saíram de seus pulmões com tal energia que ecoaram pelos quatro cantos do dormitório. Finalmente, olhando para Frank, gritou:

– Parabéns soldado Farrow. Você acaba de conseguir uma punição para todo este grupo. Estejam prontos todos às cinco da manhã para uma corrida de dez quilômetros e uma longa jornada de exercícios. Farei soldados de vocês nem que seja a última coisa que eu faça na vida.

Olhou então para Frank com superioridade, sabendo que o havia humilhado e feito dele um exemplo, virou-se para a direita e saiu pisando forte pelo dormitório.

Frank sentia-se tonto e ainda tremendo, caiu sentado sobre sua cama. Enquanto buscava se situar e entender o que acabava de acontecer, sentiu uma mão em seu ombro e escutou alguém dizer-lhe:

– Muito obrigado, Farrow. Colocou-nos a todos nisso. Que bela maneira de se apresentar.

Frank olhou então a sua volta e tudo que encontrou foram olhares zangados de reprovação. Ele havia causado um impacto e tanto em sua chegada. Não seria nada fácil fazer amigos depois disso.

Mais tarde naquela noite, quando encostou a cabeça no travesseiro para dormir, sentia-se deprimido e insultado por Dixon. Sentiu pelo seu superior uma série de sentimentos ruins que não ajudavam em nada a legitimá-lo como seu novo líder e isso não era nada bom. Tentou então fazer um relaxamento como Benedict o havia ensinado, mas antes mesmo que pudesse entrar em oração adormeceu, pois estava cansado da viagem e do estresse que havia passado. Mal sabia ele que suas dificuldades com Dixon estavam apenas começando.

Os Primeiros Dias

Conforme anunciado, às cinco horas da manhã do dia seguinte escutou-se o toque de despertar e todos rapidamente se apressaram a apresentar-se para a corrida e os exercícios físicos agendados. Frank fez o possível e o impossível para manter o passo com os demais, mas invariavelmente ficava para trás e escutava Dixon, sempre alguns metros atrás dele, gritando ao seu ouvido para que continuasse, dizendo-lhe todo tipo de ofensa e humilhação.

Na parte da tarde passaram pelos primeiros exercícios militares e Frank sentia que o Sargento estava sempre lhe observando de perto, esperando que cometesse o primeiro erro para novamente fazer dele um exemplo para todos. Aquela perseguição tão evidente que vinha legitimada por uma posição de ranking superior a sua o deixava revoltado e sem saída para qualquer reação. Essa situação era muito diferente da autoridade exercida por seu pai, por seus professores ou mesmo pelos padres da igreja. Ali não havia argumento, não havia contra opinião, não havia negociação. Tinha de se submeter e pronto. Desacostumado a esse tipo de realidade tão brutal, Frank foi deixando crescer dentro de si um ódio mortal por Dixon e por tudo que ele representava.

De noite, quando chegou finalmente a sua cama, começou a lembrar dos ensinamentos de Benedict. Lembrou-se de seus avisos sobre ele ainda ter que passar por muitas dificuldades e que as coisas ainda piorariam muito antes de melhorar. Para aumentar sua angústia, não havia tido tempo de avisar a família sobre sua mudança de local e provavelmente a carta que havia enviado a eles seria respondida para o destino equivocado. Confiava que os serviços de correio pudessem ainda encontrá-lo, mesmo que demorasse um pouco.

Seu corpo estava exausto e sentia dores por todo lado. Não se lembrava de ter sentido em sua vida tamanho cansaço físico.

Dando-se conta de que estava nutrindo dentro de si sentimentos tão ruins, resolveu fazer a única coisa que lhe restava de recurso nestas situações: rezar.

Buscou então em sua maleta a Bíblia que havia sido presenteada por sua mãe e procurou ler um capítulo qualquer no Novo Testamento, mas seu cansaço era tanto que adormeceu com o livro em seu peito, antes mesmo de ler o primeiro parágrafo. De repente despertou assustado, com alguém furioso gritando seu nome.

– Soldado Farrow.

Ao abrir os olhos, ainda tonto, Frank pôde reconhecer a figura de Dixon exatamente no mesmo lugar em que estava na noite anterior. Aparentemente desta vez ninguém se importou em avisá-lo sobre a nova visita surpresa. Antes mesmo que pudesse se levantar, o Sargento tirou a Bíblia de suas mãos e passou a analisar o livro para ver não se tratava de um falso invólucro. Quando finalmente se convenceu de que o livro era realmente a Bíblia, voltou-se para Frank e disse:

– Você não aprendeu nada de ontem para hoje, Farrow? Que tipo de leitura eu disse que era permitida neste dormitório?

Frank a essa altura, ainda que um pouco tonto, já estava em pé e em posição de sentido, e lembrou-se da diretiva do dia anterior. Ele sabia que havia sido flagrado transgredindo outra regra de Dixon e mais uma vez começou a tremer, sentindo que estava prestes a receber mais uma punição. Tentou então elaborar uma resposta que atenuasse sua situação, e argumentou:

— Mas é a Bíblia Sagrada, sargento. Não posso ler a Bíblia?

— Resposta errada Farrow. Você classificaria a Bíblia como um livro sobre guerra? Você parece um pouco lento para aprender suas lições soldado Farrow, por isso vou ajudá-lo. Vou escalar você para limpar as latrinas deste dormitório pelos próximos sete dias. No oitavo dia vou perguntar uma vez mais que tipo de leitura se pode ter neste dormitório. Vamos ver se até lá você poderá ter memorizado a resposta correta. Não vou confiscar seu livro sagrado, mas não quero vê-lo novamente neste dormitório, está claro?

Frank permaneceu mudo. Sua indignação e revolta com as arbitrariedades de Dixon cresciam a níveis insuportáveis. Sua hesitação em responder provocou a ira em Dixon, que gritou a todo o pulmão:

— Está claro soldado Farrow?

Com a voz baixa e um nó na garganta, Frank respondeu um "sim senhor" que pareceu não convencer Dixon, que demandou:

— Mais alto, pois os seus colegas do outro lado do dormitório não ouviram.

A revolta ia crescendo dentro de Frank que então encheu os pulmões e gritou:

— Sim senhor!

Satisfeito, Dixon tomou a Bíblia em sua mão direita, caminhou até centro do dormitório onde pudessem vê-lo melhor e mais uma vez, dirigiu-se a todos como havia feito na noite anterior:

— Soldados, estamos prestes a entrar numa guerra. Minha missão é prepará-los para o pior dos mundos. Não quero ninguém em meu grupo se amaciando e se desconcentrando, enfraquecendo o desejo de derrotar o inimigo. Querem ler coisas desse tipo, leiam em seus dias de folga. Aqui não.

Caminhou novamente em direção a Frank, jogou a Bíblia sobre sua cama e repetiu:

— Não vou confiscar seu Livro Sagrado, mas não quero vê-lo outra vez. Olhou para Frank uma última vez com olhar de desprezo e saiu porta afora, pisando firme.

Mais uma vez, Frank desabou, sentando-se pesadamente sobre sua cama. Desta vez não ouviu risos e gracejos dos colegas de dormitório. Todos pareciam carregar algum nível de indignação com o que acabava de acontecer. Ele tomou então a Bíblia de sua mãe e dando graças a Deus que esta não havia sido confiscada, guardou-a com cuidado de volta em sua mala.

Deu-se conta então de que alguém se aproximava. Olhou para cima e viu um de seus colegas de dormitório pedindo licença para sentar-se ao seu lado, no que Frank hesitante, consentiu. Sem se apresentar, o outro soldado foi logo dizendo:

– Não fique triste. Dixon é um idiota. É um cara sem fé e obcecado com a guerra. Não vê a hora de estar em combate, só que para sua insatisfação o mandaram para cá, preparar os novos recrutas. Por isso ele desconta sua raiva em nós. Ele sempre toma alguém para ser seu saco de pancadas por um tempo, mas depois se cansa e escolhe outro. Eu sei bem sobre isso porque eu era o saco de pancadas dele até você chegar. Aguente firme que logo ele se esquece de você e escolhe outro.

O rapaz então se levantou, deu-lhe um tapinha no ombro e se foi, com medo de que Dixon regressasse e o encontrasse consolando Frank, o que fatalmente o levaria de volta à posição de saco de pancadas do sargento.

Frank sentia-se desolado. Seu corpo doía de cansaço; não tinha notícias da família, não podia desabafar em seu diário e agora nem para ler a Bíblia tinha permissão. E para aumentar ainda mais seu nível de frustração, acabava de descobrir que, de fato, havia sido escolhido por Dixon para servir de exemplo para o restante do grupo e que seria perseguido por ele, Deus sabe por quanto tempo. Ninguém se habilitaria a ser seu amigo enquanto isso durasse. Estava só.

Não encontrando outro remédio que não fosse dormir, deitou-se e quando as luzes foram apagadas, permitiu que algumas lágrimas corressem sobre seu rosto. Antes de pegar no sono, porém, lembrou-se de uma das frases da lista de Benedict: "O que não me mata, me fortalece". Encheu os pulmões de ar e repetiu para si mesmo: "Vou passar por isso e sairei mais forte do outro lado". E com esse pensamento encorajador, dormiu um sono profundo.

Passando do Limite

Após uma semana limpando os banheiros, Frank foi surpreendido com uma ordem de Dixon prolongando a punição por mais uma semana, o que inicialmente o deixou furioso, mas acabou acatando de maneira resignada, afinal não lhe sobrava alternativa.

Para abrandar seus sentimentos ruins provocados pelo sargento, Frank havia retomado seus exercícios de relaxamento, que agora eram feitos logo após o trabalho de limpeza dos banheiros. Ele também aproveitava a ausência de Dixon e dos outros soldados para ler a lista de frases de Benedict, e memorizar três delas por dia, como o avô havia recomendado.

Ao chegar ao décimo-quarto dia de punição, deu-se conta de que já estava na segunda metade de dezembro e ainda não havia recebido notícias da família, o que muito o angustiava. Apesar de ainda não ter feito nenhum amigo, já que ninguém queria ser pego com o saco de pancadas de Dixon, escutava as conversas dos colegas sobre as possibilidades das folgas natalinas e as chances de rever suas famílias. Pensou então que deveria fazer de tudo para agradar a Dixon de forma que conseguisse a tal folga e pudesse regressar a Londres onde poderia, além de descansar alguns dias, rever as pessoas que mais amava.

O exercício de limpar as latrinas não havia sido de todo ruim, pois havia aprendido da maneira mais difícil a dar valor ao trabalho da mãe, que sempre cuidou da casa impecavelmente. De maneira bastante egoísta, ele jamais havia se dado conta de tal esforço e de como aquele trabalho árduo era no fundo um gesto de amor, que ele nunca foi capaz de agradecer. Não via a hora de poder abraçar a mãe e reparar tal erro. Sentia-se também mais humilde e de certa maneira fortalecido pela leitura diária das frases de Benedict.

Após o jantar, deitou-se em sua cama e pôs-se a pensar na vida e nas mudanças abruptas que acontecem de forma tão inesperada. Seis meses atrás ele estava desdenhando de sua escola, de sua igreja e de sua família e agora daria tudo para ter essas coisas de volta. Lembrou-se então de uma das pérolas do avô, que dizia que devemos sempre esperar o inesperado, pois ele sempre vem e vira nossas vidas de pernas para o ar.

De repente escutou a costumeira agitação dos colegas que comunicava que Dixon estava a caminho. Após quase três semanas ali, já havia aprendido a ler os sinais. Levantou-se então calmamente e esperou a chegada do sargento, pois muito provavelmente passaria por algum tipo de humilhação antes que fosse liberado de seu castigo.

Dixon entrou porta adentro de forma apressada. Como de costume, todos o saudaram em posição de sentido, mas ele não deu muita atenção. Sem perder tempo, dirigiu-se para onde Frank se encontrava e foi logo perguntando:

— Soldado Farrow, que leitura é permitida neste acampamento?

Já pensando na possibilidade de conseguir a folga natalina, Frank não hesitou em gritar com todas as forças:

— Leituras sobre a arte da guerra senhor!

Dixon o olhou de forma triunfante. O novato havia aprendido a lição.

— Muito bem soldado Farrow. Finalmente me deu a resposta correta com a energia devida. Você está liberado de sua punição. Logo encontraremos outra pessoa para limpar as latrinas.

Dixon então começou a caminhar para o outro lado do dormitório e Frank respirou aliviado. Havia conseguido seu intento e a coisa nem tinha sido tão difícil assim afinal. Pensou que isso poderia também representar o fim de seu período como o saco de pancadas do Sargento. Suas chances de visitar a família no Natal acabavam de aumentar significativamente. Enquanto estava perdido em seus pensamentos, não se deu conta de que Dixon havia feito meia volta e regressava até ele.

— Soldado Farrow, além da Bíblia, que outras leituras você trás em sua maleta?

Totalmente surpreendido pelo retorno do sargento, Frank não respondeu de imediato, o que provocou suspeita em Dixon. Ele então insistiu:

— Soldado, eu lhe fiz uma pergunta e exijo uma resposta. Que outro tipo de leitura você trás na mala?

Confuso com a abordagem, tudo que Frank pôde responder foi:

— Não trago mais nada senhor.

— Ah, sim? Então não creio que vá se incomodar se fizermos uma pequena inspeção, não é verdade? Abra sua mala soldado.

Frank não podia crer no que estava acontecendo. Boquiaberto, abaixou-se e buscou a maleta que estava em baixo de sua cama. Apesar de surpreso, estava tranquilo, pois o único livro que trazia era mesmo a Bíblia. Tomou a maleta, posicionou-a sobre a cama e a abriu, mostrando ao sargento suas poucas roupas e a Bíblia de sua mãe, posicionada em um canto. Dixon observou a mala aberta, e como não encontrava ali mais nada que o incomodasse, olhou para Frank sem esconder sua frustração. Quando já se preparava para deixar Frank em paz, olhou para a mala uma última vez e mudou de expressão de repente. Olhando mais atentamente, franziu a testa e estendeu seu braço, puxando uma ponta de um pedaço de papel que estava dobrado dentro da Bíblia.

— O que é isso soldado Farrow?

Frank permaneceu mudo. Não sabia como explicar a lista de Benedict. Finalmente conseguiu gaguejar uma resposta.

– Nada importante Senhor.

Dixon então abriu a lista e pôs-se a lê-la, frase a frase em silêncio. Sua expressão foi se alterando segundo após segundo, frase após frase, aparentando ficar mais e mais furioso. De repente, soltou uma sonora gargalhada. Dirigiu-se então para o centro do dormitório como já havia feito em outras ocasiões, quando queria humilhar alguém, e disse:

– Escutem isso soldados – e passou a ler a lista em voz alta para que todos pudessem ouvi-lo.

A cada frase lida, ria-se e voltava-se para Frank, humilhando-o cada vez mais. Em poucos segundos o dormitório todo ria em alto e bom som e todos caçoavam de Frank, que sentiu sua humilhação chegar a extremos nunca antes experimentados. Começou a suar frio e um ódio começou a crescer mais e mais em seu peito. Isso estava indo longe demais. Já quase não conseguia conter-se.

Quanto terminou de ler toda a lista em voz alta, Dixon levantou a mão direita e imediatamente todos pararam de rir, ficando em silêncio. Virou-se então para Frank com um olhar de quem havia encontrado o que queria para mais uma exibição de poder. Sua expressão era de superioridade e arrogância. Com a voz cheia de deboche e ironia, disse:

– Ser humano melhor? Ajudar a outras pessoas? Exercitar o perdão? Mundo melhor? Amar ao próximo? Onde pensa que está soldado, num seminário? Isso aqui é preparação para uma guerra, soldado Farrow.

Frank não sabia o que dizer, pois ali na mão esquerda de Dixon estava seu último elo com o avô e também seu único recurso para fortalecer-se e passar pelos momentos difíceis que estava experimentando e pelos que ainda viria a experimentar. Sua respiração estava alterada, seu corpo se inclinava levemente para frente e seus punhos estavam firmemente cerrados. Sem se dar conta já havia entrado em posição de ataque. Quando sua raiva já estava chegando a níveis insuportáveis, aconteceu o que ele mais temia. Com um sorriso irônico nos lábios, Dixon ergueu a lista de Benedict e a rasgou na metade, e depois em quatro pedaços, e depois em oito, e rasgou-a mais uma vez até que esta estivesse em pedacinhos minúsculos. Para terminar sua demonstração de poder e superioridade, arremessou-a para o ar e os pedacinhos de papel voaram por todos os lados. Virou-se então para Frank e disse:

– Busque a vassoura e varra isso, soldado Farrow.

Aquela agressão era tudo que faltava para empurrar Frank para além de seus limites de paciência e subordinação. Num ato impensado de ódio e desespero, avançou violentamente em direção ao sargento que lentamente já fazia seu caminho em direção à porta do dormitório e com um grito de raiva que vinha do fundo de seu ser o atingiu com um empurrão que o arremessou longe. Dixon não teve tempo de reagir ou equilibrar-se e foi ao chão lateralmente, sem poder proteger-se do impacto. Ao tentar equilibrar-se acabou por impulsionar-se ainda mais e deu com a cabeça com toda força nos pés de uma das camas que estava próxima da porta de saída, indo ao chão inconsciente. Rapidamente, uma pequena possa de sangue começou a forma-se.

O dormitório todo ficou em silêncio por alguns segundos e todos olhavam para Dixon estendido ali no chão e para Frank, parado a três metros de distância, ainda respirando de forma ofegante.

Finalmente, um dos soldados saiu do transe e dando-se conta de que Dixon necessitava de cuidados médicos urgentes, saiu porta afora gritando por ajuda.

Frank ainda não entendia muito bem a gravidade do que acabara de fazer, mas em seu íntimo sabia que havia cometido um erro que lhe sairia muito caro. Mal sabia ele, que tal gesto impensado iria determinar seu destino para o resto de sua vida. Nada mais seria como antes.

Elizabeth Abre suas Portas

Elizabeth parou de caminhar por um momento e olhava boquiaberta para Frank, pois não podia acreditar na narrativa que acabara de ouvir. Frank também parou de caminhar dois passos mais adiante e olhava para Elizabeth com uma expressão um tanto envergonhada, mas que também pedia um pouco de merecida compreensão.

Elizabeth então retomou a caminhada e procurando a chave em sua bolsa disse:

– Vamos entrar. Lá dentro você me conta o resto dessa história.

Durante toda a viagem de trem e também durante a caminhada até seu apartamento, Elizabeth havia escutado atentamente a narrativa de Frank e pouco a pouco as coisas começavam a fazer sentido; afinal, ele havia saído de um extremo onde tinha o zelo dos pais e as orientações de Benedict, para um ambiente hostil onde não encontrava amigos e com um líder que era o pior tipo que alguém poderia encontrar. Era natural que tivesse dificuldades para adaptar-se. Mas aquele último fato a havia surpreendido totalmente, e certamente teria implicações sérias que ela ainda estava por descobrir.

Ao chegarem à porta do apartamento, Frank não conseguia esconder o sorriso de satisfação no canto dos lábios e a ansiedade era evidente em seu olhar. O mundo mais íntimo de Elizabeth estava prestes a se abrir para ele e isso o fazia sentir-se exultante.

Por sua vez, Elizabeth podia ler tudo isso facilmente no rosto de Frank, mas guardou tal percepção para si, sem fazer qualquer comentário que pudesse fazê-lo sentir-se exposto ou que pudesse intimidá-lo.

Ao abrir a porta, ela fez um gesto com o braço esquerdo abrindo caminho para Frank e falou:

— Bem-vindo ao meu reino.

Frank entrou lentamente, e enquanto tirava o casaco pôde notar a arrumação perfeita do local, com uma pequena mesa de quatro lugares à direita da porta, e sobre ela um vaso sem flores. Foi inevitável pensar que o buquê que ele se esquecera de comprar ficaria perfeito ali. No centro da sala havia um sofá de dois lugares, que fazia par com uma poltrona que parecia ser bastante confortável, e uma pequena mesa de centro. O conjunto fazia daquele ambiente algo simetricamente harmônico e acolhedor. No canto da sala estava o rádio, aparato fundamental para saber o que se passava naqueles dias. À direita da porta estava uma pequena cozinha impecavelmente limpa e arrumada, e logo à frente, atravessando a sala, estavam o banheiro e o quarto, ambos com portas fechadas. Um agradável perfume de casa cuidada exalava naquele lugar. O ambiente era tão agradável, que Frank não pôde deixar de elogiá-lo.

— Parabéns, Elizabeth. Sua casa é adorável. Isso sim é um lar, e não aquele buraco onde me escondo.

O rosto de Elizabeth iluminou-se e ela não pode deixar de esconder a satisfação que sentia com o que acabava de ouvir. Frank então se deu conta de que, sem querer, havia acertado o alvo e que aquilo era de muita importância para ela.

— Sente-se, Frank, quero saber direitinho como terminou essa história.

Ela tomou então o casaco de Frank e o pendurou em uma das cadeiras e fez o mesmo com seu. Para surpresa de Frank, ela então tirou também os sapatos e sentou-se de lado no sofá, dobrando as pernas em baixo de si. Colocou a mão esquerda debaixo do queixo e olhou para Frank, esperando o desfecho da sua narrativa.

Frank olhou para aquela cena encantadora e se sentiu inebriado com os gestos ao mesmo tempo harmônicos e extremamente charmosos de Elizabeth. Ficou hipnotizado de tal forma que lhe custou alguns segundos para começar a falar.

– Bem, Dixon foi levado para a enfermaria onde foi devidamente cuidado e medicado, e ficou bem. Eu fui imediatamente detido por agressão a um superior e passei duas semanas esperando uma decisão do que iria ocorrer comigo. Acabei passando o Natal e a passagem do ano numa cela de prisão que havia no acampamento. Abriram uma investigação para avaliar o caso e aparentemente alguém acabou por dar um depoimento favorável a mim. Acabaram impondo um castigo a Dixon e o deixariam na geladeira por algum tempo sem nenhuma chance de ir para os campos de batalha. Aparentemente esse não era o primeiro incidente em sua carreira, e por essa razão o mantinham longe de onde a ação realmente acontecia, pois temiam que ele viesse a trazer-lhes mais problemas que soluções em um ambiente de maior pressão.

Frank fez uma breve pausa para respirar e pensou por um instante antes de retomar a narrativa

– Enquanto eu estava na prisão recebi finalmente uma carta de meus pais, contando-me que agora estavam sozinhos, pois logo após a minha entrada para o exército Benedict decidiu voltar para Bread & Joy, levando consigo todos os seus pertences, alegando dificuldades de adaptação. Apesar de contrariada, minha mãe havia aceitado passivamente sua decisão, pois no fundo sabia que o velho se sentia como um peso inútil ali. Pelo menos na fazenda ele poderia seguir trabalhando e convivendo com pessoas que conhecia há décadas.

Elizabeth olhava nos olhos de Frank atentamente. Aproveitando mais uma pausa feita por ele, ela então perguntou:

– E como você se sentiu ao receber essa notícia?

— Muito triste, Elizabeth, muito mesmo. Pois eu tinha muita esperança de reencontrá-lo quando a guerra acabasse. Por isso escrevi para a fazenda em busca de notícias dele, mas a resposta que recebi você já sabe qual foi. Eu sentia que tinha muito ainda que aprender com ele; além do que, eu me havia apegado àquele velho durante os poucos meses que havíamos passado juntos. Ele foi uma das poucas pessoas que me ouviu, me entendeu e me ajudou a entender a mim mesmo. Como você está fazendo agora.

Esta última observação de Frank fez Elizabeth calar-se por um instante. De repente ela se deu conta de como sua atenção a Frank era importante para ele. Uma sensação de peso e responsabilidade preencheu seu peito por um instante. Para não deixar aquilo tomar proporções maiores do que deviam, partiu de imediato para mais uma pergunta:

— Como foi para você perder o final de ano com a família e passar duas semanas na prisão militar?

— Foi muito ruim no início e me gerou muita revolta, pois como você pode imaginar, passar tal época no claustro não era exatamente parte dos meus planos natalinos. Mas depois passei a usar os dias na cela para me reencontrar emocionalmente. Ali eu tinha tempo de sobra para ler minha Bíblia e fazer os relaxamentos ensinados por Benedict. Nos últimos dias passei a mentalizar uma atitude mais positiva para quando eu saísse dali. Quando finalmente fui liberado, no começo de Janeiro de 1940, eu já estava bem mais focado e equilibrado.

Elizabeth estava surpresa com a resposta de Frank, e buscando um fecho para aquele momento difícil, comentou:

— E aposto que foi um alívio ter se livrado de Dixon, não é?

Frank não pôde conter uma risadinha irônica. Elizabeth então abriu os olhos e a boca em sinal de espanto e questionou:

— Não me diga que...

Antes mesmo que ela pudesse terminar a pergunta, Frank a interrompeu.

— Foi a primeira pessoa que vi quando saí da prisão. Ele estava me esperando na saída, pois tivemos que passar por uma reunião onde recebemos ambos, ordens expressas de deixar nossas diferenças de lado e trabalhar juntos por um objetivo maior. Se tivéssemos qualquer outro tipo de problema um com o outro, sofreríamos punições ainda mais severas. Em resumo, seguiria sob a tirania de Dixon por muito tempo ainda.

— E ele continuou a perseguir você?

— Ah sim, com certeza! Só que de uma forma diferente, mais velada. Passamos a travar uma guerra não declarada um com o outro. Ele me odiava pelo fato de ter perdido oportunidade de ir para as frentes de batalha. Como represália, ele também não me liberava para lutar. Enquanto ele não fosse enviado para onde a ação acontecia, não me liberaria para isso também. Sempre que vinha uma convocatória de novos soldados para as frentes de batalha, eu nunca estava na lista. Ele dizia que eu ainda não estava pronto. E assim os meses foram se passando. Graças a Dixon, fui poupado da derrota na Noruega e, ainda pior, da debandada de Dunkirk, na França, em maio daquele ano.

Começando a entender porque Frank nunca havia disparado um tiro na guerra, Elizabeth estava cada vez mais ansiosa para saber como aquela disputa entre Frank e Dixon terminaria. Mas de repente se deu conta de que tal ansiedade havia feito dela uma terrível anfitriã para os seus padrões.

— Frank, mil desculpas, pois não te ofereci nada. Vou fazer um chá com umas torradas para que continuemos nossa conversa. Enquanto vou esquentando a água, conte-me, como é que tudo isso acabou?

Frank a acompanhou até a cozinha em silêncio e esperou que ela colocasse a água para ferver. Porém, sua intenção em segui-la até lá não era exatamente de continuar de imediato sua história. O beijo que trocaram enquanto estavam no parque ainda estava em sua memória. Ainda sentia o gosto dos lábios de Elizabeth nos seus e experimentava uma sensação de que havia ficado adicto a tal prazer. Aproximou-se dela e, tomando coragem, colocou as mãos em sua cintura fina. Ela acolheu a aproximação colocando suas mãos nos braços de Frank que imediatamente avançou buscando mais um beijo, que desta vez foi mais longo e carinhoso que o primeiro, fazendo seu batimento cardíaco subir rapidamente. Abraçaram-se mais uma vez e Frank pode sentir novamente aquela paz tão única, que bravamente desafiava os tempos de guerra. Quando estava nos braços de Elizabeth, pouco importava o que se passava ao seu redor; aquela sensação reinava absoluta. Ficaram assim por alguns minutos até que a água começou a ferver.

Com o chá e as torradas postas sobre a mesinha de centro, acomodaram-se de novo no sofá e Frank retomou a narrativa de onde havia parado.

A Guerra se Intensifica

As duas semanas passadas numa cela haviam sido como uma pequena montanha-russa para Frank. Inicialmente se sentiu extremamente depressivo por não ter ido para casa e por ter passado o Natal isolado de tudo e de todos. Mas uma vez passado esse mal-estar, foi lentamente recobrando seu ânimo e equilíbrio emocional.

Passou a recordar suas conversas com Benedict e entendeu que o fato de estar num ambiente totalmente novo e com rotinas extremamente diferentes havia dificultado seu intento de impor qualquer disciplina para aplicar seus ensinamentos. Também lembrou nitidamente de que o avô o havia avisado que passaria por tempos difíceis, que por ser tão jovem lhe seria complicado aplicar as coisas que conversavam e que isso só se passaria mais tarde em sua vida. Quando, só Deus sabia.

Por diversas vezes em seus momentos de solidão flagrou-se fechando os olhos e desejando, quando os abrisse, ver a seu lado o sábio ancião que o avô lhe havia assegurado que encontraria. Perguntaria então muitas coisas para ele, inclusive o que fazer com Dixon quando o encontrasse novamente. Mas quando abria os olhos e se via sozinho, ria-se de si mesmo e lembrava que o avô também havia dito que esse encontro só aconteceria quando ele estivesse pronto para ele, e não quando o quisesse.

Aproveitou também tal tempo para colocar a correspondência em dia com os pais, mas preferiu omitir a verdadeira razão de não ter conseguido visitá-los no Natal, dizendo simplesmente que não havia sido liberado.

Apenas quando ele estava prestes a sair de suas duas semanas de reclusão é que voltou a fazer suas meditações e orações, como o avô havia ensinado, e isso o ajudou a centrar-se em sua volta à rotina militar. Tanto que quando finalmente saiu de sua cela e deu de cara com Dixon esperando por ele numa sala de reuniões, sentiu-se surpreso, porém não intimidado.

Ficou mais surpreso ainda quando soube que os dois haviam sido punidos e que teriam de provar a seus superiores que poderiam trabalhar juntos sem problemas, antes de serem mandados para qualquer combate.

Eles foram obrigados a apertar as mãos, o que ocorreu com muita frieza de ambas as partes e sem que se olhassem nos olhos.

Quando esse aperto de mãos ocorreu, Frank pôde sentir na forma apressurada e na energia fria da mão de Dixon que aquela disputa estava longe de terminar. Ganharia apenas um novo invólucro.

Ao voltar para seu dormitório, reencontrou seus colegas e recebeu de alguns o reconhecimento por ter feito algo que muitos deles gostariam de ter feito, e passou a gozar de certo respeito entre eles.

Dixon deixou de assediá-lo de forma direta diante de todos e isso o ajudava no sentido de cultivar maior estabilidade emocional e clareza de raciocínio. Tratou de concentrar-se em sua preparação para lutar e procurava, sempre que possível, fazer suas orações, nem que fosse durante o banho ou quando estivesse fechando os olhos para dormir. Sabia que em breve necessitaria de muita fé para encarar a luta armada.

O início de 1940 trouxe consigo os primeiros sintomas da guerra para a população britânica, com racionamento de alguns alimentos e submarinos alemães atacando embarcações civis e militares.

Enquanto isso no continente Europeu a União Soviética e a

Alemanha seguiam em sua corrida expansionista. Depois da divisão da Polônia, viraram seus canhões para o norte em direção aos países nórdicos. Os soviéticos invadiram a Finlândia e a Alemanha não escondia seus planos de invadir a Dinamarca e a Noruega. Pela localização estratégica desta última, França e Inglaterra já se preparavam para defendê-la. O confronto direto entre os dois blocos agora era uma questão de tempo.

Apesar de saber que estava em uma espécie de período de provação e que por isso não seria mandado para este primeiro provável palco de batalhas, Dixon manteve um ritmo intenso de preparação. Na verdade, em sua cabeça ele tinha outras ambições. Todos tinham a expectativa de que mais cedo ou mais tarde Hitler invadiria também a França e era lá que ele queria lutar, como seu pai o fizera na Primeira Grande Guerra Mundial.

Para atingir esse objetivo ele havia deixado de assediar Frank de forma pública e direta, porém tratava de utilizar cada atividade física e exercício militar como uma oportunidade para testar sua resistência e paciência e fazia de tudo para prejudicá-lo, colocando-o sempre no lado mais fraco ou onde o exercício demandasse mais esforço físico. Frank, por sua vez, notando o tipo de perseguição velada que Dixon impunha a ele, esforçava-se ainda mais para que sua equipe vencesse as simulações ou para que ele chegasse ao final dos exercícios fisicamente inteiro e com a cabeça erguida.

Ao final de cada dia, ambos trocavam olhares pesados e provocadores. Frank parecia dizer; "sobrevivi a você por mais um dia". Enquanto Dixon respondia: "amanhã será outro dia e então eu te pego de jeito".

Ao final de março, Frank começava a sentir os efeitos positivos de tamanho esforço e seu condicionamento físico havia chegado a níveis que ele nunca havia experimentado antes. Pouco a pouco ele também ia se sentindo pronto para a ação em batalha.

Chegando o mês de abril, a Alemanha finalmente partiu para a ofensiva e invadiu a Dinamarca e a Noruega. Conforme já havia sido prometido, Inglaterra e França imediatamente partiram em defesa dos agredidos e as primeiras batalhas então aconteceram em águas e solo Norueguenses, com desfechos favoráveis aos alemães.

Com indicações claras de que os nazistas em breve fariam movimentos similares contra os Países Baixos e a própria França, ingleses e franceses rapidamente abandonaram a ideia de defender a Noruega. No final de maio, saíram em retirada e concentraram seus esforços em defender Paris, reposicionando as tropas no norte da França.

Dinamarca e Noruega passariam então para a lista de países anexados por Hitler, junto com Áustria, Tchecoslováquia e metade da Polônia. O governo Norueguês juntou-se à lista dos que se estabeleceram no exílio em Londres.

Tanto Frank como Dixon pareciam não estar muito decepcionados com o fato de não terem sido enviados para esses primeiros combates, já que o resultado havia sido bastante negativo para o seu país. Porém, ambos nutriam grandes expectativas de serem convocados para defender a França, e Frank tinha esperanças ainda que remotas de reencontrar seu irmão Peter e lutar lado a lado com ele.

Mas a cada semana mais e mais tropas eram enviadas para o continente Europeu e a vez de Dixon parecia não chegar nunca. Isso ia aumentando cada vez mais seu nível de frustração. Como consequência, sempre que lhe pediam um novo contingente de soldados, ele tratava de não incluir Frank que também ia ficando para trás.

Tal desfecho na Noruega havia provocado debates profundos no governo inglês sobre como o país estaria se articulando e como vinha fazendo uso de seus recursos e tropas. Mudanças significativas foram inevitáveis, e no início de maio o primeiro ministro Neville Chamberlain deixou o cargo sendo substituído por Winston Churchill, um veterano da Primeira Guerra, que subiu ao poder encarregado de dar outros rumos para o papel da Inglaterra no combate.

Mas o mês de maio não trouxe apenas mudanças de cunho

administrativo. De forma impiedosa, a Alemanha invadiu, de um só golpe, Bélgica, Holanda, Luxemburgo e França. Em questão de dias, os três primeiros capitularam e a França passou rapidamente a ser o próximo alvo.

Frank ia acompanhando tudo isso através de jornais e pelo rádio, e sua ansiedade ia crescendo dia a dia. Pensava no irmão que já estava nos campos de batalha e pensava também em seus pais, pois se Hitler não fosse detido na França, em breve estaria olhando para a Inglaterra. Uma sensação de pânico começava a tomar conta dos que ainda não haviam sido enviados a lutar no continente.

Para desespero geral, no final de maio a batalha da França já parecia perdida e o comando de guerra dos aliados decidiu-se por uma manobra radical, que foi retirar do continente, através de Dunkirk na França, todo o contingente que para lá havia sido enviado além de retirar também o próprio exército Francês. A ideia era salvar o maior número de soldados possível e trazê-los para a Inglaterra, onde poderiam ser então reaproveitados em futuras frentes de batalha, inclusive numa possível invasão da Grã-Bretanha.

Essa operação, batizada de Dynamo, terminou nos primeiros dias de junho, e mais tarde provar-se-ia fundamental para o futuro da guerra. Mas naquele momento, foi humilhante. A moral de Frank e de seus colegas não poderia estar mais baixa. A Alemanha estava vencendo.

Frank então escreveu para os pais, buscando notícias do irmão. Queria saber se ele havia conseguido escapar e retornar para a Inglaterra. Algumas semanas depois ficou aliviado em receber uma resposta positiva. Peter estava de novo em terras britânicas, em outro campo de treinamento, esperando as próximas ordens.

No dia 4 de junho, Churchill fez um de seus discursos mais inflamados, conclamando o povo Inglês a preparar-se para lutar contra uma possível invasão, se necessário, por muitos anos e sozinho. Declarou também que lutariam no mar, no ar e em terra e que defenderiam seu território até o fim, dizendo em tom de ameaça aos alemães: "jamais nos renderemos".

Junto com um grupo enorme de outros soldados, Frank escutou pelo rádio a retransmissão do discurso de seu líder maior, e ao seu final sentiu um arrepio patriota subir-lhe pela espinha. Ele estava pronto para lutar. Que viessem os alemães.

Durante o mês de junho os nazistas marcharam soberanos pelas ruas de Paris e a metade norte da França se juntou aos nazistas. A Inglaterra agora estava só, e rapidamente se transformou no próximo alvo de Hitler. A diretiva agora era de se preparar para uma possível invasão. Portanto, Dixon e Frank não iriam a lugar algum tão cedo.

Conformado com tal destino, Frank concentrou-se mais e mais em aprimorar seu condicionamento físico. Pouco a pouco havia deixado por completo seus exercícios de meditação e suas orações. Agora tudo que queria era estar no melhor de sua forma para lutar. Começou a cultivar um orgulho patriota cada vez mais forte, o que o motivava mais e mais. Seu condicionamento físico era tal que rapidamente começou a chamar a atenção de outros superiores além de Dixon, que começou a se incomodar com isso, pois sabia que em breve não teria mais desculpas para segurar aquele que, sem ele se dar conta, havia se transformado em um de seus soldados mais bem preparado.

Frank havia visto seu corpo mudar gradativamente. Agora sentia orgulho de sua forma física e passava longos minutos em frente ao espelho após o banho.

Um dia esperou que todos os outros saíssem do vestiário e ficou sozinho, admirando-se. Sem se dar conta havia permitido que seu ego ficasse altamente inflado. Gostava de olhar seu abdômen bem definido, os bíceps inchados e as pernas bem torneadas. Sentia-se invencível.

Hipnotizado com tal exercício narcisista, não se deu conta de que Dixon havia entrado no vestiário e o observava em silêncio. Vendo que estavam a sós, Dixon aproximou-se e soltou uma grande gargalhada. Frank tomou um enorme susto e ficou totalmente desconcertado, não sabendo o que fazer. Tentou disfarçar o que fazia e rapidamente e se enrolou em sua toalha.

— Soldado Farrow, o que faz aqui sozinho se admirando no espelho? Está se achando todo forte e poderoso?

Frank não sabia o que fazer ou dizer e foi se retirando para onde suas roupas estavam. Dixon o seguiu e continuou falando.

— Pois saiba que você não é nada e enquanto eu não sair daqui, você também não sairá. Está me ouvindo, Farrow?

Frank permanecia em silêncio, ainda envergonhado pelo flagrante que tinha recebido. Dixon continuou seu assédio:

— Você pode treinar o mais duro que puder, pode se tornar o soldado mais rápido e preparado deste acampamento. Eu só libero você quando eu quiser. E eu só vou querer, quando eles me mandarem para a luta. Se eu não for lutar, você também não vai.

Dixon deu outra gargalhada e saiu pisando forte como lhe era peculiar.

Aí estava então de forma clara e declarada o que no fundo ele já intuía, mas que nunca havia sido dito em palavras tão objetivas. Dixon realmente continuava perseguindo-o. Mas este tipo de perseguição o incomodava de forma diferente. Queria defender seu país. Mais que isso, sentia-se totalmente pronto e preparado para isso. Mas graças às frustrações e fraqueza de caráter de seu líder direto, não podia. De que adiantava estar no melhor de sua forma? De que adiantavam todos estes músculos e tamanho fôlego se não podia aplicá-los?

Naquele momento, voltou a sentir ódio por Dixon. Algo precisava ser feito. Cerrou os punhos deu um soco no armário que estava à sua frente e com a boca cerrada de raiva prometeu para si mesmo que iria se empenhar tanto nos treinamentos que Dixon não ia ter como segurá-lo. Mais cedo ou mais tarde ele teria de sair dali.

E ele estava certo, pois em breve sairia. Porém, sua saída não aconteceria da forma como ele imaginava. Logo o inesperado lhe faria outra visita e mudaria o curso de sua vida.

Dois Extremos

As xícaras de chá repousavam vazias sobre a mesa de centro e o prato de torradas já não chamava mais a atenção de Frank, que cansado de falar, fez uma breve pausa enquanto olhava para o relógio de parede. O fim da tarde já se aproximava e ele começava a se preocupar com a possibilidade de estar ficando além do que deveria. Quando se preparava para dizer algo a respeito do horário, notou que Elizabeth tinha a mão direita sob o queixo e o olhar fixo num ponto qualquer, mas não olhava para qualquer objeto em particular.

Na verdade, ela parecia estar longe dali, com os pensamentos focados em algo que procurava decifrar. O olhar era firme, com as sobrancelhas cerradas, como alguém que está pensando intensamente sobre algo e chegando a profundas conclusões.

— O que houve, Elizabeth? Quer dividir comigo o que está pensando?

Saindo do transe, Elizabeth olhou para Frank de forma sagaz, como quem sabia que estava prestes a compartilhar com ele uma perspectiva um tanto diferente sobre sua própria história. Algo que provavelmente só alguém de fora, isenta de qualquer envolvimento emocional com aqueles fatos, poderia proporcionar.

— Frank, você já se deu conta dos extremos que viveu durante aquele ano de sua vida? Precisamente em doze meses você saiu de uma situação de total inatividade para outra de intensa agitação, da ausência de objetivos para outra onde você tinha um foco, uma meta a perseguir. Foi das profundezas da espiritualidade para a ausência de oração e culto ao corpo físico. Foi do ambiente familiar para a solidão, e da falta de uma rotina para a rigidez do exército. Porém, nada disso se compara ao fato de que você foi exposto a dois tipos de liderança completamente diferentes naquele breve período de sua vida. Um parece ser exatamente o extremo oposto do outro. Você já parou para pensar sobre isso?

Frank permaneceu em silêncio olhando para Elizabeth, totalmente surpreso com sua observação. Desde que Benedict havia saído de sua vida, não havia encontrado mais ninguém que lhe ouvisse com tamanha atenção e devoção.

Ela não só havia escutado atentamente cada palavra que ele havia dito, mas também havia pensado a respeito e agora o questionava, fazendo-o pensar sobre sua própria vida de uma maneira que ainda não havia feito, olhando para suas experiências por um ângulo totalmente novo. Estava maravilhado com a inteligência e articulação dela.

– Não, Elizabeth, não havia pensado sobre isso. Só agora, com suas observações é que me dou conta de como minha vida oscilou aos extremos em tantos aspectos e em tão curto espaço de tempo. E na verdade não consigo elaborar muito bem que tipo de efeito isso pode ter tido.

– Claro que não. Geralmente é assim mesmo. Estamos tão envolvidos emocionalmente com as coisas que nos acontecem que acabamos não refletindo sobre elas. Gostaria de explorar isso um pouco?

A pergunta de Elizabeth soou quase que como um convite para dançar e Frank não hesitou em aceitar. Elizabeth então falou:

– Ok, falemos um pouco sobre a questão das metas e objetivos. É impossível não se lembrar do exercício que Benedict fez com você, das pedras sendo arremessadas em direção ao balde. Que correlação você faz entre tal exercício e este período de sua vida?

Frank fez um breve silêncio e mentalmente se transportou para aquele momento e procurou fazer a analogia que Elizabeth pedia.

— Bem, eu parecia saber exatamente onde estava o balde. Meu objetivo era entrar na melhor forma possível para me livrar de Dixon e poder lutar pelo meu país. Eu dormia e acordava pensando nisso. Esse era o único foco de minha vida.

— Hum... único foco... dormia e acordava pensando nisso. Se você escutasse outra pessoa dizendo estas palavras, o que você pensaria sobre ela?

Frank se surpreendeu mais uma vez. O que Elizabeth estava tentando fazer era muito claro. Ela já tinha suas percepções, mas estava buscando fazer com que Frank chegasse a suas próprias conclusões. Frank não precisou pensar muito para responder e com um tom de voz baixo e uma expressão um tanto envergonhada disse:

— Que ela está obcecada. Ficou muito claro agora. Eu tinha uma obsessão.

— Exatamente. O que me leva ao próximo par de extremos. Antes de ir para o exército, você vivia um momento de profunda espiritualidade e isso aparentemente mudou radicalmente. Existiu alguma influência de sua obsessão nesta sua mudança?

Mais uma vez a resposta era óbvia. A impressão que Frank tinha era de que alguém estava acendendo as luzes de um quarto escuro.

— Sim, Elizabeth. Claro que sim. Ao permitir que tal obsessão tomasse conta de mim, não dei espaço para mais nada em minha vida. A partir de um determinado momento dessa busca obsessiva para me livrar de Dixon deixei de rezar, deixei de meditar e acabei por me distanciar de Deus totalmente, a ponto de nunca mais me reaproximar. Nunca mais fui a uma missa, nunca mais abri a Bíblia de minha mãe, nunca mais cuidei de meu jardim interno.

De repente o ambiente ficou pesado naquela sala e agora era Frank quem tinha o olhar perdido num ponto qualquer.

Sem pensar muito sobre as palavras que saíram de sua boca, disse em voz baixa:

– Meu Deus. Como pude permitir que Dixon me afetasse desse jeito? Que idiota fui.

Elizabeth permitiu que o silêncio durasse um pouco mais, pois intuía que Frank precisava dele. Após alguns segundos pensando, Frank voltou-se mais uma vez para Elizabeth com uma expressão um tanto pesada, mas pronto para seguir em frente. Ela então prosseguiu com suas perguntas.

– Agora pense um pouco sobre esse seu balde, ou seja, sobre essas metas e objetivos que se tornaram uma obsessão. Lembro-me que Benedict teria dito que você deveria cuidar para que suas metas fossem realmente suas e não metas externas, de alguém mais. Essas metas eram realmente suas? Você se sentia realmente alinhado com elas?

– Não. Nem um pouco. Tinha e tenho verdadeira repugnância pela guerra. Essa maldita guerra que me tirou tudo que eu tinha: minha família, minha saúde, minha paz. Nunca me importei muito com meu condicionamento físico e naquele momento era tudo que eu queria. No final das contas, estar no melhor de minha forma e ter um lindo corpo frente ao espelho provaram ser grandes ilusões. Hoje ambos me deixaram e nem saúde mais eu tenho. Depois que fui dispensado, deixei de cuidar não só do espírito, mas do corpo também. Ou seja, abandonei-me totalmente, tudo por ter perseguido as metas e objetivos errados. Como pude permitir isso?

Elizabeth ficou curiosa sobre os motivos de sua dispensa, que ainda não haviam sido esclarecidos, mas não se deixou distrair. Parou para pensar por um instante sobre o questionamento de Frank e então respondeu a pergunta com outra pergunta.

– Quando você pensa sobre Dixon e a forma de liderança que ele exercia que palavras vêm à sua mente?

Ao pensar sobre o sargento e sobre sua perseguição contra ele, a expressão de Frank mudou, ficando ainda mais séria e seu tom de voz passou a ser carregada de ressentimento.

– Desequilíbrio, insensatez, egoísmo, arrogância, indiferença, autoritarismo, ausência de espiritualidade, e claro, obsessão.

– Sim. Senti as mesmas coisas sobre ele. E quando pensa em Benedict, o que vem a sua mente?

– Exatamente o oposto. Equilíbrio, humildade, espiritualidade, integridade, empatia, diálogo.

– E o que cada um deles gerou em você?

A resposta de Frank levou um par de segundos para sair, mas quando saiu, veio lenta como se carregasse em si muitas conclusões importantes.

– Exatamente as mesmas coisas. Ou seja, me permiti influenciar por Dixon da mesma maneira com que me deixei influenciar por Benedict e os resultados foram também os extremos. Com Benedict me sentia em paz, centrado, conectado com Deus. Com Dixon me sentia desequilibrado, perturbado, longe de qualquer coisa parecida com a espiritualidade. Quanto mais ele me perseguia mais obcecado ficava, gradativamente me esquecendo de todo o resto. Estou começando a achar que não tenho personalidade.

Ambos riram da piada, mas Elizabeth interveio rapidamente.

– Não se trata disso, Frank. Acredito que cada um trouxe a você exatamente o que você precisava em seus respectivos momentos. Por isso você permitiu que os dois te influenciassem tanto. Quando Benedict entrou em sua vida você estava perdido e precisando de alguém que te ajudasse a se encontrar. Já quando veio Dixon, você precisava de um objetivo na vida e lutar na guerra rapidamente ocupou esse espaço. Como ele não permitia isso, você passou a competir com ele e passou a buscar seu objetivo com toda a sua energia e o resultado foi que sua meta virou uma obsessão, desequilibrando todo o resto.

Elizabeth tinha toda razão. O vácuo que existia em sua vida havia sido rapidamente preenchido por Benedict e por Dixon em seus respectivos momentos. De repente, então ele teve um novo pensamento que o assustou. A mesma coisa parecia estar acontecendo com Elizabeth.

Rapidamente ela havia ocupado todos os espaços de sua vida e deveria ter cuidado para que ela não se transformasse em uma nova obsessão. Como faria isso, não tinha a menor ideia. Mas naquele momento ele se sentia bastante feliz de estar ali e de estar tendo uma conversa tão profunda com ela.

Precisando de um tempo para respirar, pediu licença para usar o banheiro e se retirou por um instante.

A Liderança se Aprende

Quando regressou, Elizabeth estava na cozinha e parecia estar se movimentando no sentido de preparar algo para jantarem. Sobre a mesa havia um caderno e um lápis. Frank olhou para eles e em seguida para Elizabeth, com uma expressão de quem não estava entendendo o que se passava. Ela então explicou.

– Creio que você já deve ter-se dado conta de como um líder pode influenciar seus liderados positiva ou negativamente, correto? Enquanto preparo algo para comermos, gostaria que você fizesse um pequeno exercício. Lembro-me de que Benedict disse que dentro de você existia um líder.

Frank deu uma pequena risada irônica com o canto dos lábios, demonstrando claramente que já não acreditava naquilo. Elizabeth reagiu imediatamente.

– Frank, não ria disso. Não creio que ele esteja equivocado. Você apenas não teve a oportunidade de exercer isso ainda, mas nunca se sabe o dia de amanhã. Um dia poderá estar nesta posição e você tem duas experiências muito ricas na bagagem. Use-as a seu favor. Gostaria que usasse esse papel e lápis e escrevesse tudo o que aprendeu com as duas formas de liderança que acabamos de identificar. Essa lista pode ser muito útil no futuro. Escreva no topo da folha: "Para ser um bom líder eu..." e complete a sentença com coisas que fará ou que deixará de fazer para ser um bom líder.

Frank olhou para Elizabeth com ares de incredulidade. Ele realmente não via valor em fazer tal esforço. Ela então usou o único argumento que aparentemente funcionaria naquele momento:

– Faz isso por mim? Estou pedindo.

Frank então deu um sorriso de quem sabia que estava sendo adoravelmente manipulado. Sentou-se, tomou o lápis em sua mão direita e começou a escrever. Ao terminar, tinha a seguinte lista nas mãos:

Para ser um bom líder eu...

- Serei humilde, tratando outros com respeito, jamais com arrogância.
- Elogiarei em público e apontarei erros de forma privada.
- Buscarei fortalecer as pessoas, elogiando e reforçando suas qualidades e fortalezas.
- Tratarei as limitações alheias como uma oportunidade para que melhorem.
- Sempre usarei o diálogo como forma de entender e ajudar as pessoas a progredir.
- Buscarei ser um ótimo ouvinte.
- Evitarei sempre a atitude de dono da verdade e único conhecedor das respostas.
- Buscarei servir e apoiar as pessoas para que cresçam e sejam mais do que são hoje.
- Tratarei sempre de inspirar através de metas, objetivos e visão de futuro.
- Admitirei meus erros e aprenderei com eles, para que possa me tornar cada dia melhor.
- Jamais serei indiferente àquilo que é importante para os que estão ao meu redor.
- Colocar-me-ei no lugar das pessoas para melhor entendê-las, servi-las e guiá-las.
- Farei com que o êxito das pessoas seja a maior razão do meu êxito pessoal.

- Não esperarei perfeição de nada nem de ninguém, pois somos todos imperfeitos.
- Buscarei ser um exemplo de ética e moral, sendo antes de tudo um bom ser humano.

Ao reler o que havia acabado de escrever, Frank pôde facilmente identificar os pontos que vieram da má influência de Dixon e os que vieram da boa influência de Benedict e se deu conta de que Elizabeth realmente tinha razão. Ambas as experiências haviam sido muito ricas, mas ainda não via grande valor em preparar tal lista.

— Acabei. Quer que eu leia para você?

— Não é necessário, Frank. Guarde esta lista com carinho, pois estou segura de que um dia ela te servirá. Sua vida não ficará como está para sempre. Estou mais interessada em saber se o exercício te ajudou.

— Creio que sim. Agora posso entender mais claramente como cada um destes líderes me influenciou. Mas honestamente, não vejo como poderei aplicar estes princípios em minha vida.

O cheiro agradável da sopa de legumes que Elizabeth preparava já ocupava o ambiente e aguçava o apetite de Frank. Enquanto servia uma generosa porção em dois pratos fundos, Elizabeth perguntou:

— Você pretende se casar um dia? Ter esposa e filhos? Constituir uma família?

Frank imediatamente esqueceu-se do odor agradável da sopa e arregalou os olhos, surpreso com a pergunta. Elizabeth riu de sua expressão e tratou logo de tranquilizá-lo.

— Calma, não seja tão presunçoso, não estou te pedindo em casamento. Apenas responda, sim ou não?

— Ah, mas que decepção. Pensei que você finalmente havia se decidido!

Ambos riram da situação inesperada que a pergunta havia criado. Frank pensou por um momento e respondeu:

— Sim, creio que sim. Apesar de tal possibilidade parecer tão remota no momento, eu gostaria de constituir uma família depois que esta maldita guerra terminar e a vida voltar ao normal. Por que a pergunta?

— Bem, um pai de família também precisa ser um líder, não acha? Se você reler esta lista colocando-se no papel de um marido ou pai, ela te ajuda em algo?

Frank releu a lista e não pôde deixar de pensar no próprio pai e de como uma simples lista como aquela poderia ter sido útil para ele, pois ele havia ficado aquém em tantos quesitos. Pensou também na mãe e como ela por diversas vezes havia feito o papel de líder em sua vida, orientando-o e cuidando para que evoluísse na melhor das direções. Nunca havia se dado conta, mas sua mãe havia sido uma grande líder em sua vida. Olhou para Elizabeth e consentiu, fazendo um gesto com a cabeça. Ela então fez outra pergunta.

— E quando voltar a trabalhar e tiver uma função social? Essa lista pode ser útil?

— Elizabeth, mesmo que eu consiga um trabalho, não creio que estarei numa posição acima de outras pessoas tão rápido.

Enquanto colocava os pratos de sopa sobre a mesa, Elizabeth sorriu e fez um sinal de negativo com a cabeça.

— Frank, você não precisa estar acima de ninguém para ser um bom líder. Dixon estava acima de você e não tinha a menor ideia do que é ser um líder. As pessoas confundem chefia ou estar acima de alguém com liderança.

Frank leu sua própria lista uma terceira vez e viu que Elizabeth tinha razão uma vez mais. Nenhuma das atitudes e comportamentos da lista necessitava que ele estivesse numa posição de chefia para ser exercitado. Aos poucos ele chegava à conclusão de que ser um líder era muito mais uma questão de atitude para com a vida que uma posição no ranking hierárquico.

— E, finalmente, Frank, falemos sobre a mais importante de todas as lideranças. A liderança sobre você mesmo. Como concluímos você se deixou influenciar facilmente tanto por Benedict como por Dixon, pois havia um grande vazio em sua vida. Será que não houve também ausência de autodeterminação? Você já parou para pensar na hipótese de que você deve ser seu próprio líder? Que você deve ser a primeira pessoa a vigiar seus pensamentos e dar uma direção a si mesmo? Pense bem Frank. Benedict te presenteou com verdadeiros tesouros de sabedoria e ensinamentos espirituais. Por que será que você não os aplicou de uma forma mais permanente em sua vida? Certamente não foi por não se lembrar deles, pois você os repetiu para mim com detalhes. A percepção que tenho é que você não os pôs em prática de uma maneira definitiva por não tomar as rédeas de sua vida, por não ser você mesmo seu próprio líder. Ao permitir que outras pessoas ocupem esse espaço, outras prioridades acabaram por prevalecer. Você me entende? Se você juntar os princípios filosóficos que te ensinou Benedict com os traços de personalidade de um líder que existe em você mesmo e os aplicar para seu próprio benefício, só Deus sabe onde você poderá chegar. Além disso, todas as pessoas que estiverem ao seu redor se beneficiarão. Filhos, esposa, amigos, colegas de trabalho. Sim ou não?

Frank olhava para Elizabeth com total perplexidade. Jamais havia pensado de tal forma ou olhado para si mesmo entendendo-se como seu primeiro e mais importante líder. Sempre havia olhado para fora, para os outros, buscando norteamento e direção. Primeiro nos pais, depois nos professores, no padre, em Benedict e por que não dizer, no próprio Dixon, ficando a mercê de suas limitações como líderes e em muitas ocasiões de suas visões um tanto míopes, outras tantas vezes tendenciosas, sobre o mundo e sobre a vida. E quando tais líderes se mostravam imperfeitos, se frustrava e colocava sobre eles toda a responsabilidade de seus próprios erros e limitações. Essa forma de agir era quase que uma desculpa para que evitasse assumir sua própria responsabilidade sobre as coisas que se passavam com ele.

Revisou sua lista uma quarta vez e se deu conta de que vinha fazendo um trabalho sofrível como seu próprio líder, jamais se elogiando ou buscando fortalecer-se mentalmente, tratando suas limitações como se fossem enfermidades sem cura, nunca buscando inspirar-se ou traçando metas e objetivos pessoais.

Enquanto saboreava a primeira colher de sopa, Frank voltou-se para Elizabeth e perguntou:

— OK, e esse conhecimento todo sobre liderança, de onde veio? Não pode ter sido aprendida cuidando dos soldados feridos numa enfermaria lotada.

Elizabeth sorriu e respondeu:

— Você ficaria surpreso em saber a quantidade de vezes em que se tem que exercer a liderança numa enfermaria lotada. Mas, evidente que não foi lá. Não foi só você que teve seus gurus na vida, bons ou maus, meu caro Frank. Meu pai me ensinou muita coisa, inclusive sobre liderança. Ele era o tipo de homem que assumia a liderança em tudo. Na escola onde dava aulas, nas associações de bairro, nos clubes de leitura, na igreja. Ele sempre fez questão de me dizer que, ao contrário do que muita gente pensa, uma pessoa não nasce líder. A liderança é algo que se aprende, principalmente através do exercício. Que coisas fundamentais para ser um bom líder, como cuidar das pessoas e tratá-las com respeito, dar bom exemplo, ser bom ouvinte, ser confiável, ter uma atitude entusiástica e encorajadora para com a vida, são coisas que podem ser aprendidas, não necessariamente nascem com a gente. Ele era um bom homem. Não merecia ter o final trágico que teve.

Um silêncio tétrico tomou conta da mesa de jantar e Frank se deu conta de que os olhos de Elizabeth ficaram marejados. A guerra também havia sido dura com ela. Ele fez então um esforço para mudar a conversa de direção e disse:

— Ainda não te contei como minha história com Dixon termina. Quer saber?

Enxugando as lágrimas, que mal chegaram a sair, com a ponta do indicador e do polegar direitos, Elizabeth mudou de expressão e, como lhe era peculiar quando ia escutar Frank, mudou também de posição, voltando-se para ele. Ela não ouvia apenas com os ouvidos. Literalmente, ouvia com o corpo todo.

– Sou toda ouvidos.

Ao escutar tal resposta e tal nível de foco e atenção, Frank pensou consigo mesmo: "Com toda certeza".

A Grande Chance

O mês de agosto de 1940 trouxe consigo uma mudança significativa nos palcos da guerra. Com a União Soviética anexando Estônia, Letônia e Lituânia e a Alemanha finalizando a ocupação da França, todos se perguntavam qual seriam os próximos movimentos dessas duas grandes potências. Enquanto isso, a Itália aproveitou o momento de fragilidade de seus oponentes e invadiu o sul da França e territórios ingleses na África, como a Somália.

Apesar de ter claro em seus planos expansionistas que a invasão da Inglaterra era o próximo passo, a Alemanha não conseguiu encontrar situação favorável para tão arrojado movimento. O clima no Canal da Mancha não ajudava e a supremacia britânica no ar e no mar foi fator definitivo para que os nazistas adiassem o plano de invasão indefinidamente e mudassem sua estratégia para os bombardeios aéreos. No final do mês, começaram então uma blitz aérea bombardeando Londres e outras cidades importantes da Grã-Bretanha, trazendo pânico e desespero a todos.

Durante os meses de setembro e outubro, os bombardeios continuaram quase que diariamente e Frank não podia dormir em paz. Estava longe demais de Londres para saber o que se passava com precisão, mas daquele momento em diante deixou de receber notícias dos pais e isso o agoniava. As informações que chegavam eram limitadas e distorcidas e ninguém sabia dizer ao certo os bairros e localidades mais atingidas, mas todos falavam em milhares de vítimas civis. Tudo que Frank queria era poder falar com os pais ao telefone e saber se estavam bem, mas isso infelizmente era impossível naquele momento.

Na África a situação se deteriorava a cada dia, com a Itália agora invadindo outro território Inglês, o Egito, e de um momento para outro, tudo que se escutava pelos corredores é que muito provavelmente esse seria o próximo destino para os soldados em treinamento. Para Frank isso pareceu um alento. Iria lutar afinal. Não seria na Europa como havia imaginado e sonhado, mas pelo menos sairia dali e provavelmente da desagradável companhia de Dixon, que por sua vez, não estava nada contente com a mudança de planos. Sua ambição de lutar na França, como seu pai, estava cada vez mais distante de ser satisfeita.

No final de outubro veio a confirmação. Novos pelotões seriam selecionados para serem enviados para a África. O destino em específico ainda estava por ser anunciado, pois era informação considerada sigilosa. Mas para Frank pouco importava. Mal podia esperar pela chance de mostrar sua ótima condição física e ser selecionado, saindo então da paralisia em que se encontrava.

No dia 29 de outubro, Dixon então anunciou que haveria um exercício seletivo naquela noite. Tinha de ser às escuras, pois o plano era treinar soldados que pudessem ser lançados de paraquedas em pontos estratégicos em ataques noturnos. Como outros oficiais do grupo de paraquedistas também estariam observando as atividades, a seleção não dependeria apenas de Dixon, o que deixou Frank bastante motivado. Esta era sua grande chance.

O exercício seria uma espécie de competição em uma pista de obstáculos onde um grupo de soldados teria de apostar uma corrida contra o tempo. Os que terminassem o circuito com os melhores tempos seriam selecionados.

Quando caiu a noite, a temperatura baixou bastante e um vento forte começou a soprar seguido de uma chuva fina. Isso tornaria o exercício ainda mais difícil e perigoso, pois além de ser feito no escuro, os obstáculos estariam molhados e o vento serviria para desestabilizar os movimentos.

Frank já havia vestido o uniforme e acabava de amarrar suas botas quando Dixon entrou no dormitório, caminhando a passos lentos em sua direção. Parecendo saber o que se passava na mente de seu soldado, aproximou-se, abaixou a cabeça e disse em seu ouvido:

– Você não vai passar neste teste. Irá cometer algum erro e eu estarei lá, para apontá-lo aos outros observadores. – Sorriu ironicamente, deu as costas e saiu caminhando, assobiando porta afora.

Frank sentiu uma onda de raiva e uma ansiedade ainda maior passou a se apoderar dele. Seu batimento cardíaco subiu e a respiração ficou ofegante. Logo veio o chamado para que todos se concentrassem no campo de exercícios e ele mal podia controlar os nervos. A provocação de Dixon havia surtido efeito e ele agora não se sentia mais tão seguro de si.

O vento soprava forte e a chuva, agora mais intensa, molhava seu rosto, seu uniforme e suas botas. Tudo parecia pesar o dobro que o normal. A escuridão havia tomado conta da pista de exercícios, fazendo o cenário ainda mais assustador.

Dixon e os outros observadores se agruparam em baixo de uma tenda e estavam prontos com seus cronômetros, suas pranchetas e blocos de anotação.

Chamaram então o primeiro grupo de soldados e a competição começou. A cada grupo que terminava o circuito, os observadores se juntavam, comparavam notas e davam o comando para o próximo grupo.

Frank aos poucos foi dando conta de que a sequência de soldados a serem chamados não fazia o menor sentido. Não obedecia a ordem alfabética ou de numeração de registro. Aparentemente alguém havia preparado aquela sequência de uma forma a deixá-lo para o fim.

Conforme o tempo foi passando a pista de exercícios foi ficando em condição cada vez pior e o uniforme de Frank cada vez mais pesado de tanta água. Finalmente o último grupo de soldados foi chamado e Frank estava nele. Ele havia esperado quase uma hora na chuva, que agora estava mais forte que nunca e suas pernas já estavam um tanto cansadas.

Ele alinhou-se então com outros três soldados e olhou adiante para a os obstáculos que o esperavam. Já havia passado por esse circuito antes muitas vezes, mas nunca durante a noite. Correu a sequência toda em sua mente e planejou cada ação. Iria ter de rastejar por debaixo de arames, atravessar por entre postes em constante alternância de direções, subir em cordas, atravessar tubos, escalar um muro, e ao final, correr por um campo, que com a chuva havia se transformado num enorme lamaçal, até a linha de chegada.

Enquanto percorria o circuito em sua mente uma última vez, desconcentrou-se e perdeu o tiro de partida, saindo meio segundo atrás de seus competidores.

Frank chegou ao primeiro obstáculo três passos atrás dos demais e começou então uma desesperada corrida de recuperação. Arrastou-se por debaixo dos arames, saltou por cima de obstáculos, correu em torno dos postes e quando chegou à metade do circuito, graças ao seu excelente preparo físico, já lutava pela segunda posição.

Seguiu num ritmo alucinante, pois sabia que para não deixar dúvidas de que reunia condições para ser selecionado, teria de terminar em primeiro lugar. Chegou então no último obstáculo apenas um passo atrás do primeiro colocado. Teria de escalar um paredão de uns cinco metros de altura e descer no outro lado por uma corda. Daí para frente era só correr na lama até a linha de chegada. Frank chegou ao topo do paredão quase ao mesmo tempo em que seu competidor. Posicionou o corpo do outro lado da parede e buscou a corda com ambas as mãos, ao mesmo tempo em que se lançou para baixo na escuridão. Porém, a velocidade com que se lançou sobre a parede foi um pouco além do ideal e a corda, bastante molhada pela chuva, escapou-lhe entre os dedos.

Frank sentiu um arrepio na espinha quando se viu em queda livre. Os cinco metros que o separavam do chão tomaram uma eternidade e, numa tentativa desesperada de amortizar a queda, tentou posicionar a perna direita num ângulo menos desfavorável, mas já era tarde.

O que se ouviu em seguida foi aterrorizador. Um tremendo estalo, uma queda forte e um grito de dor que ecoou por todo campo de treinamento.

Frank, ainda tonto com o impacto de seu corpo contra o chão, só teve tempo de tomar fôlego para gritar de dor uma segunda vez. Outra vez aquele som agonizante tomou conta dos ouvidos de todos e vários soldados começaram a procurar de onde vinham os gritos em meio à escuridão.

Finalmente os primeiros flashes de luz das lanternas dos oficiais que observavam os exercícios começaram a chegar próximos de Frank, que continuava gritando, sentindo a maior dor que jamais havia conhecido. Deitado com a barriga para cima, ele olhou para o céu escuro e sentiu os pingos pesados da chuva em seu rosto. Tinha a sensação de que algo de muito ruim havia acontecido. Quando finalmente o primeiro flash de luz o alcançou, levantou o pescoço e olhou para sua perna e viu sua tíbia partida ao meio, pendurada em um ângulo de noventa graus. Olhou então em desespero para a pessoa que segurava o flash de luz, para pedir ajuda. Foi quando viu o rosto de Dixon com um sorriso irônico nos lábios. Foi a última coisa que viu antes perder os sentidos.

O Longo Castigo

Quando Frank abriu os olhos, não conseguiu reconhecer o local onde se encontrava. Pôde apenas notar pela janela que estava localizada do outro lado do quarto uma luz típica das primeiras horas da manhã. Tudo levava a crer que o dia apenas começava. Lentamente foi recobrando a consciência, e pouco a pouco pôde melhor fazer uma avaliação de onde estava e como estava.

A primeira coisa que notou foi sua perna direita engessada quase até a virilha, sendo sustentada para cima por um enorme suporte. Tinha também um curativo no braço direito e outro na cabeça, logo acima do olho direito. Então se lembrou da queda de cinco metros de altura, da insuportável dor e da terrível imagem de sua perna pendurada por carne e pele, com o osso estirado para fora.

Olhou à sua volta e viu que estava num enorme quarto de hospital com três outros leitos vazios. Sua cama era a mais próxima da porta, e no outro extremo do quarto se via uma única janela, que naquele momento permitia que uma luz pálida do sol de outono trouxesse um ar melancólico para aquela cena.

Pouco a pouco foi se dando conta também de outras dores em seu corpo. A queda tinha sido pior do que imaginava. Mas evidentemente a maior preocupação era aquela perna, pois certamente a recuperação não seria rápida e suas esperanças de ir para a África iam lentamente desaparecendo, o que também significava que uma vez mais não iria se livrar de Dixon. Lembrou-se então da expressão de vitória em seu rosto quando o viu ali, estirado na lama, contorcendo-se de dor. Sentia um ódio profundo e tinha medo até de pensar em reencontrá-lo. Começou então a imaginar o momento em que a porta do quarto se abriria e Dixon passaria por ela triunfante, para lhe dizer que ele o havia vencido e que não iria a lugar algum.

Justamente quando nutria este pensamento odioso e seus dentes se apertavam uns contras os outros de tanta raiva, a porta do quarto se abriu. Frank olhou para ela com uma expressão furiosa, pronto para mandar Dixon para o inferno. Porém, surpreendeu-se quando uma silhueta feminina, um tanto roliça, de um metro e sessenta de altura entrou pelo quarto. A enfermeira, uma senhora já nos seus cinquenta anos, assustou-se ao ver Frank acordado e com tal expressão no rosto.

— Bom dia, rapaz! Você deveria estar dormindo ainda, pois o tanto de anestésicos e tranquilizantes que te injetaram para fazer a cirurgia na perna foi dose para elefante. Mas você parece um tanto agitado. Está tudo bem?

Frank agora começava a entender tudo. Precisaram anestesiá-lo para que pudessem operar sua perna. Acalmando seus sentimentos, que obviamente estavam fora de contexto, respondeu:

— Sim, enfermeira, estou bem. Poderia me contar onde estou e o que houve?

— Claro que sim. Você deve estar mesmo um tanto perdido, pois está fora do ar por um bom tempo. Logo após a sua queda você foi levado ainda inconsciente para a enfermaria do campo de treinamentos, mas devido à gravidade do trauma, logo viram que não tinham condições de cuidar de você ali. Então te trouxeram para cá, para o hospital militar de Exeter, onde uma equipe médica especializada foi convocada para te atender. Quando finalmente a equipe chegou, na manhã de ontem, você começou a despertar e então te sedaram e você dormiu de novo. Depois de muita análise e discussão de como consertar sua perna, te operaram ontem à noite e a cirurgia foi um sucesso. Vai demorar um pouco, mas sua perna vai ficar boa. Foi um procedimento longo e bem complicado, por isso as doses fortes de anestésicos e tranquilizantes, e daí você ter dormido tanto. Na verdade, esperava que você dormisse até mais. Deve estar com muita fome e sede, não?

Frank ainda não havia se concentrado nisso, mas agora que a enfermeira mencionava água e comida, deu-se conta de como tinha a boca seca e o estômago incomodamente vazio. Fez um sinal de positivo com a cabeça e logo um copo de suco de maçã lhe foi oferecido. A enfermeira então disse que iria buscar comida e já regressaria. Antes que ela saísse, com receio de receber a visita incômoda de Dixon, Frank lhe fez um pedido:

— Enfermeira, se algum soldado ou oficial do meu pelotão vier me ver, poderia dizer que não posso receber visitas? No momento ainda não estou me sentindo bem o suficiente para receber alguém.

A mulher olhou para Frank e concordou com o pedido, mas antes de sair disse:

— Se eu fosse você não me preocuparia muito com isso. Fiquei sabendo pelo clínico geral que te deu os primeiros socorros no seu campo de treinamentos que após o exercício que você participou, os soldados selecionados e o sargento em comando receberam ordens imediatas para embarcar para a África. Partiram hoje de madrugada. Uma hora dessas já devem estar em alto mar. Já volto com sua comida.

Frank não podia acreditar no que acabara de ouvir. Dixon havia partido afinal e o havia deixado para trás imobilizado, sozinho, sem condições de lutar por seu país e com uma longa recuperação pela frente.

Quando se viu sozinho no quarto, pensou nos pais e no irmão e sentiu de novo o desespero de não saber se estavam vivos ou mortos. E pensou também em Benedict. Onde estaria aquele velho tão bem intencionado, que tentou de todas as formas prepará-lo para as dificuldades da guerra e da vida adulta? Seus ensinamentos hoje pareciam tão distantes. Pensou então em si mesmo e em como sua vida havia mudado tanto em tão curto espaço de tempo. Estava prestes a completar outro aniversário, logo seria outra vez Natal e tudo levava a crer que os passaria sozinho, numa cama de hospital. Não pôde evitar que as lágrimas começassem a escorrer sobre seu rosto. Nem mesmo as sábias palavras de Benedict, sobre nunca sabermos onde realmente é o fundo do poço, poderiam tê-lo preparado para tamanho revés.

Quando a enfermeira finalmente chegou com a comida, o choro já era intenso e ela precisou acalmá-lo, antes de dar-lhe de comer.

Frank, então, recebeu a visita do médico, que confirmou suas suspeitas. Seriam sessenta dias de imobilização antes que começassem os trabalhos fisioterápicos, que poderiam tomar outros dois meses. Deram-lhe então mais remédios que o nocautearam novamente. Antes de dormir, pensou outra vez na família e em Benedict. Assim que possível iria procurá-los.

O Fundo do Poço

Conforme o previsto, Frank passou seu aniversário e as festividades de final de ano numa cama de hospital, de onde somente começou a sair em janeiro de 1941. Enquanto esteve ali entrevado, teve a oportunidade de seguir mais de perto as notícias da guerra e pôde acompanhar o desentendimento entre Rússia e Alemanha tomar forma, até que os alemães decidissem romper relações com os temíveis vizinhos.

Os bombardeios nas principais cidades inglesas continuavam, quase que diariamente, mas a imensa destruição ocasionada por eles parecia não abater a moral do povo inglês, que seguia seu dia a dia da melhor forma possível, determinado a vencer suas dificuldades e seu inimigo.

A consolidação da fratura demorou um pouco mais que o esperado e os trabalhos fisioterápicos só começaram em finais de fevereiro e tomaram os meses de março e abril. Durante este tempo, Frank acompanhou os alemães retomarem os territórios perdidos pelos italianos na África e dominarem o Leste Europeu, ocupando Iugoslávia e Grécia. Os nazistas agora eram quase soberanos na Europa Continental, restando apenas os russos por conquistar.

Os bombardeios aos principais centros urbanos ingleses se mantinham, e Londres continuava sendo o principal alvo. Frank estava agora havia seis meses sem notícias da família, e sua preocupação crescia a cada dia.

Quando chegou o mês de maio, Frank já conseguia caminhar com desenvoltura e recebeu alta para retomar seus trabalhos no campo de treinamentos. Lá chegando, recebeu a acolhida do novo sargento, que parecia ser bastante novo e com pouca experiência, e passou por novos exames com o mesmo médico que o socorreu há seis meses, quando sofreu a queda e a fratura. Ambos pareciam bastante céticos em relação à recuperação de Frank e a cada momento conversavam entre eles em voz baixa, parecendo já terem opiniões formadas sobre o que deveriam fazer.

Durante os primeiros exercícios, Frank sempre ficava para trás dos novos recrutas, pois estava um pouco acima do peso e sem fôlego. Os seis meses de inatividade começavam a cobrar o seu preço. Para piorar as coisas, ele ainda mancava da perna direita quando corria, o que só reforçava a opinião do novo sargento.

Após um mês de treinamento, sua situação não havia melhorado muito e ele então recebera a informação de que seria dispensado. A notícia foi dada pelo próprio médico do campo de treinamentos.

— Sinto muito, soldado Farrow, mas não creio que você terá condições de sobreviver numa batalha contra os alemães. Estamos fazendo isso para protegê-lo. Para não deixá-lo desamparado, consegui aprovar um pequeno soldo, uma espécie de pensão em reparação ao seu dano físico, sofrido em treinamento. É uma exceção muito rara, que durará enquanto a guerra durar ou até você conseguir um trabalho. Esperamos que o ajude a manter-se por um tempo. Você está obrigado a nos reportar se conseguir trabalho, para que a pensão seja então descontinuada. Em alguns dias você receberá alguns vales para retirar sua pensão uma vez ao mês.

O médico olhou-o de forma solidária e deu-lhe um tapinha no ombro como que querendo dizer que aquilo seria o melhor para ele. Voltou-se então para Frank uma vez mais e disse:

— Se posso te dar um último conselho, fique longe dos grandes centros urbanos por mais um tempo. Os Alemães parecem estar perdendo fôlego e os bombardeios estão diminuindo, mas ainda existem. Tudo leva a crer que eles vão mesmo é voltar-se para a Rússia e então a situação deve melhorar. Você tem a permissão do sargento para ficar aqui até seus primeiros vales chegarem. Use esse tempo para decidir para onde irá. Depois avise de seu novo endereço para receber os vales.

Frank sentiu-se desolado e desorientado com a dispensa e aceitou de bom grado o tempo para pensar no que ia fazer. Precisava regressar para Londres em busca dos pais, mas temia os bombardeios. Enquanto esperava seus vales, recebeu a informação de que todo o seu antigo pelotão, inclusive os oficiais, havia sido dizimado pelos alemães na Líbia. Todos foram dados como mortos em combate, inclusive Dixon.

No dia 22 de junho, os alemães invadiram a Rússia e suas atenções se voltariam quase que totalmente para as frentes de batalhas no Leste Europeu, deixando de bombardear a Grã-Bretanha com a mesma intensidade. A hora de Frank voltar para casa havia chegado.

Aproveitando um comboio militar, ele então seguiu em direção a Londres e após quase um dia de viagem entre um transporte e outro, finalmente chegaria ao sul da cidade. Ao atravessá-la, teve dificuldade em conter as lágrimas. Uma coisa era ouvir pelo rádio ou ler nos jornais sobre a devastação dos bombardeios, outra coisa era ver sua cidade semidestruída com os próprios olhos.

Finalmente, quando chegou a Croydon e foi passando pelas ruas e locais conhecidos, ele começou a realmente temer pelo pior. Sua velha escola estava em ruínas. A igreja que frequentara estava aos pedaços. Quanto mais se aproximada de sua casa, pior ficava.

Quando virou a esquina de sua velha rua, as lágrimas já escorriam por seu rosto. Poucas casas ainda permaneciam em pé. Quando finalmente chegou ao seu quarteirão, pode constatar que infelizmente a sua não era uma delas. Estava totalmente destruída.

Andou pelos destroços na busca de algum sinal, algum objeto conhecido, mas não encontrou nada. Sentou-se então sobre o que restava da parede de seu quarto e chorou copiosamente.

Lembrou-se das brincadeiras de infância com o irmão, Peter, no quintal da casa, dos vários aniversários, da adolescência difícil, dos desentendimentos com os pais e, finalmente, da chegada de Benedict, que agora parecia algo tão distante.

Notou então que alguém o observava à distância, e reconheceu uma velha vizinha. Foi até ela e perguntou sobre os pais.

– Sinto muito, Frank, mas eles foram pegos de surpresa em um dos primeiros bombardeios ainda em outubro do ano passado. Não tiveram chance. A casa está assim em ruínas desde então. Tudo que existia de algum uso ou valor já foi levado por saqueadores. Não restou mais nada. Sinto muito rapaz, mas não há mais nada para você aqui.

O baque foi tamanho que Frank voltou a sentar-se num resto de parede. Não tinha mais casa, não tinha mais família, não tinha mais ocupação, não tinha mais sequer a saúde que costumava ter. Não tinha mais nada, nem ninguém e não tinha ideia do que fazer daí para a frente.

A vizinha, penalizada com a cena que testemunhava, deu-lhe o endereço de uma irmã que tinha uma pensão que continuava funcionando, localizada mais ao norte, nas proximidades do centro de Londres.

Munido de seu primeiro vale e sem ter qualquer outra opção à vista, Frank então seguiu seu conselho e decidiu-se por temporariamente alugar um quarto, até saber o que ia fazer de sua vida.

Depois de ele ter passado alguns dias enclausurado em seu quarto na pensão, começou a sentir-se cada vez mais depressivo e decidiu sair para conhecer a nova vizinhança. Foi quando encontrou o Great Lion, um pub simpático de gente amigável onde passaria a anestesiar suas dores com muita cerveja pelo próximo ano e meio. Sem se dar conta, permitiu que sua situação adversa o deprimisse cada vez mais e tomasse conta dele, dominando totalmente sua vida. Jamais procurou trabalho, jamais abriu espaço para novas amizades além de Albert, o dono e ao mesmo tempo barman do Great Lion. Entregou-se definitivamente à bebida e à solidão. Havia chegado finalmente ao fundo do poço.

Uma Questão de Ponto de Vista

Ao terminar sua narrativa, Frank parecia estar aliviado. Finalmente havia tido a oportunidade de compartilhar com alguém toda a sua história. Havia dividido com Elizabeth tudo que havia vivido nos últimos quatros anos, e como havia chegado aonde chegou. Como havia passado de um extremo ao outro em sua vida, como havia perdido o fio da meada e como os ensinamentos de Benedict haviam se perdido ao longo do caminho.

Voltou-se então para Elizabeth e viu que ela tinha em seu rosto um olhar que expressava ao mesmo tempo entendimento e compaixão. Mas até aquele momento, ela havia apenas escutado. Não emitido nenhuma opinião ou julgamento, o que o deixava um pouco incomodado. Tentando tirar algo dela que o fizesse sentir-se melhor em relação a si mesmo e ao seu drama pessoal, comentou:

– Você entende agora, Elizabeth, porque estou onde estou? Entende como a vida foi dura comigo até o momento?

Elizabeth permaneceu em silêncio por mais alguns segundos, pensando qual seria a melhor maneira de reagir à observação de Frank. Ele obviamente buscava algo de simpatia por tudo que havia passado e isso não lhe poderia ser negado. Porém, ela tampouco queria ser complacente com ele, para não correr o risco de endossar o fato de que ele claramente havia jogado a toalha e deixado de lutar para melhorar sua própria vida. Após ponderar por alguns segundos, respondeu:

— Sim, Frank, eu entendo perfeitamente. Lembre-se de que também perdi meus pais da mesma maneira e também tive um período difícil depois disso. Mas passadas algumas semanas me dei conta de que, por alguma razão que me foge ao entendimento, eu escapei. Eu não estava em casa na hora do bombardeio. Fui poupada. Foi quando percebi que eu ainda podia ser útil como enfermeira, aliviando a dor de outras pessoas. Deus havia me poupado por uma razão. Eu ainda tinha um propósito em minha vida.

Aquela última observação o fez recordar de uma das frases favoritas de Benedict. "O propósito da vida é uma vida de propósitos." Porém, a resposta de Elizabeth não era exatamente o que ele buscava. Ele esperava que ela ficasse penalizada com tudo que passou, mas sua reação o deixava um tanto desconcertado. Argumentou então:

— Pois sorte a sua minha querida, que tem uma profissão, um trabalho, um propósito. Ao ser dispensado do exército e ao perder minha família, não me sobrou nada. Não sei o que fazer com minha vida. Não tive a mesma sorte.

— Hum, não teve sorte. Então é assim que vê tudo que se passou. Você me permitiria oferecer-lhe um ângulo um pouco diferente?

Franzindo a testa e sem entender que outro ângulo poderia existir, consentiu fazendo um leve gesto com a cabeça. Elizabeth então continuou.

— Entre os diversos centros de treinamento que o exército poderia escolher para você, acabaram te enviando para um dos mais distantes das grandes cidades da Inglaterra. Cidades estas que estavam sendo quase que diariamente bombardeadas. Quantos bombardeios você vivenciou, Frank?

— Nenhum. Só ficava sabendo pelo rádio e jornais.

— Muito bem. Então quando chegou o momento em que você se sentiu preparado para lutar, teve um sério desentendimento com seu superior, que decidiu te boicotar e por isso não te mandou para ser derrotado na Noruega, nem para ser humilhado na França, duas situações em que você poderia inclusive não regressar com vida, correto?

— Sim, deixei de ser enviado para estas batalhas. Batalhas em que fomos vergonhosamente derrotados.

Percebendo que começava a fazer o seu ponto, Elizabeth continuou.

— E então, quando veio sua grande chance de escapar da tirania de Dixon e ir lutar na África, você quebrou a perna e não pôde ir. Logo depois ficou sabendo que todo pelotão, inclusive Dixon, fora exterminado pelos alemães em batalha. É isso?

— Sim, foram dizimados. Não sobrou ninguém.

— E, finalmente, depois de ter tomado algumas além do que poderia aguentar, caiu, bateu com a cabeça no meio-fio, ficou inconsciente numa temperatura abaixo de zero, o que certamente o mataria de hipotermia, mas foi salvo pelo dono do bar, sendo depois tratado em um dos melhores hospitais militares.

— Sim, fui salvo por Albert e tratado por você.

— Bem, pelas minhas contas até agora, sua vida já foi salva pela divina providência quatro vezes. Além de tudo isso, o exército abriu uma rara exceção que eu nunca ouvi falar e resolveu te indenizar pela perna quebrada em treinamento, te dando uma pensão que te permite pagar um quarto, comida e cada cerveja consumida no Great Lion. Isso seria um bom resumo de sua situação?

A essa altura Frank deixou de responder às perguntas de Elizabeth, que não perdeu tempo em continuar mesmo assim.

— Olha, Frank, sempre podemos ver um copo com água até a sua metade como meio cheio ou meio vazio. A decisão é nossa. Pela perspectiva que acabo de dividir com você, Deus vem na verdade te protegendo de muita coisa. Podemos não compreender seus métodos, mas o fato é que Deus te trouxe até aqui, são e salvo, em condições de ajudar muita gente que está em situação pior que a sua. Entendo todo o teu drama e realmente seu caminho não foi um mar de rosas, mas creio que você permitiu que esse drama ficasse ainda maior e tomasse conta de tudo. Na maioria das vezes, em nossa vida, temos a possibilidade de escolher. Somos nossas decisões, Frank. De uma maneira ou de outra, depois de tudo que se passou, você escolheu enclausurar-se no seu quarto de pensão. Você escolheu esconder-se da vida atrás de uma caneca de cerveja. Um dia você precisará também tomar a decisão de sair de trás dela e começar a mudar isso tudo, não acha? Para mim está muito claro que Deus tem um plano para você. Se não tivesse, não o teria poupado de um destino trágico em quatro ocasiões. Você pode não saber ainda qual é o seu grande propósito na vida, mas estou cada vez mais segura de que ele existe.

Frank, agora um pouco contrariado, escutava calado tudo que Elizabeth lhe dizia. Quando se preparava para argumentar uma vez mais, Elizabeth continuou:

– Entre as coisas que acontecem na vida da gente e a nossas reações a elas, existe um momento em que fazemos nossas escolhas, Frank. Quando escolhemos por não reagir a situações adversas, não estamos sendo responsáveis por nossa vida. Se eu pudesse te dar um conselho, diria que você precisa tomar maior responsabilidade por sua vida. A palavra responsabilidade na verdade é a junção de outras duas palavras. Ter responsabilidade é ter a habilidade de responder. Pare para pensar um pouco e analise como anda sua habilidade de resposta a tudo que aconteceu com você e comece a sair da passividade. Retome a ação, Frank. Tudo pode começar a mudar. Comece, por exemplo, com a decisão de parar de beber. Já fará uma grande diferença.

Aquele último comentário o atingiu de forma diferente. Além de não ter tido pena dele, ela pedia que ele começasse a reagir e tocava o dedo na ferida do vício. Sentiu vontade de dizer a ela que desde o dia em que a conheceu, não havia mais bebido nenhuma caneca de cerveja. Só havia regressado ao Great Lion com ela para comer e tomar chá. Mas estava desconcertado demais com as coisas que havia escutado. Preferiu então, como de costume, fugir da situação incômoda. Olhou para o relógio de parede, levantou-se e disse:

– Obrigado Elizabeth, pelo ótimo dia que passamos juntos, pela comida, pelo chá e pelos conselhos. Mas acho que já está ficando tarde e preciso ir.

Percebendo o que se passava, Elizabeth também se levantou. Porém, em vez de caminhar em direção a Frank ou para a porta de saída, foi justo na direção contrária, para a porta de seu quarto. Frank a acompanhou com os olhos sem entender bem o que se passava.

Ela então parou na porta do quarto com uma expressão sedutora, com um sorriso terno e um olhar que Frank até então não conhecia e que imediatamente fez brotar nele uma sensação estranha como se sentisse frio em seu ventre. Ela então disse:

– Estamos falando de escolhas, Frank. Tem certeza que ir embora é a melhor opção? Ela então entrou quarto adentro e deixou Frank sozinho na sala.

Boquiaberto e com o batimento cardíaco um tanto alterado, ele riu de maneira nervosa e olhou para as duas portas: a da saída do apartamento e a do quarto de Elizabeth. Não precisou pensar muito para chegar à conclusão de qual porta ele preferia naquele momento.

Caminhou lentamente até o quarto onde então encontrou Elizabeth iluminada apenas pela luz de um abajur. Ela estava sentada na cama encostada em seu travesseiro, com os braços ao lado do corpo e as pernas flexionadas, cruzadas na altura dos tornozelos. Ele precisou controlar a respiração e a emoção, pois aquela era uma das mais belas visões que ele já havia testemunhado em sua vida.

Fechou a porta do quarto calmamente e pensou: "É, Frank, aparentemente sua sorte finalmente mudou".

De Volta ao Great Lion

Quando Frank despertou no dia seguinte Elizabeth já não estava em casa, mas havia deixado um bilhete em cima da mesa dizendo: "Fiquei feliz com sua escolha. A noite foi maravilhosa. Deixei chá pronto e pão para você., coma algo antes de sair. Tenho que trabalhar. Cuide-se bem".

Ele voltou então para a cama e reviveu em sua cabeça cada momento da noite anterior. Mal podia crer no que havia acontecido e tinha dificuldades em entender a mudança brusca de Elizabeth, mas independentemente do que havia passado com ela para que mudasse de atitude, uma coisa estava clara em sua mente: o dia 28 de fevereiro nunca mais seria um dia como outro qualquer em sua memória.

Após alguns longos minutos de transe, decidiu que era hora de voltar para casa. Tomou um banho rápido, comeu e saiu em direção à estação de trem. Decidiu que voltaria à casa de Elizabeth naquela noite, pois precisava entender melhor o que estava se passando, já que não compreendia uma mudança tão brusca de um dia para o outro.

Quando chegou a sua pensão, começou a esvaziar os bolsos do casaco como de costume. Foi quando encontrou no bolso interno um envelope com uma carta.

Rapidamente reconheceu a letra de Elizabeth. A carta dizia:

Querido Frank,

Sei que deve estar confuso com tudo que aconteceu de ontem para hoje, afinal fui de um extremo ao outro em tão pouco tempo. Mas logo você me entenderá. Porém, antes de explicar tudo, quero pedir-te algo. Por favor, mantenha-se calmo, pois vou lhe fazer uma promessa. Eu volto. Juro que volto.

Com a redução dos bombardeios em Londres, já quase não recebemos feridos em minha enfermaria, sendo assim, meus serviços agora são necessários em outro lugar.

Há três dias fui convocada em regime de urgência para servir como enfermeira em um posto médico do exército na África. Parto em um voo hoje mesmo. Já não regresso para meu apartamento. Esperei num café em frente a minha casa até que você saísse para poder regressar, fazer minhas malas e ir-me.

Vou, pois preciso seguir em meu propósito, que é servir aos feridos e aos enfermos. Essa é minha missão de vida. É isso que me move adiante. É isso que me faz despertar a cada manhã. Mas vou com o coração dividido. Senti-me atraída por você desde o primeiro dia em que conversamos na enfermaria e conforme os dias foram passando, fui-me enamorando não só por você, mas por sua história de vida, por tudo que você aprendeu com Benedict e por esse seu momento complicado. Sinto muito se vou complicá-lo um pouco mais.

Se a princípio te rejeitei, foi por medo. Achei que não deveria me apegar ainda mais a você e que não deveria permitir que você se apegasse ainda mais a mim. Mas quando fiquei sozinha em meu apartamento naquela noite, me dei conta de que já era tarde: eu já havia me apegado. Assim que me decidi por permitir que tivéssemos esse momento de amor, que deverá nos servir não como razão de sofrimento, em função de nossa temporária separação, mas sim como motivação. Para mim servirá como estímulo, uma vez que agora tenho alguém para quem regressar. E para você, espero que sirva como um incentivo para que saia desse momento de paralisia. Reconstrua sua vida, Frank. Vire esse jogo. E me espere, pois eu volto. Prometo.

Perdoe-me por comunicar isso a você por carta, mas temia que se fosse fazê-lo pessoalmente, para mim seria impossível partir. Fui covarde, eu sei, mas foi a única maneira que encontrei de poder seguir com essa missão.

Antes de me despedir quero te dar uma última sugestão: resgate os ensinamentos de Benedict. Você ainda tem em sua privilegiada memória as coisas que aprendeu com ele. E apesar de me sentir um pouco insana em te sugerir isso, continue em sua busca pelo sábio ancião. Nunca se sabe o que Benedict realmente quis dizer com isso. Enquanto você não o encontra, faça o seguinte exercício nos momentos de duvida e aflição. Pergunte-se sempre: "O que faria Benedict nesta situação? O que ele me diria?" Talvez isso te ajude no sentido de melhorar sua habilidade de responder às surpresas que nos acontecem na vida. Como esta que se apresenta neste exato momento.

E por favor, Frank. Pare de beber. Quero te encontrar sóbrio e sadio quando voltar. Entendeu?

Até breve, Frank. De quem te quer muito bem.

Elizabeth

Ao terminar de ler a carta de Elizabeth, Frank sentia uma forte contração na região do estômago e tinha lágrimas em seus olhos.

Olhou o relógio e pensou que talvez já fosse tarde demais para tentar impedi-la, mesmo porque ela não mencionava nem horário, nem local de onde o voo partiria. Mesmo assim, decidiu tentar. Correu para a estação e tomou o primeiro trem de volta para o apartamento de Elizabeth, olhando para o relógio a cada minuto. As lágrimas já não escorriam, mas a contração na região do estomago continuava.

Desceu do trem feito um alucinado e correu o mais rápido que suas pernas permitiam. Quando chegou ao apartamento de Elizabeth, bateu à porta de forma apressurada e com um pouco mais de força do que deveria. Seu coração se encheu de esperança quando ouviu passos e viu a maçaneta da porta virando. Ele então gritou:

– Elizabeth!!!

Porém, sua cara se transformou em decepção quando uma senhora abriu a porta e disse:

– Não senhor. Ela já partiu a mais de uma hora. Posso ajudar em algo?

Em meio à decepção e à falta de fôlego que ainda buscava recuperar, perguntou:

– Você sabe para onde ela foi?

— Sim. Para o hospital onde trabalha. De lá, já irá para o aeroporto com os outros enfermeiros. Sou a dona do apartamento e vim fazer a inspeção. Uma pena perder Elizabeth. Sempre me pagou em dia e é uma ótima pessoa.

A mulher continuou falando, mas Frank já não escutava. Disse um rápido obrigado, deu as costas para ela e voltou para a estação, tomando o primeiro trem em direção ao hospital.

Quando lá chegou, descobriu para sua tristeza que haviam partido meia hora atrás e que o avião já os esperava. Ele jamais os alcançaria.

Aos poucos foi se conformando com o fato de que sua tentativa de alcançar Elizabeth era inútil. Ela havia partido. E com as experiências recentes que tinha com a África, temia pelo pior. Temia que ela jamais regressasse como aconteceu com Dixon e seus colegas de pelotão.

Lentamente foi fazendo seu caminho de volta para casa, transtornado e com o coração partido. Finalmente havia encontrado alguém que lhe havia dado um novo sentido a sua vida e que o havia motivado a se reerguer, a se recompor. E ela se foi.

Caminhou pelas ruas de Londres por horas, sem rumo e sem se importar onde estava até sentir-se fraco, com fome e com sede. Naquele momento deu-se conta de que já começava a escurecer. Havia caminhado a esmo quase todo o dia.

Voltou então para a pensão, mas ao sair do trem, tomou outra direção. O Great Lion o esperava.

Hora de Mudar de Vida

Ao abrir os olhos na manhã seguinte, Frank sentia uma tremenda dor de cabeça e mal se lembrava de como havia chegado de volta a sua cama. Tentou recapitular a noite anterior em sua memória, mas não conseguiu. Sequer se lembrava de ter pagado a Albert as cervejas que havia consumido.

Ao sentar-se na cama viu a carta de Elizabeth no chão, onde ele a havia abandonado no dia anterior. Tomou-a em suas mãos e a releu algumas vezes, detendo-se com mais atenção nos parágrafos finais. "Reconstrua sua vida." "Continue em sua busca pelo sábio ancião." "O que faria Benedict nesta situação?" "Pare de beber." Estas palavras davam voltas em sua cabeça, especialmente o último pedido, pois já a teria decepcionado na primeira noite.

Colocou a carta sobre a escrivaninha e pensou que Elizabeth estava certa. Se não fizesse algo para mudar tudo aquilo, teria um final trágico. Mas não sabia o que fazer. Não sabia qual seria o primeiro passo. Já não conhecia ninguém que pudesse lhe oferecer uma ajuda, um trabalho, uma oportunidade de recomeçar.

Então, como que por encanto, um pensamento cruzou sua mente. O que faria Benedict nesta situação? Riu-se de seu pensamento e de como, mesmo estando já distante, Elizabeth ainda conseguia influenciá-lo.

Assim pensando, tentou colocar-se no lugar do velho avô e manter sua mente calma e equilibrada. Tentou ver o mundo como se fosse o velho Benedict. Porém, sua cabeça doía tanto e seu corpo se sentia tão intoxicado que não conseguiu ir muito longe nesta primeira tentativa de atender à sugestão de Elizabeth.

Sentiu então falta da lista de afirmações positivas de Benedict e da Bíblia de sua mãe. Esta última ele ainda a tinha, guardada em algum canto, mas não se lembrava onde.

Num momento de desespero, colocou as mãos sobre o rosto, chorou mais um pouco, mas sua cabeça passou a doer ainda mais e precisou conter as lágrimas. Nem chorar neste momento podia. Quase sem pensar, disse então:

– Oh meu Deus, onde foi que eu me perdi? Ajuda-me a sair desse buraco. Me tira deste beco sem saída.

Respirou fundo e lembrou-se de já ter vivido momento semelhante num passado já um pouco distante. Riu-se da ironia daquela lembrança e decidiu levantar-se e tomar um bom banho.

Ao regressar do banheiro, notou que haviam jogado uma carta selada por debaixo de sua porta. Olhou para ela com estranheza, pois não costumava receber nada de ninguém pelo correio, exceto os seus vales do exército. Perguntou então para si mesmo:

– Outra carta? Já não basta a de ontem? Que outra emoção esta me reserva?

Abaixou-se e viu que a carta vinha num envelope timbrado que dizia: "Fazenda Bread & Joy".

– Fazenda Bread & Joy? Meu Deus. Há quanto tempo não escuto falar desse nome! Seriam notícias de Benedict?

Abriu o envelope de forma apressada e viu que a carta havia sido datilografada. O remetente e o conteúdo não poderiam ser mais surpreendentes. A carta era do irmão Peter.

Quando se deu conta de que a carta era do irmão, não pode conter a emoção e soltou um grito de alegria.

– Ele está vivo. Meu irmão está vivo.

Ainda que sua relação com o irmão mais velho sempre tivesse

sido algo um tanto distante, ele ainda era seu irmão. A alegria que sentiu foi indescritível.

Peter lhe contava na carta que havia sido gravemente ferido na África e por isso o haviam dispensado. Que havia regressado para casa, mas que só encontrou ruínas e soube que os pais estavam mortos. Disse também que soube de seu paradeiro através da mesma vizinha que havia lhe indicado a pensão, mas que não havia tido sorte em reencontrá-lo lá. "Claro, eu estava sempre no Great Lion", pensou Frank.

Como não encontrou mais ninguém, Peter decidiu-se por voltar para a fazenda em que nasceu em busca de parentes que o pudessem amparar. Pela falta de mão de obra disponível, já que todos os homens fisicamente aptos estavam na guerra, ele havia conseguido um trabalho administrativo na fazenda e que estava feliz ali. Finalmente, disse que ainda precisavam de ajuda e o convidou para que também fosse para a Bread & Joy, pois ele poderia trabalhar e estar distante de possíveis bombardeios que ainda pudessem ocorrer. Despediu-se dizendo que rogava a Deus que a carta chegasse até ele e que o esperava ansiosamente.

Frank segurou a carta em suas mãos por um longo tempo e ponderou sobre o convite. Já não tinha nada que o prendesse ali e a partida de Elizabeth o havia deixado em um estado deplorável. Pensou por um momento numa possível volta de Elizabeth, mas fugiu daquele pensamento. Isso poderia estar a meses de acontecer, se acontecesse. E mesmo que ela voltasse que garantias existiam de que ela o procuraria? O medo do sofrimento e da desilusão era simplesmente gigantesco e insuportável.

Ele olhou então a sua volta e viu um quarto de pensão acanhado, uma escrivaninha minúscula com uns poucos papéis todos desordenados, um armário com umas poucas peças de roupa já bem desgastadas e mal cuidadas, uma cama que cheirava a suor e um criado-mudo com um velho despertador que ele raramente precisava usar.

Não tinha uma ocupação que o fizesse sentir-se útil e, com a ausência de Elizabeth, o mais provável é que mais tarde, naquele mesmo dia, regressaria ao Great Lion.

Olhou para a pequena maleta que repousava esquecida sobre o armário. A mesma que o acompanhava desde o dia em que saiu de casa para apresentar-se ao exército. Lembrou-se, então, que a Bíblia da mãe ainda estava lá, de onde jamais havia saído desde o episódio com Dixon. Aquela maleta representava seu único vínculo com um passado que hoje já não lhe parecia tão ruim. Ali caberiam rapidamente todos os seus pertences e estaria pronto para partir em alguns poucos minutos.

Frank tomou então as duas cartas, uma em cada mão. Uma representava uma perda dolorosa, com uma promessa de regresso difícil de ser cumprida, e a outra acenava com a possibilidade de um recomeço junto de alguém da família, num lugar em que ninguém mais o conhecia. Ninguém ali saberia de seus fracassos, de seus vícios, de suas vergonhas. Mas, além de tudo isso, havia uma forte intuição de que a ida para a Bread & Joy lhe traria de volta o ambiente propício para que pudesse se reconstruir emocional e espiritualmente. Poderia voltar a concentrar-se em seu desenvolvimento espiritual e resgatar os ensinamentos de Benedict. Teria a oportunidade de buscar outra vez centrar-se, equilibrar-se, reconstituir sua autoestima e livrar-se de uma vez do vício da bebida, que evidentemente o levava para um triste fim. E no fundo, nutria uma pequena esperança de que ainda poderia encontrar o velho Benedict, que certamente o ajudaria em todos estes objetivos. A ida para a Bread & Joy de repente tomava a forma de uma grande oportunidade. Um perfeito recomeçar.

Depois de alguns minutos ponderando, não tardou muito a concluir que era disso que ele precisava. Recomeçar em todos os sentidos.

Levantou-se abruptamente, jogou na pequena mala tudo o que ainda lhe era de valor, inclusive a carta de Elizabeth, olhou uma última vez para o seu quartinho acanhado e saiu.

Pagou para a dona da pensão o mês que devia e deixou com

ela o envelope da carta que havia recebido do irmão com algum dinheiro extra, pedindo-lhe que reenviasse para lá os próximos vales do exército assim como qualquer outra correspondência que chegasse e partiu.

Porém, antes de ir-se, decidiu passar rapidamente pelo Great Lion, pagou as cervejas da noite anterior e despediu-se de seu único amigo Albert, também deixando com ele o endereço de seu destino. "Que ironia – pensou – quando seu único amigo é o dono do bar é sinal de que realmente está na hora de mudar de vida." Saiu então do Great Lion e parou por um momento na calçada. Respirou profundamente e começou sua caminhada em direção à estação de trem.

– Bread & Joy, aqui vou eu! De volta às origens.

Sua nova jornada em direção ao desconhecido começava, e novas surpresas o esperavam.

Parte 3

Caminhos que se Reencontram

Bem-vindo à Bread & Joy

A noite já ia caindo sobre as estradas poeirentas do condado de Lincolnshire quando Frank finalmente avistou a entrada da fazenda. Apesar de ter saído relativamente cedo de Londres, chegar até o seu destino havia lhe tomado o dia todo; primeiro porque teve de esperar algumas horas até que o trem partisse e depois porque sua chegada não anunciada havia surpreendido Peter. O irmão ficou feliz com a novidade, mas meio sem jeito ao telefone pediu-lhe paciência até que conseguisse alguém para ir buscá-lo na estação.

Frank ainda não entendia muito bem por que Peter não havia ido pessoalmente recebê-lo; afinal, não se viam já havia alguns anos, mas procurou deixar isso de lado e não criar ressentimentos logo em sua chegada. Trataria de entender o que houve quando o encontrasse.

Quando a caminhonete que o levava chegou à entrada principal da fazenda, Frank pôde observar um portão imponente de uns quatro metros de altura, feito de metal reluzente e retorcido, com escudos no centro de cada lateral com símbolos que ele desconhecia. Acima, conectando os dois enormes pilares que davam sustentação ao portão, via-se um enorme arco com os dizeres: "Bem-vindo à Bread & Joy".

Uma sensação estranha invadiu seu peito, pois apesar de ter

nascido ali, não sentia qualquer tipo de identidade com aquele lugar. Não tinha nenhuma memória de sua infância que o ajudasse a criar algum tipo de vínculo. Sentia-se realmente em terras estranhas.

Perdido em seus pensamentos e quase sem perceber, resmungou:

– Bread & Joy, que nome para uma fazenda.

O motorista, um senhor já de alguma idade que vinha até então fazendo sua tarefa em absoluto silêncio, resolveu explicar.

– É um nome que já vem de muito tempo, quase um século. Dizem que foi dado pelos avós dos atuais donos. Ou das donas, melhor dizendo, pois só sobraram a neta deles e suas duas filhas. Eles acreditavam que nesta fazenda iriam trabalhar para conquistar o pão de cada dia, mas que também teriam a alegria de viver e seriam muito felizes. Por isso o nome.

Somente naquele momento, Frank se deu conta de que não havia sido muito cortês com seu companheiro de viagem. Tinha passado mais de uma hora em silêncio pensando em Elizabeth, como também havia feito durante todo a traslado de trem, tentando sufocar em seu peito uma dor imensa que só havia experimentado quando saiu de casa. Uma dor de separação e perda que lhe era quase insuportável. Procurou então atenuar tal dor distraindo-se com a conversa.

– Que interessante. Agora que me explicou, passei a gostar do nome. E me desculpe se não me apresentei devidamente. Sou Frank, irmão de Peter e estou vindo para a Bread & Joy a convite dele para recomeçar minha vida. Fui dispensado do exército depois de quebrar a perna e não encontrei trabalho em Londres. E o senhor, quem é?

– Meu nome é Carl e vivo aqui há muitas anos. Faço todo tipo de serviço leve por causa de minha idade. Já não posso com as coisas mais pesadas. Seja bem-vindo, Frank. E sinto muito pela sua perna. Pelo menos não foi algo mais trágico.

Frank não entendeu bem o comentário; afinal, para ele quebrar a perna de forma tão violenta havia sido bastante trágico, mas decidiu não discutir o assunto.

– Carl, obrigado por me buscar na estação. Ainda não entendo por que Peter não foi me buscar pessoalmente. Ele estava muito ocupado?

A caminhonete já ia se aproximando do enorme casarão que servia como sede principal da fazenda e Carl decidiu não responder a pergunta de Frank.

Quando finalmente estacionaram, Carl virou-se para Frank e disse:

– Você logo entenderá porque ele não foi pessoalmente. Vou te levar até ele. Vem comigo.

Frank pegou sua maleta que estava na caçamba da caminhonete e seguiu Carl, que já caminhava com alguma dificuldade, pela lateral do casarão. Aparentemente ele ia buscando uma porta que estaria localizada nos fundos.

O sol já havia se posto, mas apesar da pouca luz, Frank pôde ver com detalhes um casarão antigo de cor escura, com telhados pontiagudos. Pela quantidade de janelas aparentava ter muitos quartos, mas pela falta de uma melhor manutenção também demonstrava já ter vivido melhores dias.

Ao passar próximo da janela da cozinha, o cheiro de comida sendo preparada fez Frank lembrar-se de que não havia comido quase nada o dia todo e que tinha muita fome, mas a ansiedade de reencontrar o irmão logo o fez esquecer-se do estômago vazio.

Quando chegaram à parte de trás do casarão, Frank notou uma segunda construção, separada da primeira por uns vinte metros. Era uma casa menor, térrea, também de telhados angulosos para evitar acúmulo de neve no inverno, e com umas quatro ou cinco janelas bastante menores das que ele havia visto na casa grande.

Ao entrar pela porta principal desta segunda casa, Frank notou que se tratava de uma combinação de local de trabalho e moradia, já que o que poderia ser chamado de sala de entrada era na verdade uma espécie de recepção, tendo à direita duas portas entreabertas que expunham dois quartos com cama e guarda-roupas, uma porta mais ao fundo que dava a impressão de ser a de um banheiro e à esquerda, uma porta maior e mais imponente que estava totalmente aberta mostrando o que levava todo jeito de ser um enorme escritório.

Ao entrar por esta porta, pôde então confirmar sua suspeita, pois passou por um grande salão com quatro escrivaninhas, duas de cada lado, onde só uma parecia estar sendo usada. No fundo, ao lado esquerdo, havia outra porta que se encontrava fechada e no centro havia um pequeno letreiro que dizia: "Gerência".

Carl parou a uns dois metros da porta ao fundo, apontou para ela e estendeu a mão para despedir-se de Frank, que retribuiu o gesto e agradeceu por seus serviços.

Quando se viu sozinho, Frank virou-se para a porta fechada, respirou fundo, ergueu a mão direita e bateu três vezes bem de leve. A voz familiar de Peter respondeu de imediato pedindo que entrasse.

Ao abrir a porta, Frank viu o irmão, que estava formalmente vestido, sentado atrás de uma enorme escrivaninha posicionada quase ao centro de um espaçoso escritório, com duas cadeiras para visitantes. Atrás dele havia uma estante de livros que ia de parede a parede e do chão ao teto. Impressionado, Frank abriu a boca e os olhos em total assombro e não se contendo, deu uma volta em torno de si mesmo dizendo:

– Olha só isso! Que espantoso Peter! Jamais imaginava que você estivesse tão bem.

Voltou-se então outra vez para o irmão e perguntou:

– Você não vai se levantar e abraçar seu irmãozinho?

Foi então que, com certo esforço, Peter fez um movimento com os braços, direcionou sua cadeira de rodas lateralmente e saiu de trás da escrivaninha, expondo a perna direita amputada até a altura da coxa. Moveu-se então em direção a Frank, parou, abriu os braços e um largo sorriso e disse:

– Estou feliz que tenha vindo. Bem-vindo à Bread & Joy, Frank.

A História de Peter

Frank tomou alguns segundos para absorver o choque pelo que acabara de ver. De repente ficou claro para ele o porquê de Peter não ter ido buscá-lo pessoalmente. Esforçou-se ao máximo para não expressar pena, mas lhe faltaram palavras para dizer o que sentia naquele momento. A única coisa que pode elaborar foi:

– Sinto muito, Peter.

Notando o constrangimento de Frank e a tristeza em seus olhos, Peter tratou de amenizar a situação:

– Eu estou bem, Frank. Pelo menos estou vivo. Sente-se e me fale um pouco de você.

Acomodaram-se e então Frank fez um resumo de sua história de vida desde que havia saído de Croydon para entrar no exército, mas preferiu omitir Elizabeth. Não se sentia pronto para falar sobre isso ainda.

Quando chegou sua vez, Peter contou que lutou em várias frentes da guerra, primeiro na França até a retirada de Dunkirk, depois no Egito, Argélia e Líbia.

Em todas essas frentes não só havia lutado, mas havia também ajudado na execução de funções administrativas, como controle de estoque de munição, alimentos, uniformes, medicamentos e na coordenação de atividades logísticas, para que recebessem mais suprimentos desses itens tão importantes numa guerra. O fato de ele ter concluído o ensino médio e de ter trabalhado antes em uma fábrica nessas mesmas funções o havia ajudado a se diferenciar dos demais e de ganhar a preferência do alto comando para exercer tais tarefas mais seletivas.

Quando estava na Líbia, no final do ano anterior, seu acampamento foi atacado de surpresa pelos alemães e uma granada caiu próximo dele o suficiente para mandá-lo para longe, destruindo sua perna direita e machucando bastante a outra, que pôde ser salva, mas ainda não reunia forças o suficiente para mantê-lo em pé para que pudesse mover-se com muletas.

Foi salvo por outros soldados que saíam em retirada e o levaram para outro acampamento inglês. Daí, após receber os primeiros socorros, foi levado a um vilarejo, onde os aliados mantinham em segredo um hospital, para que fosse devidamente medicado. Devido à gravidade dos ferimentos, colocaram-no no primeiro comboio disponível até o porto mais próximo e de lá, regressou para a Inglaterra de navio com outros feridos, onde ficou entre a vida e a morte. Não se lembrava da chegada, pois certamente já estava inconsciente e mantendo-se vivo por um fio. Lembrava-se apenas de recobrar os sentidos já em um hospital na região de Dover.

Levou três meses para recuperar-se e sair da cama. Foi então liberado de seus deveres militares e voltou para casa, mas não havia mais nada esperando por ele em Croydon. Perguntou pela família na vizinhança e descobriu então que Frank havia passado por lá e que lhe haviam recomendado uma pensão. O resto, Frank já sabia.

Peter havia decidido regressar para Bread & Joy não só para buscar trabalho, mas também por uma questão de segurança, para fugir dos bombardeios que já haviam levado seus pais, e quando ali chegou, deu-se conta de que a fazenda estava bastante decadente, sendo cuidada apenas por mulheres que não tinham grandes conhecimentos administrativos e com pouca mão de obra qualificada para ajudar. Seus conhecimentos vieram a calhar e foi imediatamente admitido.

– Impressionante Peter. Seus conhecimentos administrativos devem ser excelentes para que te colocassem em uma posição de gerente da fazenda.

Peter reagiu à observação com um sorriso um tanto irônico. Aparentemente existia algo mais aí que ainda não havia sido revelado. Quando ia abrindo a boca para continuar sua narrativa, uma voz feminina ecoou da entrada da casa:

– Peeeter... Peter, onde está você?

Peter então piscou para Frank e disse:

– Eu era apenas o responsável pelos estoques, compras e transporte. Prepare-se para conhecer o motivo de minha promoção para a posição de gerente da fazenda.

Ele então direcionou sua voz para a porta e gritou:

– Estou aqui, meu amor.

Em poucos segundos uma mulher aparentando seus trinta e cinco anos, algo obesa e sem nenhum atrativo entrou porta adentro. Suas roupas, apesar de elegantes e de qualidade, já davam evidentes sinais de desgaste pela ação do tempo.

Ela saudou Frank um tanto apressadamente e foi direto para onde estava Peter. Beijou-o ardentemente na boca, a ponto de deixar Frank algo constrangido, e foi logo perguntando:

– Querido, você não vem jantar?

Peter tratou então de fazer as apresentações:

– Bárbara, este é Frank, meu irmão de quem já lhe falei algumas vezes. Vou admiti-lo na fazenda para fazer as funções que eram minhas de coordenação das compras, estoques e transporte. Vou treiná-lo para que em pouco tempo esteja desempenhando estas tarefas tranquilamente. Frank, esta é Bárbara, filha mais nova de Amanda, a dona da Bread & Joy, portanto, uma de suas patroas.

Quando ambos se deram conta de quem eram, finalmente se saudaram devidamente e mais uma vez, Frank escutou um "bem-vindo à Bread & Joy". Bárbara então disse que o jantar estava servido e que estavam esperando por eles.

Peter respondeu que precisariam de mais dois minutos e que

depois de comer iriam todos ao pub da vila para comemorar a chegada de Frank.

Ela então os deixou e Peter então prosseguiu sua explicação.

— Assim que comecei a trabalhar aqui ganhei a confiança das donas da fazenda e notei que Bárbara era sempre muito afetuosa. Aproximei-me dela e começamos a namorar. A coisa está ficando séria e estou realmente considerando me casar com ela. Sei que ela é bem mais velha e não é nenhum exemplo de beleza, mas nesse estado em que me encontro, também não posso esperar muito mais que isso. Quem mais vai querer um aleijado como eu? Podemos ser perfeitos um para o outro.

Um silêncio um tanto desconfortável pairou por alguns segundos. Frank notou claramente que o irmão buscava um casamento de conveniência, mas tentou não julgá-lo. Ele sempre foi mais prático e objetivo com as coisas e o fato de que havia superado tamanho trauma e logrado uma boa posição gerindo uma fazenda, ainda que esta aparentasse estar em decadência, era algo que se havia de respeitar. De certa forma, até admirava o irmão, pois havia se ajustado a uma nova realidade bastante dura e reencontrado um rumo para sua vida, enquanto que ele, com um acidente menos grave, havia se entregado e se deixado dominar pela bebida. Peter então quebrou o silêncio:

— Você começa amanhã meu irmãozinho. Sua mesa é esta que parece estar ocupada. Costumava ser a minha. As demais estão vazias, pois no momento o trabalho é pouco. Quem sabe juntos colocamos isso aqui para funcionar e crescer outra vez. Estou usando o quarto da direita. Você pode ocupar o da esquerda que está desocupado. Vou conseguir roupa de cama para você. Está com fome?

A pergunta do irmão fez Frank mudar de feição e a resposta veio prontamente.

— Morrendo. Quase não comi todo o dia.

— Ótimo, então vamos comer. Depois vamos todos sair para comemorar sua chegada.

Tudo parecia perfeito para Frank. Lugar para dormir, para comer, trabalho e o irmão mais velho por perto. Finalmente poderia deixar de depender da pensão do exército. A única coisa que lhe incomodava era a ideia de que havia um pub tão próximo e que já iriam para ele depois do jantar. Queria distância da bebida e isso não ajudava muito. "Só essa vez", pensou. Afinal, não queria fazer desfeita para o irmão que tão bem o recebia.

A refeição foi servida na sala de jantar do casarão, onde Frank conheceu Amanda, a dona da fazenda. Uma sexagenária soberba e de poucas palavras, mas que parecia estar feliz com o fato de a filha mais nova aparentemente ter encontrado alguém para casar-se, e por isso tratava muito bem Peter. Ele também foi apresentado à Victória, a filha mais velha, que era viúva e sem filhos. Seu marido havia falecido ainda jovem de alguma enfermidade e ela evidentemente ainda guardava alguma amargura por isso.

Durante o jantar, Frank perguntou sobre Benedict. Ninguém parecia saber muito sobre ele, mas Peter deu-lhe uma piscadela, e com um discreto gesto com o indicador direito, sugeriu que depois conversariam a respeito.

Terminado o jantar, Frank, Peter e Bárbara saíram para o pub. Amanda e Victória se recolheram para seus aposentos. Os três passariam longas horas, bebendo e contando histórias. Frank de início resistiu à bebida e ia ficando orgulhoso de si mesmo.

Em dado momento, Peter falou sobre Benedict.

– Frank, você perguntou sobre nosso avô durante o jantar. Também procurei saber dele quando cheguei aqui, mas Amanda e as filhas não sabiam muito, pois ele regressara para a vila e lá ficou por algum tempo. Creio que não tenho boas notícias para você. A história que escutei de Carl, o senhor que te trouxe e que também vive na vila, é que numa manhã fria Benedict saiu para caminhar pelos bosques, como sempre fazia, e nunca mais regressou. Fizeram varias buscas, mas não o encontraram. Aparentemente fez muito frio naquela noite e uma pessoa da idade dele dificilmente sobreviveria a temperaturas tão baixas. Sinto muito, Frank, mas nosso avô também já não está entre nós. Só temos um ao outro, meu caro.

Apesar de ter poucas esperanças de escutar algo diferente, a confirmação de que o avô realmente estava desparecido, aliada à dor que sentia pela partida de Elizabeth, foi demais para as resistências de Frank que acabou pedindo então a primeira cerveja. Seria a primeira de muitas.

Mais tarde, quando chegou embriagado ao seu novo quarto, ainda estava sóbrio o suficiente para notar que sua enorme cama de casal já estava feita com lençóis um tanto velhos, mas limpos e cheirosos. Não pôde deixar de lembrar-se do acanhado quarto de pensão em que havia dormido pelo último ano e meio, e pensou que não sentiria saudades dele tão cedo, se é que algum dia sentiria. Porém, sentia-se muito mal por ter fraquejado uma vez mais. O pedido de Elizabeth para que não mais bebesse ainda ecoava em sua mente, e isso o fez prometer a si mesmo que aquilo acabaria ali. Havia ido para lá para reconstruir sua vida, e aquilo não fora um bom começo. Porém, a rotina da Bread & Joy logo o surpreenderia e lhe mostraria que vencer velhos vícios não era coisa assim tão simples.

A Nova Rotina

Após quase um mês vivendo na fazenda, Frank já começava a entender seu novo trabalho e já não se assustava tanto com as novas tarefas, que a princípio lhe pareciam dificílimas. Fazer controles diários de estoques, atender pedidos, comprar todo tipo de suprimentos, conseguir transporte a bom preço, tudo era novo para ele. Mas para sua sorte, o movimento era pouco e lento, dando-lhe tempo mais que suficiente para aprender, e ao mesmo tempo explorar a fazenda e a vila de camponeses que ficava não muito longe dali. O mês de março trouxe promessa de que pouco a pouco o clima ficaria mais ameno e em breve chegaria a primavera, que gradualmente mudaria a paisagem.

Na guerra, os aliados seguiam impondo seguidas derrotas aos alemães e italianos. A Rússia ia lentamente reconquistando o território que havia sido tomado pelos nazistas, mas sofria pesadas perdas e Stalin continuava insistindo para que França e Inglaterra abrissem outra frente na Europa para dividir a atenção dos adversários.

Atento aos noticiários do rádio, Frank acompanhava a frente de batalha na África com o coração apertado, torcendo para que Elizabeth não sofresse o mesmo destino de outros que não haviam regressado dali.

Apesar do novo ambiente e ocupação, Frank não havia deixado de pensar em Elizabeth um só dia. Sentia muito sua ausência e a lembrança dos últimos momentos vividos com ela o assombrava feito um fantasma. Ainda sentia o gosto doce dos lábios dela em sua boca, a textura e a maciez de sua pele ao toque de suas mãos e a maravilhosa sensação de seus corpos colados um ao outro. Por diversas vezes revivia aqueles momentos em pensamento, e isso simplesmente tirava o ar de seus pulmões.

Por outro lado, ele começava a adaptar-se à sua nova rotina. Havia desacostumado totalmente com os hábitos de acordar cedo, ter horário para tudo e ter disciplina. Peter demonstrara muita paciência a princípio, mas pouco a pouco ia exigindo do irmão mais responsabilidade.

Mas as responsabilidades e os horários não eram o que incomodavam Frank. O que realmente o havia surpreendido negativamente era a rotina após o trabalho, já que quase que diariamente Peter e Bárbara iam ao bar da vila para algumas rodadas de cerveja e o arrastavam junto.

Aos poucos, Frank foi entendendo que existia ali uma dinâmica não muito diferente da sua em Londres. Apesar de Peter ter encontrado um ótimo trabalho e de estar prestes a conseguir um casamento bastante conveniente, ele também sofria. Ele também carregava as dores da perda dos pais, das mudanças de vida inesperadas e indesejadas, da perda completa de um membro de seu corpo e muito provavelmente sofria também porque no fundo sabia que sua união com Bárbara era algo superficial e interesseiro.

Já Bárbara, após algumas canecas de cerveja, sempre se punha a reclamar da decadência da Bread & Joy, da amargura da irmã, da frieza da mãe, da morte prematura do pai e passava a exigir seguidamente de Peter declarações de amor e elogios, que ele sabiamente nunca negava. Mas em seu íntimo, ela provavelmente sabia que eram agrados que carregavam pouca sinceridade.

Frank ia pouco a pouco entendendo que todos têm suas dores e carregam suas cruzes e que ele não era diferente. Não tinha nada de especial. Não era o único a sofrer; seria sim, diferente e especial se tivesse forças para vencer suas adversidades sem se corromper e sem se entregar a vícios.

Mas o fato é que ele não havia tido tais forças para resistir e havia aceitado essa nova rotina, embriagando-se quase todos os dias desde que havia chegado à fazenda e isso estava tendo um efeito devastador sobre ele, pois sentia que, no fundo, nada havia mudado. Seguia sem fazer qualquer exercício físico, sem ler um livro, sem cuidar de sua relação com Deus. Corpo, mente e espírito continuavam abandonados à própria sorte e iam pouco a pouco enferrujando.

Somando-se a isso o efeito da ingestão constante de álcool e das seguidas ressacas, Frank sentia que seu organismo ia pouco a pouco se deteriorando em todos os níveis e envelhecendo antes da hora. Sua autoestima era tão baixa que já não cuidava adequadamente de si mesmo e nem sequer se barbeava.

Durante suas andanças pela vila, descobriu a igreja e soube que havia missa às nove da manhã dos domingos. Porém, aos sábados, Peter e Bárbara iam mais cedo para o bar, embebedavam-se ainda mais, saiam cantando pelas ruas com garrafas na mão, e no domingo dormiam até altas horas. Por quatro sábados seguidos, ele os havia acompanhado e aquele sábado, em específico, parecia não haver um desfecho diferente.

Quando se preparava para sair com Peter e Bárbara, uma sensação de culpa muito pesada preencheu todos os espaços de seu peito. Pensou em Benedict e em tudo o que este lhe havia tentado ensinar. Pensou em Elizabeth e nas coisas que ela lhe havia dito sobre as escolhas. "De uma maneira ou de outra, depois de tudo que passou você escolheu enclausurar-se no seu quarto de pensão. Você escolheu esconder-se da vida atrás de uma caneca de cerveja. Um dia você precisará também tomar a decisão de sair de trás dela".

Escolhas... Continuava fazendo más escolhas. Sozinho, no quarto, olhou para o espelho e falou para si mesmo: "Você está se acabando, rapaz. Já nem te reconheço no espelho, com esta barba e estes olhos fundos. Quem é você? Ah, Benedict! Ah, Elizabeth! Por que vocês se foram?"

Foi quando a voz de Peter o tirou de seu transe, chamando-o já do lado de fora da casa.

– Vamos, Frank, já estamos entrando no carro. Você não quer deixar seu irmão querido e sua adorável cunhada morrerem de sede, quer?

Frank olhou mais uma vez para o espelho e sem saber exatamente quem era a pessoa que via refletida nele, levantou-se e respondeu ao irmão: Já estou indo!

Colocou então o casaco e deu um passo em direção à porta. Olhou-se uma última vez no espelho num olho no olho bizarro, como se estivesse falando com outro Frank que não conhecia e disse:

– Sinto muito. E saiu porta afora em direção ao carro.

Mais uma vez, havia feito uma má escolha. Mais uma vez havia fraquejado. Mais uma vez não iria à missa dominical. Mais uma vez iria embriagar-se.

Porém, o desfecho agora seria bastante diferente.

Surpresa na Beira do Rio

Naquela noite de sábado, Frank estava mais calado que de costume. Enquanto Peter e Bárbara iam ficando mais e mais alegres e desenvoltos a cada caneca de cerveja, cantando e contando anedotas com alguns amigos que se juntaram a eles, Frank ia ficando mais e mais calado e fechado em si mesmo. Estava num canto da mesa encostado em sua cadeira e só descruzava os braços para buscar sua caneca e tomar largos goles. Na verdade, como não participava das conversas e das cantorias, ele estava bebendo num ritmo mais acelerado e ao contrário dos demais, quanto mais bebia, mais depressivo se sentia.

Ao dar-se conta de que não se divertia e de que não queria mais ficar ali bebendo, Frank pediu a Bárbara que o levasse de volta para a fazenda. Queria pôr um fim àquela situação indesejada e dormir um pouco, afinal já era bastante tarde. O pub da vila não tinha as limitações de horário dos pubs de Londres e só fechava quando o último cliente saia. E hoje tudo levava a crer que a bebedeira ia longe.

Ao perceber o que se passava Peter, interviu e disse:

– Frank, não seja inconveniente. Você não vê que estamos nos divertindo? Deixe de ser um bebê chorão e tome outra cerveja.

Peter ergueu a mão para o garçom e pediu mais uma para Frank, que desarmado, não se opôs e a aceitou.

Mais algum tempo se passou até que Frank já não aguentava mais beber e não podia mais lidar com aquela situação. Percorreu então em sua cabeça confusa o caminho de volta à Bread & Joy e decidiu voltar caminhando. O percurso provavelmente lhe tomaria mais de meia hora de caminhada lenta, mas pelo menos acabaria com aquela tortura.

Pedindo licença para ir ao banheiro, coisa que já havia feito algumas vezes, saiu cambaleando em outra direção, sem que ninguém percebesse.

Calculou que deveria ser mais de meia-noite e que com um pouco de sorte, antes da uma da manhã estaria em sua cama.

Conforme foi caminhando pelas ruas da vila, passou diante da igreja e envergonhado, baixou a cabeça, continuando sua caminhada sem fazer qualquer reverência.

Quando saiu da vila e tomou a estrada de terra que levava à fazenda, a luz começou a ficar cada vez mais escassa e passou a ter dificuldades para enxergar o caminho.

Após alguns minutos de caminhada no escuro, sentindo-se totalmente zonzo com o efeito da bebida, Frank começou a entender que havia cometido um erro. Olhou em volta na escuridão e deu-se conta de que havia saído da estrada, e com isso havia também perdido todas as referências, pois já não via a vila, escondida atrás de um morro e não via a sede da fazenda, que parecia estar atrás de uma pequena mata, a mesma em que Benedict costumava fazer suas caminhadas.

Com os pensamentos confusos, decidiu então que o melhor a fazer seria buscar atravessar a mata e encurtar o caminho até a fazenda.

De forma lenta e cambaleante, começou então a caminhar por terrenos totalmente desnivelados e cheios de buracos, tropeçando e caindo diversas vezes. Quando finalmente alcançou a mata, já estava bastante cansado e ainda mais desorientado.

Descansou por um momento apoiado em uma pedra e continuou sua caminhada mata adentro, desviando-se de árvores e arbustos, buscando algo que poderia parecer-se com uma trilha, sem sucesso. Não levou muito tempo para admitir-se totalmente perdido, sem saber de onde havia vindo e para onde seguia. Os efeitos do álcool iam ficando cada vez mais presentes e Frank notou que não poderia continuar por muito mais tempo. Por sorte, naquela noite a temperatura era relativamente agradável, mas ter trazido seu casaco provou-se uma sabia decisão, pois seria suficiente para agasalhá-lo ao relento.

Andou um pouco mais até que encontrou uma clareira e escutou barulho de água corrente. Conseguiu identificar um rio e uma pequena área de grama à sua margem.

Já não podendo mais manter-se em pé, deitou-se lentamente na grama com sua barriga cheia de líquido voltada para cima, pois parecia ser a posição mais confortável naquele momento. Pôde então observar uma bonita noite estrelada e sem lua.

Pouco a pouco foi fechando os olhos, mas antes que caísse num sono profundo, disse para si mesmo em voz alta: "Que Deus me proteja, onde quer que eu esteja."

Depois de algum tempo dormindo profundamente, Frank foi despertado pelo toque de uma mão em seu rosto. Apesar de sentir o toque, era como se fosse algo muito suave e distante, que ia lenta e gradativamente trazendo-o de volta à consciência.

Aos poucos Frank foi acordando, escutando o rio, sentindo a grama, o gosto amargo na boca, uma tontura forte e um carinho em seu rosto que não cessava em nenhum instante. Sentia a textura de uma mão que parecia ser de veludo, mas que ao mesmo tempo parecia ser algo calejada e que já sofrera a ação do tempo.

Quando finalmente conseguiu abrir os olhos, deu-se conta de que já era dia. O sol já ia alto e sua luz intensa o cegou por alguns instantes, a ponto de não permitir que pudesse identificar quem estava ali, despertando-o de forma tão terna.

Com um grande esforço tratou de pôr-se sentando, e tapou a luz do sol com a mão esquerda. Enquanto brigava com a luminosidade e tentava abrir os olhos escutou uma voz familiar dizer:

– Olá meu filho. Que bom que você veio. Temos que acabar o que começamos.

Frank então levou um grande susto e apoiando as duas mãos no chão, empurrou o corpo para trás. Olhou de novo para a pessoa que estava ali e pôde finalmente identificar quem era.

– Benedict? É você?

Sim, era o avô, que como de costume aquietava a agitação do neto com silêncio e um olhar calmo e sereno. Porém, havia algo de diferente nele. Sua pele parecia mais branca que nunca a ponto de refletir levemente a luz do sol. Seu cabelo e barba estavam muito mais longos que antes, seus olhos pareciam ter remoçado e traziam um brilho ainda mais intenso. Vestia calça e camisa brancas que davam a impressão de ser novíssimas e que também pareciam refletir a luz do sol.

Ainda com dificuldade para abrir os olhos e enxergar o avô com nitidez, Frank pôs-se em pé e assustado, disse:

– Não, não é possível, você morreu. Disseram que você morreu. Não pode ser você.

Benedict permaneceu calado. Com um sorriso e olhar ternos, abriu os braços e fez um gesto com as mãos, pedindo que Frank o abraçasse. Frank relutou por um instante, mas logo deixou as descrenças de lado e correu para o abraço oferecido pelo avô. Enquanto estava ali, envolto em seus braços, sentiu uma paz que havia muito não experimentava. Mas pouco a pouco, a sensação de paz foi dando lugar a emoções por muito tempo contidas. Parecia que o abraço do avô oferecia a proteção necessária para que tais emoções pudessem emergir.

Frank então lutou para conter as lágrimas que pareciam estar represadas há muito tempo. Sentia vontade de chorar por tudo que havia sofrido até então. Pela morte dos pais, pelas humilhações impostas por Dixon, pela solidão do quarto de pensão, pelas destruições impostas por tão odiosa guerra, pela perda de Elizabeth, a mutilação do irmão, por seu vício em bebida e, finalmente, por suas próprias fraquezas.

Ao perceber o esforço de Frank em conter as emoções, Benedict foi lentamente interrompendo o abraço. Olhou em seus olhos e disse:

– Vamos meu neto, temos muito que conversar.

Com um gesto apontou duas pedras que estavam à beira do rio, que Frank não havia notado antes, uma vez que havia chegado ali em meio a total escuridão. Já com os olhos ambientados com a claridade, Frank pôde finalmente ver o cenário a sua volta. A vista era simplesmente paradisíaca. O rio de águas cristalinas se movia lentamente e belas árvores nas duas margens se debruçavam sobre ele. Cantos de pássaros diferentes podiam ser ouvidos todo o tempo e a grama era de um verde tão deslumbrante que mais parecia um tapete. O céu trazia uma variedade incrível de tons de amarelo, laranja e vermelho, que refletidos nas poucas nuvens que se faziam presentes, davam a sensação surrealista de pertencer a uma pintura de Claude Monet.

Ambos finalmente sentaram-se e se colocaram frente a frente. Um longo e revelador diálogo estava por começar.

A Conversa tao Esperada

Benedict cruzou os braços, pôs-se mais sério e disse:

– Você deve ter muitas perguntas para mim. Mas tenha em conta que nosso tempo é curto. Não posso ficar muito. Por isso minha sugestão é que use o nosso tempo juntos da melhor forma possível.

Frank ainda se sentia confuso com tudo o que estava acontecendo e na verdade não sabia nem por onde começar. Tomou alguns segundos se situando e refletindo, até que finalmente fez sua primeira pergunta.

– Vô, onde você está vivendo? Por que desapareceu por todo esse tempo?

– Vivo aqui, meu neto. Nesta mata, às margens deste rio onde encontro a paz que no mundo dos homens não encontrei. Desapareci porque minha hora havia chegado e temos que aceitar isso em paz.

– Mas como ninguém antes o encontrou?

Com um sorriso de canto de lábio, Benedict respondeu:

– Bem, primeiro que isso não é verdade. Algumas pessoas cruzaram comigo aqui na mata, sim. Mas só me encontra quem eu quero e quando eu quero. E estas pessoas são justamente as que sabem guardar um segredo, como você guardará sobre o nosso encontro.

Sem entender, Frank perguntou indignado.

— Mas então você não irá comigo de volta para a fazenda?

— Não, Frank. Como lhe disse, meu tempo no mundo dos homens acabou. Onde estou agora é o meu lugar.

Desapontado, Frank pensou em argumentar, mas algo no olhar de Benedict o fez entender que seria perda de tempo. Ele parecia estar feliz onde estava e dificilmente mudaria de ideia. Decidiu então levar a conversa para outra direção.

— Vô, tenho tanto para contar e tantos conselhos a pedir que não sei nem por onde começo.

— Quando o tempo é curto, temos que dar atenção ao que é realmente importante. Por isso te pergunto, se tivéssemos tempo para falar apenas de um assunto, sobre o que você falaria? O que é que mais está te incomodando nesse momento?

Frank não demorou muito para identificar qual era sua maior dor naquele instante.

— Benedict, saí de Londres para fugir da guerra e para mudar de vida, pois havia me tornado um bêbado. Vim para a Bread & Joy para me afastar da bebida e começar vida nova. No entanto, na mesma noite em que cheguei já estava bebendo de novo. Tenho me embriagado tanto quanto eu me embriagava em Londres. Apesar de ter mudado de um lugar para o outro, nada mudou. Não consigo fugir. Não consigo reconstruir minha vida. Sinto que estou me destruindo e afundando cada vez mais. Preciso fazer algo para mudar isso, mas não sei o que.

Frank então cobriu o rosto com as mãos, envergonhado do que havia confessado e demonstrando um grau profundo de desespero. Benedict manteve a postura dos braços cruzados, mas o olhar agora era agudo e penetrante.

— Meu querido neto, você precisa entender algo muito sério. Não importa aonde você vá, não importa para quão longe você viaje, existe alguém que sempre estará com você e este alguém é você mesmo. As tentações estarão sempre ao seu redor. Em qualquer lugar do mundo existirá gente sofrendo por uma razão ou por outra, com toda forma de dor física ou emocional e sempre haverá motivos para apelar para anestésicos de todo tipo, sendo o álcool apenas um deles. Você fugiu do conflito que existe no lado de fora de você, mas jamais conseguirá fugir dos conflitos que existem no lado de dentro. Se você não resolver tais conflitos, não importa para onde você vá, o resultado sempre será o mesmo.

Frank pensou por um momento e disse em voz baixa:

— A tempestade está dentro de mim...

— Sim, Frank. E por favor, não se sinta menos que os outros por isso. Você não é diferente de ninguém. Todos nós trazemos dores e conflitos internos. Todos nós trazemos nossas tempestades. O que nos diferencia é como lidamos com elas. A atitude que você tomou de vir para cá buscando um recomeço já foi um grande passo adiante, mas por si só não resolve nada. Se você não fizer as pazes com certas dores que carrega, a motivação para beber sempre estará presente.

Pressentindo que o avô começava a tocar no verdadeiro problema, Frank pediu que continuasse.

— Pode me falar um pouco mais sobre isso?

— Frank, o álcool ou qualquer outra substância química que altere o seu estado de consciência nada mais é que um anestésico para uma dor emocional, mas ele não cura a dor, apenas a alivia por algum tempo. Se você não tratar a dor em si, logo precisará de mais anestésico. Que dores estão fazendo com que você busque um anestésico? Pense bem antes de responder essa pergunta e falemos de cada uma.

Após uns breves momentos de reflexão, Frank respondeu:

— Meus pais. A morte de meus pais.

— Muito bem, Frank. Vejo que você está disposto a enfrentar suas maiores dores e isso é muito importante. Fale sobre isso sem medo. Vamos, enfrente isso.

Frank lutava com suas emoções e demorou em manifestar-se. O avô então permaneceu em silêncio até que Frank começasse a falar. Finalmente dando espaço a um choro contido, Frank disse com dificuldade.

– Eu sempre esperei mais deles, sempre desejei que fossem mais atenciosos e cuidadosos comigo, que não me impusessem tantas regras, que me aceitassem mais como sou. Quando finalmente dei valor ao que fizeram por mim, quando finalmente eu pude melhor entendê-los e aceitá-los como eram, quando eu ia finalmente abraçá-los e falar que os amava e os perdoava, eles se foram. Eu nunca tive a chance de dizer nada disso para eles. Frank fez uma pausa e acrescentou:

– Sinto muita falta deles, Benedict.

Benedict permitiu um momento de silêncio para que Frank pudesse respirar e então falou calmamente e em voz baixa, mas firme:

– E se eu dissesse que eles podem te ouvir agora? E se eu dissesse que ainda não é tarde e que você pode ter esse diálogo com eles neste exato momento?

– Como assim, Benedict?

– Frank, a energia vital não cessa quando o corpo morre. Feche seus olhos por um instante.

Um pouco relutante Frank atendeu o avô, que continuou.

– Imagine seus pais bem a sua frente. Pense que eles estão aqui, agora. O que você gostaria de dizer a eles?

Frank ia se emocionando cada vez mais conforme o avô o conduzia no enfrentamento de suas dores. Passou então a imaginar Frederick e Charlotte à sua frente. As lágrimas já não podiam ser contidas e escorriam pelo rosto. Com muita dificuldade, começou a falar com eles.

– Pai, mãe, eu nunca tomei o devido tempo de dizer isso a vocês, mas eu os amo muito. Hoje entendo que vocês são pessoas de origem humilde, com poucos recursos, que trabalharam muito para fazer de mim um homem de bem, e que também me amavam. Eu os perdoo por não terem sido conforme eu esperava, pois o problema não era vocês, era eu e minhas expectativas equivocadas. Por isso, eu também queria que vocês me perdoassem.

Benedict então interveio:

– Muito bem Frank, eles te ouviram perfeitamente. Agora

imagine que eles estão te perdoando também, e que vocês três estão se abraçando. Será um abraço longo e tranquilo. Um abraço que cura.

Frank então pode imaginar os pais se aproximado dele e abraçando-o ternamente. Todos se perdoavam e se curavam mutuamente com aquele abraço. Frank pode sentir os braços fortes do pai e as mãos carinhosas da mãe. A experiência era tão real que podia sentir a textura de suas roupas e os costumeiros cheiros de seus corpos. A sensação era realmente como se eles estivessem ali.

Benedict permitiu que o abraço levasse alguns longos segundos até sua próxima intervenção.

– Muito bem Frank, agora termine esse abraço e deixe-os ir em paz. Tanto você como eles estão em paz uns com os outros. Não há mais motivos para ressentimentos nem dores que não possam ser entendidas e administradas. Deixe-os ir.

Frank então foi lentamente terminando o abraço e os deixou. Eles foram se afastando lentamente e com olhares ternos e amorosos, se despediram.

– Ok, Frank, pode abrir os olhos agora. Como se sente?

Frank abriu lentamente os olhos e mais uma vez a luminosidade do dia que se refletia em Benedict o incomodou por um instante. Foi parando de chorar aos poucos e respondeu:

– Mais leve. Foi como se eles realmente estivessem aqui.

Benedict o encarou com um olhar de lado, meio que questionando a sua última observação. Frank logo entendeu sua própria falta de fé e completou:

– Me desculpe, Benedict. De uma maneira que ainda não entendo, eles realmente estavam. Obrigado. Já me sinto muito melhor.

– Que ótimo, mas estamos longe de terminar. Ainda temos muito que trabalhar.

Surpreso com a observação do avô, Frank fez movimentos laterais com cabeça, como que buscando relaxar os músculos tensos da região dos ombros e do pescoço.

O avô então perguntou:

– Que outra grande dor o incomoda?

Frank começou então uma busca dentro de si. Encostado na pedra e com as mãos apoiadas nos joelhos, tinha o corpo levemente flexionado para frente como se estivesse descansando e tomando fôlego para a próxima batalha emocional. Logo identificaria sua próxima grande dor.

Pouco a pouco suas feições foram se transformando. De repente via-se raiva em seu olhar, que estava fixo em um ponto perdido do solo, como alguém que olha, mas não vê. Mas seus lábios não se moviam.

Percebendo o que se passava, Benedict interrompeu o transe do neto:

– Fale Frank. Ponha essa raiva para fora. O que é que te desperta tanto ódio?

Frank começou a respirar cada vez mais profunda e raivosamente até que finalmente falou de forma alterada:

– A guerra. Essa guerra maldita e sem sentido que me tirou tudo. Minha casa, minha família, minha saúde, a saúde de meu irmão, e...

Frank parou por um segundo. Benedict permaneceu estático e foi notando que pouco a pouco as feições do neto mais uma vez navegaram da raiva para a dor. Decidiu ajudá-lo mais uma vez:

– Vamos, Frank, ponha isso para fora.

Frank gritou e mais uma vez se pôs a chorar.

– Elizabeth. Essa maldita guerra também me levou Elizabeth.

Outra vez, Frank cobria o rosto com as mãos enquanto chorava. E mais uma vez, Benedict lhe deu um tempo para que tudo aquilo saísse de seu peito. Depois de alguns segundos, Frank continuou. Já não gritava, mas falava alto como que expulsando de seu peito os sentimentos ruins que abrigava.

– Tenho repugnância por Dixon. Aquele idiota acabou com o pouco de equilíbrio e serenidade que eu ainda tinha. Rasgou sua lista de frases, roubou meu diário, me proibiu de ler a Bíblia, me fez desejar ir para a guerra só para me livrar dele, tanto que destruí minha própria saúde para chegar a esse objetivo estúpido. Odeio essa guerra e todos esses idiotas que a promovem, sem pensar nas vidas humanas que destroem e a Dixon, que os representava tão bem, executando suas ordens e destruindo o que havia restado de minha saúde física, mental e espiritual.

Depois de ter terminado seu desabafo, Frank ainda tinha a respiração em ritmo alterado. Enxugou as lágrimas e puxou o cabelo para trás. Voltou-se então para Benedict e com mágoa nos olhos, fechou dizendo mais uma vez:

— Eu os odeio. A todos eles.

Benedict permanecia ali, em silêncio, escutando cada palavra do neto e seu olhar agora era repleto de compaixão. Pediu então que ele relaxasse e mais uma vez fechasse os olhos. Depois de alguns segundos permitindo a Frank que respirasse um pouco, disse:

— Mais uma vez vamos ter que exercitar a sua habilidade de perdoar, Frank. E agora será ainda mais difícil, pois terá que perdoar pessoas que você não conhece ou não ama. Primeiramente, pensemos nos senhores da guerra. Alguns conhecidos, outros não, mas todos eles com algo em comum: um desejo insano de conquistar e controlar o mundo. Algo que jamais conseguirão. Infelizmente só entenderão quão fúteis e impraticáveis são tais desejos e aspirações muito tarde, quando estiverem fechando seus olhos no leito de morte, dando-se conta de como viveram erroneamente suas vidas, de quanto mal fizeram a milhões de pessoas e que serão motivo de infâmia por gerações e gerações.

Depois de uma breve pausa, Benedict continuou:

— Entenda Frank, que os senhores da guerra não têm nada de pessoal contra você. São apenas pessoas que pelos motivos mais equivocados do mundo, como a ganância ou a crença de que uma religião, raça, cor de pele ou ideologia sejam superiores às outras, acreditam que devem mudar a vida das pessoas à força. Acreditam que sua tribo seja superior as demais. E só entenderão que somos todos iguais perante Deus quando for tarde demais. Sua ignorância será sua cruz. Eles terão que passar por muitas provações espirituais até entenderem, admitirem e repararem seus erros. E para que isso se passe, sofrerão tanto ou mais que você. Por isso meu neto, faça um esforço e os perdoe. Deixe essa dor ir embora.

Pouco a pouco, Frank foi processando o que dizia o avô e deu-se conta de que não controlava nada daquilo; de que tudo que podia fazer era entender e buscar fazer o melhor possível de sua vida, dadas as circunstâncias; de que as pessoas que estavam no poder com frequência teriam seus entendimentos distorcidos de como a vida de um ou de outro deve ser vivida e de que a guerra era parte de um longo e dolorido processo de aprendizado espiritual que ainda estava longe de terminar.

Fazendo um esforço supremo, perdoou os senhores da guerra e dentro de seu peito chegou a sentir pena deles e de todo o peso espiritual que carregariam uma vez que deixassem esta vida.

Vendo que o semblante do neto era mais calmo, Benedict decidiu prosseguir.

– Não abra os olhos ainda. Falemos agora de Dixon. Isso já lhe foi dito antes por outra pessoa, mas aparentemente a mensagem ainda não foi por você captada. Dixon salvou sua vida. Ele foi apenas um instrumento de Deus para te tirar de uma batalha perdida e da morte certa. Sua hora ainda não havia chegado e você não era para estar naquele avião para a África. Por mais que você odeie Dixon, pense por um instante, onde é que ele está agora? Você gostaria de trocar de lugar com ele? Lembre-se de que tudo o que aquele pobre coitado conhecia era a vida militar. Sua família o preparou somente para isso. Nada mais tinha valor para ele. E quando ele finalmente pode experimentar o gosto de estar numa frente de batalha, a coisa não durou mais que uns poucos dias e teve um final trágico. Agora me responda meu neto, Dixon é mais digno de sua raiva ou de sua compaixão?

Aparentemente as palavras do avô tiveram o efeito desejado. Frank continuava com os olhos fechados, mas parecia mais relaxado e tinha um semblante bastante calmo. Já não parecia sentir raiva ou mágoa. Benedict então prosseguiu:

— Ainda com os olhos fechados, ponha-se de pé, Frank. Isso não será fácil, mas imagine que Dixon está aqui, agora, bem à sua frente.

Frank deixou de apoiar-se na pedra e pôs-se de pé, mas seu semblante mudou um pouco, como que rejeitando o pedido do avô.

— Vamos, Frank, confie em mim. Continue comigo só um pouco mais.

Frank fez um gesto positivo com a cabeça e assentiu que Benedict prosseguisse.

— Agora veja em seu rosto a decepção de ter vivido uma vida curta e vã, e a culpa de ter feito mal a você e a tantos outros por motivos tão fúteis. Sinta as dores dele.

Pouco a pouco o semblante de Frank foi mudando, passando do repúdio à compaixão.

— Agora vá até ele, abrace-o e o perdoe. E mais ainda, agradeça-o por ter indiretamente salvo sua vida.

Ainda um pouco relutante, Frank obedeceu ao avô. Abraçou Dixon e nesse abraço pôde sentir as vibrações sofridas de seu antigo carrasco e entendeu que ele sofria tanto ou mais que ele. Afastou-se, olhou Dixon nos olhos e disse: "Eu te perdoo e te agradeço".

— Muito bem, Frank. Agora como você fez com seus pais, diga adeus e deixe-o ir. Fique em paz com mais essa dor, pois agora tudo pode ser entendido e administrado emocionalmente.

Frank obedeceu ao avô. Apartando-se de Dixon observou-o enquanto ele ia embora. Acenou para ele e deu-lhe adeus.

— E, finalmente, Frank, para que possamos virar essa página, perdoe-se. Perdoe-se por ter desejado a luta armada, algo que você repudia, só para livrar-se de Dixon. Perdoe-se por tê-lo odiado tanto. E perdoe-se por ter permitido que esse ódio e esse desejo de livrar-se dele te levassem a obsessão e ao acidente que quebrou sua perna. Lembre-se de que tudo isso na verdade te salvou de um destino mais trágico.

Frank respirou fundo e permitiu que o que avô dizia preenchesse todos os seus pensamentos e pouco a pouco, libertou-se de mais essas culpas.

– Muito bem, Frank. Uma dor a menos em sua vida. Acredito que agora até sua perna vá incomodar menos e em breve você poderá exercitar-se novamente sem problemas. Ela se partiu para te livrar de dores maiores. Agora abra seus olhos e respire um pouco, meu neto.

Ao abrir os olhos, Frank se surpreendeu ao ver que a luz do sol já não era tão forte. Uma neblina espessa parecia ir baixando e tomando conta da mata e do rio. Benedict olhou a sua volta e disse:

– Vamos em frente Frank. Infelizmente meu tempo está se esgotando. Que outra grande dor o incomoda?

Cansado, ele apoiou-se outra vez na pedra que tinha atrás de si, sentou-se e recostou-se nela. Voltou-se então para Benedict e com os olhos já vermelhos e extenuados, quase implorou para que aquele exercício parasse por ali. Benedict imediatamente reagiu e de forma terna, mas firme, encorajou o neto a continuar.

– Vamos, Frank, falta pouco. Logo terminaremos. Diga-me, o que mais o está incomodando?

Já quase sem lágrimas para chorar, Frank buscou forças no fundo de seu ser. Vinha fugindo dessa última dor já há alguns dias. Na realidade, essa era a grande razão de ele estar ali. Ao buscar dentro de si qual seria a próxima grande corrente que ele carregava, Frank deparou-se com uma única palavra:

– Elizabeth...

Sentado à beira do rio e recostado em uma pedra, Frank tinha o olhar fixo no chão. A neblina cada vez mais espessa ia tomando conta de tudo e Benedict mais uma vez apressou o neto:

– Feche mais uma vez os olhos e diga-me, Frank, o que sente a respeito de Elizabeth?

Frank respirou fundo, fechou os olhos buscando dentro de si uma resposta objetiva para a pergunta do avô, mas muitas dores vieram a seu peito ao mesmo tempo. Ele então começou a enumerá-las, uma a uma.

– Dor de perda, rejeição, saudade, abandono, falta de sorte, injustiça, revolta.

– Ótimo Frank, está saindo. Mantenha seus olhos fechados. Responda-me a uma pergunta. Você fala sobre perda, mas você teve Elizabeth como sua em algum momento?

Frank pensou por um instante e entendeu que a resposta era óbvia. Ela nunca havia sido realmente dele.

– Não, nunca. Mas ainda assim perdi sua presença em minha vida.

– Muito bem. E esta perda, ela é definitiva? Ou pode ser que seja algo temporário?

Frank então se lembrou da carta de Elizabeth e de sua promessa.

– Não sei dizer. Existe a possibilidade de que seja temporário, mas acredito que é definitivo.

– Está bem, Frank, agora pense no que acabou de dizer. Você escolheu acreditar que a perda de Elizabeth em sua vida é algo definitivo e por isso sente-se injustiçado e abandonado. Mas, então, pergunto; isso tudo são crenças ou são fatos?

O argumento do avô tinha uma lógica espantosa e perturbadora. Sua pergunta havia feito com que Frank entendesse que ele havia criado aquela realidade. Ele, Frank, havia decidido que a perda de Elizabeth era definitiva e que por isso era um injustiçado sem sorte. Sua revolta pouco a pouco foi perdendo força. Finalmente, viu-se apenas com os sentimentos de rejeição e com a saudade.

– Ela me rejeitou Benedict. Trocou-me por um monte de doentes e feridos, Deus sabe onde.

– Não, Frank. Ela te trocou por um propósito. Por uma causa maior. Jamais devemos questionar uma pessoa com um propósito. A decisão dela não teve nada a ver com você, filho, mas sim com sua causa de ajudar enfermos e feridos, numa situação e local em que pessoas com o talento dela são tão necessárias. Você está vendo essa situação de uma maneira muito autocentrada, Frank.

Finalmente, Frank viu-se frente a frente com o último reduto de dor e ao encará-lo, voltou a chorar. Quase que como num sussurro, ele disse:

– Mas eu sinto tanto a falta dela...

Respirando fundo, Benedict fez uma breve pausa permitindo que estas últimas lágrimas saíssem. Com a voz firme, falou:

– Agora, isso sim é legítimo e verdadeiro, Frank. A saudade de quem nós amamos. E com essa dor, meu neto, você terá que aprender a conviver, pois ela é parte da vida, é parte do amar, pois nunca teremos a todos os que amamos conosco o tempo todo e em todo lugar. As pessoas vêm e vão. Mas nada termina até que o círculo se feche, e esse, em específico, ainda é um círculo em aberto. Agora vamos ao momento tão necessário. Abrace Elizabeth mentalmente e a perdoe.

Frank então imaginou Elizabeth à sua frente. Ele podia sentir sua presença, seu cheiro. Ela vestia a mesma roupa e usava o mesmo perfume que em seu último encontro, no parque de Londres. E sorria ternamente para ele, como que dizendo: "Isso ainda não acabou". Chorando muito e sentido muita dor em seu peito, Frank a abraçou e a perdoou.

– Muito bem, Frank. Agora deixo para que você escolha o que vai dizer para ela. Adeus ou até breve.

Frank então olhou para Elizabeth, que deixou de sorrir, e juntando as mãos frente ao seu corpo, retribuiu o olhar e esperou sua despedida. Frank hesitou por um momento e finalmente disse:

– Até breve, meu amor.

Elizabeth então sorriu ternamente, virou-se e caminhando lentamente se foi.

– Muito bem, Frank. Agora quero que você se perdoe também, por não ter acreditado na promessa de Elizabeth e por ter fugido de suas dores, vindo para a Bread & Joy. Não se culpe, pois essa decisão será determinante em sua vida. Você tem uma razão para estar aqui.

Fazendo um gesto positivo com a cabeça, Frank consentiu e perdoou-se. Quando abriu os olhos, Frank tomou um susto. A névoa agora era tão espessa que quase não se via a outra margem do rio e Benedict tinha algo de urgência em seu olhar.

– Meu neto, meu tempo com você está acabando. Existe algo mais que o incomode e que você queira falar a respeito?

Frank estava exausto e já não podia mais continuar. Mas existia sim, um último assunto para tratar com o avô.

– Sim, Benedict. Você. Por que não pode permanecer comigo? Por que precisa ficar aqui escondido de tudo e de todos nessa mata? Por que seu tempo comigo está se esgotando?

Benedict então mudou de feição e olhou-o com uma mistura de dor e ternura. Fez um carinho na face do neto e disse:

– Acredite Frank, isso também dói em mim. Mas como te disse, meu tempo no mundo dos homens acabou. Não controlamos isso. Cabe a nós apenas aceitar. Mas não se preocupe, pois você não precisará de mim, você sempre terá o sábio ancião a sua disposição.

Frank ficou confuso com a resposta de Benedict. A que ele se referia quando dizia que seu tempo havia acabado? Como podia ser que ele não controlasse isso? Mas o que realmente acabou ganhando sua atenção foi a última frase de Benedict.

– Vô, quando é que vou encontrar esse sábio ancião? Tem certeza que ele existe?

Benedict sorriu para Frank e o surpreendeu com sua resposta:

– Frank, na verdade você já o encontrou. Apenas não o reconheceu. É preciso estar atento filho. Agora quero que você aceite o fato de que não podemos mais ficar juntos. Ainda nos veremos, mas não podemos conviver. Fique em paz com isso, filho. Senão eu também sofrerei.

Fechando os olhos, Frank abaixou a cabeça e sentiu pesadamente as palavras de Benedict, mas já não tinha lágrimas para chorar. Fez um sinal de positivo com a cabeça e pediu que o avô o abraçasse. Depois de alguns segundos assim, Benedict interrompeu o abraço e olhou a sua volta. Já não se podia ver nada além de névoa. Olhando então para o neto, disse:

– Frank, você está de parabéns. O que acaba de fazer não é fácil e nem todos conseguem. As pessoas costumam ver o perdão de forma arrogante, como se fosse um ato de superioridade. Não entendem que perdoar é na verdade um ato de humildade e não conseguem vencer seu orgulho. Mas essa é a única maneira de deixar o passado no passado. Se não perdoarmos e aceitarmos as imperfeições alheias e as nossas próprias imperfeições, passamos a vida caminhando de costas, olhando para trás e não nos permitimos recomeçar e olhar para frente. Com esse ato de bravura e humildade de sua parte, você se provou nobre e merecedor de um novo começo. Está pronto para olhar adiante e recomeçar. Frank abriu um sorriso de alívio. Realmente ele se sentia assim, pronto para uma nova etapa.

Benedict, então, finalizou:

— Agora quero te fazer um pedido. Procure Carl. Ele tem algo importante para você; algo que o ajudará daqui para frente em sua tão desejada transformação pessoal.

Frank então se lembrou do senhor que o havia recolhido na estação de trem há alguns dias. Mas sentia-se extenuado. Um cansaço estranho começava a tomar conta dele e já não podia mais sequer levantar-se.

— Está bem vovô, eu o procurarei, mas outra hora, pois agora estou muito cansado.

Benedict olhou para o neto como se já soubesse que isso se passaria e ordenou que ele se deitasse um pouco na relva, no que Frank consentiu imediatamente. Afastou-se então por uns dois ou três metros e observou o neto acomodar-se na grama, exatamente no mesmo lugar em que estava dormindo antes. Frank repousou a cabeça sobre as mãos e, conforme foi fechando os olhos, viu a figura de Benedict ser envolta pela névoa e desaparecer gradualmente. Antes de desaparecer por completo, Benedict disse uma última vez:

— Lembre-se, procure Carl.

Sem forças para reagir, Frank assistiu a imagem de Benedict desaparecer completamente na névoa e adormeceu de forma profunda.

Um Novo Despertar

O sol batia forte em seu rosto quando Frank despertou outra vez na beira do rio. Lentamente pôs-se de pé e foi gradativamente abrindo os olhos, que custavam a acostumar-se com a luminosidade. Tinha a impressão de que havia dormindo por muito pouco tempo desde a conversa com Benedict, mas onde estaria toda aquela névoa que os havia envolvido apenas minutos atrás? Além do mais, tinha a impressão de que o sol estava mais baixo no horizonte, como se o dia acabasse de nascer.

Já com os olhos abertos e acostumados com a luminosidade, olhou a sua volta em busca de Benedict, mas não viu nenhum sinal dele. Ele havia partido. Da mesma maneira misteriosa como havia aparecido, ele também havia sumido sem deixar rastros.

Frank então parou por um momento e pensou nas coisas que havia conversado com o avô e deu-se conta de que se sentia incrivelmente mais leve e com uma imensa sensação de paz. Havia elaborado e processado cada uma de suas grandes dores e culpas, e aquilo lhe fazia muito bem. Mas uma coisa o intrigava. Muitas das coisas conversadas aconteceram depois que ele e Benedict haviam deixado de conviver. Os meses no exército e as dificuldades com Dixon. O seu envolvimento com Elizabeth e seu fim repentino e surpreendente. E ainda assim Benedict parecia saber de tudo.

Como isso poderia ser possível? Ponderou por um momento se o que vivera momentos atrás havia sido sonho ou realidade, mas tudo havia sido tão real que abandonou tais considerações rapidamente.

Percebeu então que tinha muita sede e procurou um local do rio onde pudesse beber um pouco de água. Há alguns passos dali, notou que o rio fazia uma curva e que sua margem se estendia, criando uma espécie de poça em que a água quase parava, onde ele poderia se servir à vontade.

Tirou os sapatos, arregaçou as calças até a altura dos joelhos e entrou na água, que de tão fria o fez sentir um calafrio que percorreu toda a espinha. Parou por um momento para observar a paisagem, escutar os pássaros e sentiu outra vez uma paz profunda.

Abaixou-se para matar sua sede e ao fazê-lo pôde ver na água fria o reflexo de seu rosto, que mais uma vez o impressionou negativamente.

O cabelo mais longo que o costumeiro, todo despenteado pelo fato de ter acabado de acordar, aliado a uma barba que já tomava todo seu rosto e que começava a criar volume davam-lhe um visual digno dos mendigos das ruas de Londres. Somavam-se a esse conjunto os olhos esbugalhados de quem despertava de ressaca, fruto de uma tremenda bebedeira. Envergonhado, tratou de meter logo suas mãos na água embaralhando a imagem que via e que tanto o perturbava. Depois que matou a sede, observou mais uma vez sua imagem, que lentamente ia se formando, e disse em voz alta: "Você parece um velho, Frank. Está ficando velho antes do tempo. Se continuar assim, não viverá muito. Chegou a hora de mudarmos isso."

Parou então por um instante e permaneceu ali, agachado e estático, permitindo que a sua imagem na água acabasse de se formar. Olhou-se novamente no fundo de seus próprios olhos e entrou em uma espécie de transe. Pensou então nas palavras que acabava de dizer: "Pareço um velho". "Estou ficando velho antes do tempo". Lembrou-se então do que havia dito Benedict. Suas palavras ecoaram em seus ouvidos: "Frank, na verdade você já o encontrou. Apenas não o reconheceu. É preciso estar atento filho".

De repente um pensamento louco passou por sua cabeça: "O sábio ancião? Será? Eu posso até estar ficando velho antes do tempo, mas sábio?". Não podia ser. Pensou que estava tendo um devaneio. Afastou então esta hipótese de sua cabeça e decidiu que já era hora de voltar para a fazenda. Peter já deveria estar bastante preocupado.

Saiu da água, calçou os sapatos e partiu para o restante da caminhada. Em plena luz do dia não encontrou dificuldades em reencontrar sua trilha. No caminho, encontrou a estrada de ferro e passou pelos trilhos do trem. Ao ver os trilhos que o trouxeram para Bread & Joy, parou por um instante e teve um breve momento de nostalgia, mas rapidamente concluiu que estava melhor ali que em Londres.

Após meia hora de caminhada lenta e tranquila, chegou ao seu destino. Quando finalmente entrou em casa, pensou que sua ausência nem havia sido notada já que Peter tinha a porta do quarto entreaberta e podia ser visto dormindo profundamente. Ao seu lado estava Bárbara, que aparentemente havia decidido passar a noite ali mesmo. Frank fechou a porta, deixando-os descansar e foi para o seu quarto.

Lá chegando, mais uma vez se encarou no espelho e viu seu rosto desfigurado pelos maus-tratos que impunha a si mesmo e pela falta de saúde que tinha como consequência. A figura do ancião ia momento a momento ficando mais clara aos seus olhos.

Começou a rir de si mesmo e da descoberta que pouco a pouco ia admitindo, pois havia procurado o sábio ancião por todos os lados, mas tudo levava a crer que ele estava bem ali, no espelho, e mais perto do que imaginava. Apenas não entendia de onde viria a tal sabedoria. Lembrou-se então das últimas palavras de Benedict: "Procure Carl". É o que ele iria fazer assim que possível, pois tinha uma enorme curiosidade para saber o que aquele senhor tão calado teria para ele. Mal sabia ele que com Carl encontraria a resposta para todas as suas perguntas.

O Inesperado Legado

Após tomar um bom banho e vestir roupas limpas, Frank saiu do quarto e encontrou-se com Peter e Bárbara que iam saindo. O irmão, surpreso em vê-lo, voltou-se para ele e disse:

— Bom dia, irmãozinho. Fico aliviado em saber que encontrou o caminho de volta. Por um momento temi que pudesse ter-se perdido pela mata. Que noite, hein? Você está se provando uma bela companhia para nossas noitadas. Vamos almoçar? Carl deve estar trazendo Amanda e Victória da missa a qualquer momento.

Sim, já era quase meio-dia e a fome realmente apertava. Mas a oportunidade de falar com Carl era algo que Frank não poderia deixar passar.

— Claro. Estou morrendo de fome. Já me junto a vocês em alguns minutos.

Frank então esperou que Peter e Bárbara se distanciassem e, em vez de dirigir-se para a casa principal onde o almoço seria servido, foi para o outro lado, para a beira da estrada e ficou ali até que a caminhonete dirigida por Carl trazendo Amanda e Victória passasse. Posicionou-se a uma distância segura onde não pudesse ser visto e aguardou que as duas entrassem. Quando viu a oportunidade, correu até a caminhonete e abordou Carl, que já iniciava sua manobra para estacionar.

Carl ficou surpreso com a aparição repentina de Frank e num impulso perguntou:

– Você está louco rapaz? Que susto me deu. O que posso fazer por você?

Frank olhou-o nos olhos e disse:

– Benedict. Ele me pediu para que o procurasse. Disse-me que você tinha algo para mim.

As palavras de Frank fizeram com que o velho Carl mudasse a expressão de imediato. Olhou então para a estrada e deu uma rápida inspecionada em seu relógio de bolso. Voltou-se para Frank e disse:

– Entre. Temos pouco tempo. A senhora Victória necessita de meus serviços depois do almoço.

Frank rapidamente deu a volta na caminhonete e entrou. Mal havia se acomodado e Carl arrancou em alta velocidade. Sem entender bem o que se passava, perguntou:

– Para onde vamos?

– Para minha casa. Ele me pediu que te entregasse a encomenda só quando você a pedisse e longe daqui, quando só estivéssemos eu e você, assim que a guardei em minha casa na vila. Mas tenho que voltar rapidamente, antes que notem minha ausência.

– Por que você não disse antes que tinha uma encomenda de Benedict para mim?

– Porque eu não sabia. Ele apenas me disse para entregá-la para a pessoa que a requisitasse. E você acabou de fazê-lo. Só agora descobri que é para você.

– E o que é essa tal encomenda?

– Não sei dizer, está fechada. Sempre esteve. Mas você logo entenderá.

– Mas por que ele a deixou com você?

– Bem, não sei ao certo, mas acho que ele não tinha mais ninguém com quem deixá-la. Quando ele voltou de Londres não conseguiu mais trabalho na fazenda. Talvez por sua idade e também porque a fazenda já não vinha muito bem. Como éramos amigos, pois trabalhamos juntos por muito tempo, ele me procurou. Pediu para ficar comigo por uns meses e como não tenho mais ninguém, aceitei de bom grado. É sempre bom ter companhia. Mas ele não ficou muito tempo. Ele parecia estar bastante cansado e com a saúde debilitada. Um belo dia, disse para mim que seu tempo se esgotava e que era a hora de partir.

— E para onde ele foi?

— Não me disse nada, Frank. E já conhecendo seu avô, tratei de não fazer muitas perguntas. Mas pela forma como ele partiu creio que foi para longe, para morrer em paz e sozinho. Não levou nada com ele a não ser as roupas do corpo. E me deixou a tal encomenda, apenas dizendo que a entregasse para um homem que um dia viria até mim para pedi-la.

Daí em diante não houve mais perguntas. Frank permaneceu em silêncio, pensando no que Carl havia dito. Como poderia ser que Benedict tivesse ido embora para morrer? Ele o havia visto havia apenas poucas horas e ele parecia estar bastante saudável.

Em poucos minutos a caminhonete dirigida por Carl entrou na vila, onde poucas pessoas caminhavam pelas ruas ainda regressando paras suas casas depois da missa. A urgência de Carl e a ansiedade de Frank contrastavam com um domingo que se arrastava lento e preguiçoso.

A casa de Carl ficava já nos limites da vila e tiveram de atravessá-la inteira para lá chegar. Quando finalmente estacionaram, Frank viu um casebre humilde que tinha poucos cômodos.

Sem olhar para Frank, Carl disse:

— Me acompanhe rapaz. Por favor, não repare na simplicidade de minha casa. Sou sozinho e não preciso de muito para viver.

Para a surpresa de Frank, Carl não entrou na casa. Deu a volta pela lateral e foi direto para os fundos onde havia um cômodo separado do resto da construção. Carl abriu a porta e Frank o seguiu. Notou que ali se mantinha todo tipo de velharia. Ferramentas de trabalho cobertas de poeira, pedaços e peças velhas de automóvel, e uma enorme mesa de trabalho de carpintaria que evidentemente não via algum tipo de atividade havia muitos anos, pois as teias de aranha estavam por todo lado. Carl, então, apontou para a mesa e disse:

– Está aí rapaz, embaixo desta mesa, mas você vai precisar puxá-lo, pois eu não tenho mais forças pra isso.

Frank então se agachou para poder olhar embaixo da mesa e o que viu o deixou boquiaberto. Ali debaixo daquela velha mesa, coberto por uma camada grossa de poeira, estava o tesouro de Benedict. Seu baú de livros e anotações pessoais.

Frank voltou-se então para Carl e com uma expressão totalmente perplexa, disse: "Não posso acreditar. Ele deixou seu tesouro para mim".

Estirou-se até alcançar o baú e com dificuldade puxou-o para si até que este estivesse no meio do cômodo, entre ele e Carl.

Carl então olhou para Frank um pouco preocupado e falou:

– Rapaz, se isso é um tesouro, creio que tenho más notícias. Benedict nunca o abriu enquanto esteve aqui comigo, e depois que ele se foi tive curiosidade e tentei abri-lo. Infelizmente ele está trancado e seu avô esqueceu-se de deixar a chave. Se você quiser, tenho algumas velhas ferramentas aqui e podemos tentar abri-lo à força, mas acho que vamos perder nosso tempo, pois essa fechadura me parece das mais fortes.

O rosto de Frank então se iluminou, pois se lembrou do envelope que encontrou em sua mala no dia em que se apresentou para os seus serviços no exército.

– A chave! É claro! A chave. Esse Benedict é um gênio. Vamos voltar para a fazenda, Carl. Creio que sei onde está a chave.

Imediatamente os dois tiraram a poeira de cima do baú, o carregaram até a caminhonete e rumaram de volta para a Bread & Joy. Frank tinha uma espécie de sorriso bobo nos lábios e de tempos em tempos caía na risada e dizia para si mesmo: "velho maluco, só você mesmo".

Quando finalmente chegaram, aproveitaram o fato de que estavam todos dentro de casa, provavelmente almoçando, e carregaram o baú para o quarto de Frank sem serem notados.

Apreensivo, Frank pegou sua velha maleta que estava sobre o

guarda-roupa e a abriu. Começou a procurar pela chave nos bolsos que existiam nas laterais da mala, mas não encontrou nada. Então levantou a velha Bíblia de sua mãe e lá estava ela. A chave de Benedict, ainda dentro do mesmo envelope. Voltou-se rapidamente para o baú e a inseriu na fechadura com facilidade. Fez então um leve movimento para a esquerda e escutou o clique característico de uma fechadura destrancando-se. Abriu um enorme sorriso e disse para Carl:

— Seu trabalho está feito, meu caro Carl. A encomenda de Benedict está entregue. Muito obrigado por tê-la guardado e por ter-se arriscado em me levar para buscá-la.

Carl sorriu de volta para Frank e, apesar de um pouco frustrado por não poder matar sua curiosidade em saber o que era o tal tesouro, sentia-se satisfeito, pois havia realizado o desejo do velho amigo. O baú havia achado seu dono afinal. Antes de retirar-se de volta para seus afazeres, respondeu:

— Não há de que, rapaz. Faça bom proveito de seu tesouro, seja lá o que ele for.

Os Tesouros de Benedict

Finalmente sozinho com seu baú, Frank tomou coragem e o abriu. Como já esperava, lá estavam todos os livros e anotações pessoais de Benedict. Frank foi tirando livro por livro do baú, lendo suas capas e contracapas e notava que cada um deles lhe oferecia a possibilidade de novos horizontes por descobrir, ideias e pensamentos diferentes dos que ele conhecia, informações sobre as mais variadas religiões, ensinamentos sobre como desenvolver a espiritualidade, práticas de meditação e controle dos pensamentos, desenvolvimento pessoal e uma infinidade de outros temas interessantes sobre as mais variadas culturas do mundo as quais Benedict teve a oportunidade de vivenciar.

Mas o que mais chamou a atenção de Frank foram os manuscritos de Benedict, que estavam separados em dois blocos, ambos amarrados com um pedaço de fita vermelha. O primeiro bloco reunia uma série de pensamentos e filosofias de vida. Frank folheou-os um a um e pôde ver que ali estava o conteúdo da maioria das conversas que teve com o avô. Encontrou anotações sobre verdadeiras preciosidades. Havia manuscritos sobre o hábito de cultivar o jardim da alma, sobre a atitude esponja absorvendo tudo que nos acontece de bom ou ruim como aprendizado, sobre o caminho espiritual como sendo algo único e individual, de como fazer das religiões um meio e não um fim fazendo uso daquilo que elas trazem de bom e descartando suas humanidades, sobre as lições que nossas dores nos ensinam, da relação que existe entre aquilo que você dá ao mundo e aquilo que recebe de volta dele, sobre esperar o inesperado e finalmente dos benefícios de se manter viva, amada e bem cuidada a criança que cada um de nos trás dentro de si.

Quando chegou ao último manuscrito deste primeiro bloco, Frank teve então a mais agradável surpresa do dia. Tratava-se de um rascunho da lista de pensamentos que o avô lhe havia presenteado na véspera de sua partida para o exército. Ali estavam os quinze pensamentos de Benedict. A lista que tinha sido destruída por Dixon havia, de uma forma totalmente inesperada, voltado para ele. Frank a abraçou com carinho e disse em voz alta: "Obrigado meu Deus. Obrigado Benedict".

Depois de reler cuidadosamente uma por uma as quinze frases da lista, Frank a colocou na gaveta do criado mudo ao lado de sua cama e prometeu para si mesmo que daquele dia em diante leria três frases todas as manhãs ao acordar e as deixaria governar suas ações ao longo do dia.

Frank abriu então o segundo bloco de manuscritos e ficou feliz ao encontrar uma série de listas de exercícios e atividades que se podia praticar. Elas ensinavam como fazer relaxamento e meditação, como orar envolto pela luz divina de um sol imaginário, como definir objetivos pessoais e como traçar planos de ação para atingi-los, além de outras coisas que se poderia aplicar no dia a dia.

Pouco a pouco, Frank foi se dando conta de que ali, no baú de Benedict, estava tudo que ele precisava para retomar o caminho que havia começado com o avô há quase quatro anos. Ou quase tudo.

Levantou-se e resgatou de dentro de sua maleta a bíblia que havia sido presenteada por sua mãe e a lista de atributos de um bom líder que ele havia construído com a ajuda de Elizabeth. Agora sim, o arsenal para lutar a sua guerra pessoal estava completo.

Em pé, no centro de seu quarto, Frank olhou a sua volta e viu os livros e manuscritos de Benedict espalhados por todo lado e disse para si mesmo:

— A sabedoria. Aqui está o pedaço do quebra-cabeça que estava faltando. Mas levarei anos e anos para conquistá-la.

Fechando os olhos, Frank passou a imaginar como ele seria se tivesse lido todos os livros e manuscritos de Benedict e houvesse praticado seus exercícios inúmeras vezes. Imaginou-se um idoso que já sabia tudo que Benedict sabia.

Posicionado bem à sua frente, sua versão mais velha o observava com um olhar parecido ao do avô, que lhe transmitia carinho, paciência e sabedoria infinitos.

Mantendo os olhos fechados, Frank então perguntou para sua versão mais velha imaginária:

— Olá, velho Frank, será que um dia eu serei sábio como Benedict?

Ao que o velho Frank respondeu:

— Claro que sim, rapaz. Você ainda tem muito tempo pela frente. Mas se quiser ter sabedoria, terá que conquistá-la através de muita leitura, vivências e exercícios práticos. E terá que encarar cada experiência de vida como uma lição a ser aprendida. Não há outro caminho. Vai levar algum tempo, mas com esforço e determinação, você chegará lá.

Continuando esse diálogo imaginário e surreal, Frank disse:

— Está bem. Entendo isso claramente agora e prometo a você que farei todo o esforço necessário. Já fiz as pazes com meu passado e estou comprometido em escrever um novo futuro. O que mais preciso fazer?

O velho Frank pensou por um momento e respondeu:

— Concentre-se em seu trabalho, rapaz. Floresça onde Deus te plantou. Exercite o seu potencial de liderança, pois seu irmão precisará muito de você aqui. Pare de beber definitivamente, pois o álcool faz mal ao seu corpo e ao seu espírito. Volte a desenvolver sua espiritualidade, a orar e meditar todos os dias. Ore sempre que sentir vontade e deixe que Deus cresça dentro de você outra vez.

Frank escutou calmamente as palavras do velho Frank, ponderou sobre elas e balançou a cabeça em sinal de aprovação. Florescer onde Deus o plantou parecia ser um pensamento muito poderoso. O velho Frank parecia saber o que estava dizendo.

Resolveu então fazer uma última pergunta para a sua versão mais velha, antes que terminasse com aquela conversa imaginária que começava a lhe parecer algo muito próximo da insanidade.

– Muito bem, velho Frank. Você acredita que quando terminar de ler todos estes livros e manuscritos de Benedict e fazer seus exercícios diversas vezes, eu estarei pronto para encontrar o sábio ancião?

O velho Frank então permaneceu em silêncio e sorriu para o jovem Frank olhando-o de forma cândida e amorosa. Seus olhos pareciam dizer "você não terá que esperar tanto tempo assim".

Frank então abriu um largo sorriso, pois suas suspeitas haviam sido confirmadas. O sábio ancião, que por muitas vezes parecia apenas um devaneio de Benedict, realmente existia e estava mais próximo do que ele imaginava.

Ao feitio de Benedict, o velho Frank permaneceu em silêncio por alguns segundos, esperando que aquele momento de descoberta se completasse e então finalizou:

– Você acaba de acessar a luz que existe dentro de você, Frank. Use-a para iluminar seu caminho. Trazemos esta luz dentro de nós mesmos, mas preferimos ignorá-la e perdemos muitas vezes uma vida inteira buscando tal luz pelo mundo afora. Sempre que quiser ou precisar, isole-se por uns minutos e sente-se confortavelmente num lugar tranquilo. Relaxe e me invoque que estarei aqui para você. Como já sou de muita idade, já vivi todas as experiências que uma vida inteira pode trazer. Por outro lado, me resta muito pouco tempo para viver. Graças a esta combinação poderosa, não me deixo cegar pelo ego ou pelo orgulho e posso te ajudar a ver cada situação de maneira mais ampla e menos egocêntrica. Posso separar aquilo que é fruto de um momento, daquilo que realmente é importante. E como meu tempo está se acabando, não deixo para um amanhã que nem sei se virá algo que deve ser feito hoje. Estou aqui para você, Frank. Invoque-me e sempre te ajudarei a tomar as mais sábias decisões.

Frank então abriu os olhos e sentiu uma plenitude que jamais havia experimentado. Estava em paz com ele mesmo e com seu passado. Havia perdoado a todos e a si mesmo. Ao seu redor tinha à sua disposição uma infinidade de recursos que Benedict havia deixado para que ele se desenvolvesse como pessoa e como espírito. E o mais importante, havia encontrado de forma surpreendente o sábio ancião que Benedict anunciara havia tanto tempo.

Sentindo uma segurança que há muito estava perdida em algum lugar no tempo e no espaço, disse para si mesmo:

– Estou pronto. Hoje começo uma nova vida. Hoje nasce um novo Frank.

Recomeçando

O mês de julho havia trazido consigo não apenas temperaturas agradáveis e belos dias de sol, mas também boas-novas sobre os conflitos bélicos, que apesar de acontecerem tão distantes do cotidiano da Bread & Joy afetavam a vida de todos direta ou indiretamente.

Na África, italianos e alemães haviam se rendido, levando ao fim a guerra naquele continente. Os aliados partiram então para a ofensiva e invadiram a Sicília, começando por aí o que parecia ser uma lenta e gradual recuperação da Itália. Esse estado de coisas havia levado Mussolini a ser retirado do poder e os italianos davam todos os sinais de que sua posição na guerra seria revista em breve, podendo abandonar a Alemanha à sua própria sorte.

Frank e Peter acompanhavam diariamente as notícias pelo rádio e quando ouviram sobre a vitória na África comemoraram ruidosamente. Peter gritou:

— Vamos ganhar essa guerra meu irmão. E não vai demorar muito.

— Você acha mesmo?

— Claro. Logo a Itália se renderá também. Os russos seguem recuperando seu território e agora nos é que bombardeamos a Alemanha e não eles a nós. É questão de tempo para que Hitler se entregue e busque um acordo para escapar com vida. Você verá.

Creio que esta guerra não passará deste ano.

Frank ponderava sobre as previsões do irmão e se deixou empolgar por elas por um momento, mas tinha lá suas dúvidas de que o conflito estivesse assim tão perto do final.

Foi inevitável que pensasse também em Elizabeth e se questionasse onde ela estaria naquele momento, já que na África o conflito havia terminado. Havia algum tempo sentia-se preocupado e frustrado com o fato de não receber nenhuma carta dela. A ausência de notícias fez com que temesse que algo de ruim pudesse ter acontecido, ou que ela simplesmente o tivesse esquecido.

Mas em sua última conversa com o sábio ancião, este o havia ajudado a deixar seu ego e seus medos de lado e o fez escutar a voz de seu coração, que lhe havia dito que Elizabeth estava bem e que haveria de existir uma explicação razoável para que ele não tivesse recebido nenhuma carta até o momento. Havia então se acalmado e deixado de alimentar medos e frustrações que, no final das contas, eram apenas fruto do seu imaginário.

— Gostaria que não se rendessem e que pudéssemos matá-los um a um, até o último. Malditos. Acabaram com minha vida, com minha família e me fizeram parar aqui nesse fim de mundo. Odeio todos eles.

A frase de Peter tirou Frank de seus pensamentos. Ele olhou para o irmão e o viu paralisado, com o olhar vidrado num canto qualquer e a boca fechada, com os maxilares cerrados fortemente. Havia ódio em cada canto de seu rosto. Pela primeira vez desde que haviam se reencontrado, Peter externava para Frank o quão amargo e infeliz se sentia. Frank pensou em falar com o irmão sobre o perdão e em fazer as pazes com o passado, mas intuiu que seria perda de tempo, pelo menos naquele momento. Peter então mudou de expressão, e com um semblante menos carregado disse:

— Mas hoje é dia de alegria. Vamos celebrar esta importante vitória com muita cerveja. Venha conosco hoje à noite. Faria isso pelo seu irmão mais velho?

Desde o encontro com Benedict às margens do rio, e de

ter resgatado o baú com seus livros e manuscritos, Frank havia cumprido sua própria promessa à risca e não havia voltado ao pub com Peter e Bárbara. Sentindo-se pronto para o desafio que lhe era apresentado, respondeu:

– É claro que irei com você, Peter. Mas vou te pedir uma coisa em troca.

–Diga-me. Faço qualquer coisa para que venha conosco hoje.

– Quero que aceite o fato de que não beberei. Apenas os acompanharei.

Peter olhou para Frank com uma expressão de quem não o entendia e respondeu:

– Você realmente mudou muito desde que chegou Frank. Tem ido à missa todos os domingos e vive rezando. Está trabalhando duro como jamais pensei que pudesse. Lê um livro atrás do outro e sai todos os dias para suas caminhadas solitárias ao final do dia. E além de tudo isso, não bebe mais. Não sei o que houve, mas você está se transformando num cara extremamente chato.

Peter então empurrou as rodas de sua cadeira em direção ao seu escritório e antes de ir-se porta adentro disse sem olhar para Frank:

– Se não for para participar dos drinques, não precisa vir. Fique em casa com suas rezas e seus livros.

Frank preferiu não responder ao mau humor e à frustração do irmão. Ele sabia que suas escolhas tinham seu preço, e esperava que mais cedo ou mais tarde Peter o entenderia.

Sua mudança de atitude havia sido notada por todos. Primeiramente por Carl, Amanda e Victória que ganharam um novo acompanhante para as missas de domingo. Depois por Peter e Bárbara, que por sua vez perderam um acompanhante para as bebedeiras quase diárias.

Mas foi no dia a dia da Bread & Joy que Peter havia sentido suas mudanças de maneira mais intensa. Conforme Frank foi aprendendo seu novo trabalho, passou a dedicar-se mais e mais a ele. Peter pouco a pouco foi ganhando confiança e começou a delegar-lhe tarefas e responsabilidades, passando a apoiar-se nele para tudo. Porém, se por um lado Frank havia passado a ser seu braço direito no que concernia ao trabalho; por outro, já não mais o acompanhava nas noitadas e isso o incomodava.

Na solidão de seu quarto, a mudança de Frank ia muito além do que os olhos alheios podiam notar. Lá ele fazia seus relaxamentos, orava e meditava. Revia diariamente as anotações de Benedict e lia suas frases todas as manhãs antes de sair para o dia.

Naquela manhã especificamente havia lido: "Para entender meu próximo, colocar-me-ei em seu lugar, e sentirei suas dores e alegrias". Praticou aquilo com Peter naquele momento e não teve dificuldades em entender sua revolta com os alemães. Sentiu suas dores por estar limitado a uma cadeira de rodas, sua ânsia em anestesiar-se com álcool e sua frustração em ver seu irmão mais novo bem e equilibrado, e de não ter forças e nem ferramentas para fazer o mesmo.

Perdoou o irmão por sua resposta agressiva e decidiu não acompanhá-lo, pois certamente não beberia e isso criaria mais frustrações em Peter.

Como o final do dia já se aproximava, decidiu terminar o expediente. Colocou roupas e sapatos mais confortáveis e foi fazer sua caminhada. Conforme Benedict havia antecipado, o ato de liberar-se de suas correntes emocionais havia feito bem não só para a alma, mas também para o corpo; a perna quebrada já não incomodava como antes. A cada dia exercitava-se com mais desenvoltura e sua saúde ia melhorando consistentemente.

Entre os diversos manuscritos de Benedict, Frank havia encontrado um que lhe havia sido especialmente útil, pois o ensinava a traçar metas e planos de ação específicos para o desenvolvimento pessoal nos diferentes aspectos da vida.

Num âmbito pessoal, o manuscrito nos segmentava em três dimensões: a física, a intelectual e a espiritual, e pedia que para cada uma destas dimensões se estabelecesse uma meta e um plano para atingi-la com datas e atividades bem definidas.

Frank havia definido como primeira meta ler todos os livros do baú de Benedict num ritmo de dois por mês, para desenvolver seu intelecto. Buscaria paz interior e proximidade com Deus através de meditação e oração diárias e iria à missa todos os domingos, desenvolvendo assim a sua espiritualidade. E, finalmente, traçou como meta voltar à velha forma da época do exército, ainda que fosse de forma lenta e gradual, e para isso faria exercícios e caminhadas todo fim de tarde para restabelecer sua saúde física.

O manuscrito também pedia o estabelecimento de metas e atividades relacionadas aos aspectos sociais, como o trabalho, a vida em família, finanças pessoais e o exercício da caridade.

Para estas, Frank havia definido que iria aprender algo novo todos os dias e que iria dedicar-se com afinco ao trabalho até dominar todas as atividades da fazenda, guardaria o que gastaria em cervejas como poupança e passaria a trabalhar nas obras de caridade da igreja. No âmbito familiar, tinha como meta aproximar-se mais do irmão, mas esta última meta vinha se mostrando mais desafiante do que incialmente imaginara, pois Peter parecia estar cheio de defesas e o fato de sempre terem sido diferentes e distantes um do outro não ajudava. Mas com exceção desta última meta, todas as demais vinham sendo cumpridas à risca, e Frank sentia-se uma nova pessoa. Desde que havia iniciado esta nova rotina, experimentava uma plenitude que nunca havia conhecido.

Naquela noite de sábado, quando se preparava para deitar-se, pensou na diferença que aquele mês e meio havia feito em sua vida e em quão melhor se sentia. Pensou em como havia sido abençoado com aquele reencontro com Benedict e na felicidade de ter todos aqueles recursos deixados por ele para que pudesse trabalhar seu desenvolvimento pessoal. E, finalmente, sentiu-se realizado com o fato de que havia encontrado o sábio ancião, invocando-o já um par de vezes para consultar sua infinita sabedoria.

Ao fechar os olhos naquela noite, decidiu que era o momento de procurar por Benedict novamente para agradecê-lo e para deixá-lo saber de seu achado. "Amanhã voltarei caminhando da missa e o encontrarei." Pensou antes de dormir.

Pronto para Seguir Só

Como já tinha virado rotina nas manhãs de domingo, Carl havia deixado Frank, Amanda e Victória na porta da igreja da vila quinze minutos antes da missa começar. Enquanto Amanda e Victória dirigiam-se para a primeira fila, Frank se posicionava nos fundos e sempre usava aquele tempo para fechar os olhos, relaxar e sintonizar seus pensamentos e vibrações com as energias divinas. Escutava os cantos do coral de crianças e permitia que aqueles sons celestiais o elevassem e o preparassem para as mensagens que estavam por vir.

Desde que voltara a fazer suas meditações e orações, Frank havia se reaproximado de Deus e se sentia mais e mais harmonizado com os cultos dominicais. Havia aprendido com Benedict a separar o que era do homem e o que era de Deus e a levar consigo apenas o que era alimento para seu espírito, descartando o que não lhe servia. Também se fazia cada vez mais claro para ele as diferenças existentes entre religião e espiritualidade e sabia que estava lá para que uma fosse veículo para a outra. Assim sendo, pouco lhe incomodavam as imperfeições de sua religião. Tinha consciência de que elas eram fruto das imperfeições dos homens que a regiam. Elas não mais serviam como distração em seu objetivo de crescer espiritualmente. Esta postura, além de menos conflituosa, permitia-lhe a abertura necessária para que pudesse ler e estudar sem culpas o Budismo, o Hinduísmo, o Taoísmo e tantos outros "ismos", tirando de cada um deles o que lhe servia, sem sentir-se limitado pelas paredes de um único dogma. Sentia-se harmonizado e em paz com tudo aquilo.

Quando a missa terminou, resolveu colocar em prática seu plano elaborado na noite anterior. Procurou Carl e disse-lhe que o dia estava maravilhoso, nem quente, nem frio, perfeito para uma longa caminhada. Voltaria para a sede da fazenda a pé e comeria sozinho mais tarde.

Carl olhou para Frank com um ar desconfiado e disse:

– Dia maravilhoso é? Caminhada? Sei, sei. Se por um acaso o encontrar, diga olá por mim, ok?

Carl deu uma piscadela para Frank e saiu em busca de Amanda e Victória para que pudessem retornar para a Bread & Joy.

Frank riu-se da esperteza do velho Carl e começou então seu longo caminho solitário em direção ao bosque. Como de fato o dia estava particularmente bonito, distraiu-se facilmente com a paisagem e percebeu coisas que de carro nunca havia notado naquela riqueza de detalhes. Viu árvores frondosas, cachos de abelha, ninhos de pássaros e pôde admirar de perto a plantação de batatas da fazenda, que já estava prestes a ser colhida.

Depois de algum tempo caminhando pela estrada de terra, Frank avistou o bosque em que se perdera havia algumas semanas e mudou então de direção, rumando para lá. Em poucos minutos entrou mata adentro e passou a dar mais atenção aos seus ouvidos, buscando escutar os sons do rio. A cada passo que dava, olhava a sua volta buscando encontrar Benedict atrás de alguma árvore ou arbusto.

Após alguns minutos, finalmente ouviu o som da água corrente e o foi seguindo-o até encontrar o rio. Foi então descendo pela margem até chegar ao exato local do último encontro.

Quando lá chegou reconheceu todo aquele cenário. O gramado em que ele se recostou para descansar, as pedras em que ele e

Benedict se sentaram para conversar, as árvores se debruçando sobre o rio e o local em que a margem se alongava criando uma espécie de lagoa em que a água quase parava.

Tudo parecia estar exatamente igual ao dia do encontro com Benedict, com exceção do fato de que naquele instante, Benedict não estava ali. Frank bebeu um pouco de água e sentou-se para apreciar a vista, na esperança de que o avô aparecesse.

Depois de uma longa espera, Frank começou a ficar impaciente. Levantou-se e começou a gritar o nome do avô o mais alto que pôde:

– Benedict... Benedict...

Tudo que tinha como resposta era o som das águas do rio e o cantarolar dos pássaros. Frustrado e resignado com o fato de que não encontraria o avô naquele dia, começou a passos lentos seu caminho de volta para casa.

Após alguns minutos caminhando Frank avistou a estrada de ferro, mais ou menos no mesmo ponto em que a havia atravessado na vez anterior e sentiu-se então seguro de que estava na direção correta. Logo estaria em casa. Porém, enquanto fazia seu caminho em direção aos trilhos, escutou o barulho característico de um trem. Erguendo a cabeça e olhando para a sua esquerda, pôde ver ao longe a locomotiva que vinha em sua direção, puxando seus vagões em alta velocidade. Mediu então o espaço que havia entre ele e os trilhos, e pela velocidade em que vinha o trem percebeu que não teria tempo de atravessar a estrada de ferro antes que ele passasse. Teria de esperar.

Continuou caminhando cabisbaixo em direção à estrada de ferro e quando já se aproximava dela, ergueu a cabeça. Nesse momento levou o maior susto e não pôde crer em seus próprios olhos. Ali, do outro lado da ferrovia a uns poucos metros dos trilhos estava Benedict, olhando-o calmamente entre os arbustos. Desta vez ele vestia roupas cinza e tinha os longos cabelos soltos sobre os ombros.

Frank olhou mais uma vez para o trem que vinha em sua direção reavaliando as distâncias e começou a correr em direção ao avô. Quando chegou a poucos metros dos trilhos concluiu que realmente não conseguiria atravessar antes que o trem passasse. Logo este entraria entre ele e Benedict.

Olhou então para o avô e não contendo sua ansiedade, gritou:

– Aconteceu Benedict. Eu o encontrei!

Antes que o trem entrasse entre os dois Frank conseguiu ler nos lábios de Benedict, que se abriam em um largo sorriso:

– Eu sei.

Logo o trem entrou entre os dois e Frank aproximou-se o quanto podia dos trilhos. A cada vagão que passava, ele e Benedict se olhavam nos olhos por uma fração de segundos. Havia um sorriso cheio de ternura no rosto de cada um. Frank mal podia esperar para abraçá-lo novamente.

Quando os últimos vagões se aproximavam, Benedict ergueu a mão direita e acenou para o neto, dando-lhe adeus. Frank mudou de feição de imediato, estranhando o aceno do avô e olhou para a esquerda para ver quantos vagões ainda faltavam. Eram apenas três. Logo poderia atravessar e falar com Benedict com mais calma. Porém, quando olhou de volta para onde estava o avô, não o viu mais.

O último vagão finalmente passou, e ali do outro lado da estrada de ferro não havia mais ninguém. Benedict havia desaparecido.

Frank atravessou os trilhos de imediato e passou a procurar o avô por todos os lados, mas não o encontrou. Depois de alguns segundos de frustração, perguntou-se por que Benedict havia feito o que fez, e aos poucos foi entendendo que muito provavelmente aquilo havia sido uma despedida. A missão do avô com ele havia terminado. Ele já podia contar com seu sábio ancião com toda a sua infinita sabedoria e a presença de Benedict já não mais se fazia necessária. Ele estaria em boas mãos.

De agora em diante Frank teria de seguir seu caminho por si mesmo, mas sentia-se bem com isso, confiante de que tinha tudo que necessitava para cuidar de si mesmo. Pensou então na frase da lista de Benedict que havia lido pela manhã, antes de sair para a missa. "Tudo que é bom ou ruim um dia passará. Tirarei o melhor de cada experiência e seguirei em frente."

Disse então em voz baixa, quase que para si mesmo:

– Adeus, Benedict. Fique com Deus meu avô. E obrigado por tudo.

A Novidade de Peter

Numa noite fria, já no fim do mês de novembro, Amanda pediu para que suas filhas, mais Peter e Frank, se reunissem na sala de visitas da fazenda para armarem juntos uma bonita árvore de Natal. Antes que os trabalhos começassem, ela deu uma taça de champanhe para cada um e dirigiu-se para o centro da sala. Com seu costumeiro ar matriarcal e aristocrático, ergueu a taça e falou então para todos:

— Eu sei que há muitos anos descontinuamos esta tradição. Com a perda do pai de vocês e a viuvez de Victória, aliadas a esta maldita guerra, deixamos de comemorar o Natal com a alegria que deveríamos. Mas quero que esse ano seja diferente. Estamos pouco a pouco vencendo a guerra e com as últimas notícias recebidas, creio que agora é uma questão de tempo para que ela chegue ao fim.

Todos concordaram rapidamente, pois sabiam a que notícias ela se referia. A Itália havia mudado de lado e agora apoiava os aliados. A Alemanha estava isolada no centro da Europa e ia sofrendo derrotas em todas as frentes. Há poucos dias, a Rússia havia recuperado Kiev, cidade de importância estratégica no leste, e na Itália os aliados iam pouco a pouco subindo pela bota em direção ao norte. Tudo levava a crer que realmente a guerra não duraria muito.

Amanda então continuou: "Mas temos outras razões para comemorar o Natal de forma especial este ano, pois Deus atendeu minhas preces. Sozinha eu tinha muitas dificuldades em administrar esta fazenda e as coisas não iam nada bem. Houve momentos em que cheguei a temer que perderíamos tudo e ficaríamos na miséria. Foi então que Peter chegou e mudou tudo isso. Colocou ordem na casa e logo trouxe Frank para ajudá-lo. Graças a vocês dois a Bread & Joy já vive dias melhores. Além do que, não me lembro de ver minha filha Bárbara tão feliz em sua vida, e isso também se deve a você Peter. Vocês agora são muito mais que meus empregados, são como parte da família. Quero propor um brinde a tudo isso.

Todos então ergueram suas taças, mas antes que eles bebessem o primeiro gole, Peter ergueu o braço e tomou a palavra:

– Obrigado, Amanda, por suas amáveis palavras. Mas antes que tomemos nosso merecido champanhe, quero dizer duas coisas. Primeiro, que devo muito ao meu querido irmão, não é mesmo Frank? Desde que chegou aqui, venho delegando mais e mais responsabilidades a ele, que vem correspondendo totalmente. Hoje ele praticamente cuida desta fazenda por sua conta. Sozinho.

As palavras de Peter, apesar de verdadeiras, tomaram Frank totalmente de surpresa, pois tudo que ele não esperava do irmão mais velho era aquele tipo de reconhecimento público. Nos últimos meses, Peter havia mais que delegado atribuições a ele. Na realidade ele havia quase que abandonado toda a gestão da fazenda em suas mãos e vinha vivendo uma vida cada vez mais promíscua com Bárbara, acordando tarde e bebendo todas as noites. Quando não iam ao pub, ele se entregava às muitas garrafas de uísque que nunca faltavam na casa.

Mas o que mais desapontava Frank era sua mudança de atitude. Estava agressivo e amargo, reclamando de tudo e de todos, mas principalmente dele, sempre colocando defeito nas coisas que fazia e nas decisões que tomava.

Frank realmente não entendia porque Peter o tratava com tanta agressividade, mantendo sempre uma distância entre os dois que não permitia qualquer diálogo mais profundo. Por mais que tentasse, não conseguia quebrar suas defesas. Mas Frank viria a se surpreender um pouco mais com o que Peter ainda tinha por dizer.

– E em segundo lugar, porém não menos importante, Bárbara e eu temos algo para anunciar. Como tudo indica que a guerra caminha para o seu final, decidimos nos casar no verão, em julho do próximo ano. Até lá acreditamos que já estaremos vivendo tempos de paz.

Todos reagiram alegremente ao anúncio, pelo menos num primeiro momento.

Amanda disse:

– Finalmente se decidiram. Não sei por que demoraram tanto. Eu os abençoo, minha filha.

Abraçou aos dois, seguida por Victória e finalmente por Frank.

Todos então ergueram mais uma vez suas taças e beberam o champanhe, exceto Frank que fingiu molhar os lábios, mas logo tratou de colocar sua taça de lado e deu início aos trabalhos de montar a árvore de Natal.

Todos se divertiram com a tarefa exceto Peter que preferiu observar tudo à distância em sua cadeira, bebendo seguidas taças de champanhe.

Frank não deixou de notar o isolamento do irmão e sua dedicação à bebida, esquecendo a montagem da árvore. Pensava em falar com ele no dia seguinte. Ia tentar uma abordagem mais direta, pois sentia que precisava ajudá-lo de alguma forma.

Mas outra coisa chamou a atenção de Frank. Victória tinha uma expressão preocupada em seu rosto. Quando ela entrou para a cozinha em busca de mais champanhe, Frank a seguiu com o pretexto de ajudá-la. Quando estavam sozinhos na cozinha, aproveitou a situação e perguntou:

– O que há com você Victória, não está feliz por Bárbara e Peter?

– Frank, não me entenda mal. Estou feliz pelos dois, mas estou também preocupada. Amo muito minha irmã e não estou gostando de ver o rumo que ela e Peter estão tomando com a bebida. Minha mãe finge que não vê, pois quer conseguir um marido para Bárbara a qualquer custo. Mas ele parece estar cada dia mais depressivo e amargo. Creio que se não fizermos algo a respeito isso vai acabar mal. Como seu irmão, tente conversar com ele, por favor.

— Está bem, Victória. Já venho tentando abordar o assunto a um bom tempo, mas ele não me dá espaço. Tentarei mais uma vez amanhã. Prometo.

Depois de algumas horas a árvore finalmente estava toda decorada e fez com que a sala de visitas se transformasse. Parecia que o espírito natalino realmente começava a baixar naquela casa depois de anos de ausência. Mas nem todos estavam alegres.

Depois de muitas taças de champanhe, Peter estava totalmente embriagado e pediu para que Frank o levasse para seu quarto.

Frank se desculpou com as mulheres da casa e disse para Bárbara que não se preocupasse, pois ele colocaria Peter na cama.

Já no quarto, Frank ajudou Peter a mover-se da cadeira de rodas para a cama e a trocar de roupa. Quando descansou a cabeça no travesseiro, Peter balbuciou alguma coisa parecida com:

— Você virou o jogo, hein, meu irmãozinho...

Não entendendo direito o que dizia o irmão, Frank aproximou-se e perguntou:

— O que disse, Peter? Não entendi.

Peter então se voltou para ele e com os olhos revirando-se, disse:

— Você virou o jogo. Antigamente eu era o irmão com a cabeça no lugar. Eu era o bom exemplo. Você era o filho problemático, o desajustado, o revoltado. Agora você é o que trabalha, o que não bebe, o que vai a igreja. E eu me transformei no bêbado desajustado e depressivo.

— Peter, não tem jogo nenhum. Isso é tudo coisa da sua cabeça. Você está passando por uma fase difícil. Logo passa. Em breve você vai se casar e será muito feliz.

Peter então começou a rir do que Frank havia dito e falou:

— Frank, você sabe que não a amo e que só vou me casar por interesse. Jamais sairei desta cadeira de rodas e nem ânimo para trabalhar eu tenho mais. Se não fosse você para cuidar de tudo eu estaria perdido. Estou orgulhoso de você, meu irmão. Mas tenho muita vergonha de mim mesmo. Sou um aleijado inútil. Um fracassado.

Peter então se pôs a chorar feito uma criança e Frank pôde melhor entender o irmão mais velho. Ele não apenas tinha dificuldades em aceitar sua condição, condenado que estava a viver o resto de seus dias numa cadeira de rodas, como também sentia culpa por estar se casando por interesse. Porém, a maior descoberta daquele diálogo havia sido a de que o irmão se ressentia do fato de que ele, Frank, havia se tornado o bom exemplo entre os dois. Agora entendia porque tanta agressividade e tantas defesas. No fundo Peter o amava, mas também o invejava e isso o colocava numa posição complicada para ajudar o irmão de forma direta.

Frank consolou Peter como pôde até que ele dormisse e decidiu que procuraria ajuda de outra forma. E já tinha uma ideia de a quem recorrer.

Um Novo Propósito para Frank

No domingo após a missa, Frank procurou o padre e o esperou até que tivesse a chance de conversar a sós com ele. Quando finalmente conseguiu sua atenção, descreveu para ele o drama do irmão, a situação difícil que existia entre eles e perguntou se poderia aconselhá-lo de alguma forma.

Padre Donovan era jovem, ainda não chegava aos seus quarenta anos e era cheio de energia e entusiasmo. Colocou sua mão sobre o ombro direito de Frank e disse:

— Primeiramente quero felicitá-lo por ter conseguido vencer o vício sozinho, rapaz. Isso não é nada fácil.

Frank pensou: "Não foi exatamente sozinho, mas melhor não tentar explicar".

— E também por demonstrar tamanho amor e preocupação com seu irmão. Entendo perfeitamente o porquê de você não ser a melhor pessoa para ajudá-lo diretamente neste momento. Mas creio que tenho boas notícias para você. O que está se passando com ele e se passou também com você é mais comum do que você imagina. Muitos pais perderam seus filhos para esta guerra. Muitos outros voltaram mutilados como Peter. E a maioria não suporta as dores dessas perdas sem um anestésico como o álcool ou coisa pior. Infelizmente alguns até cometem suicídio antes que a ajuda chegue, e não queremos que isso aconteça com seu irmão. Temos um grupo de pessoas na comunidade que oferece ajuda e suporte a estas almas sofredoras. Conversam com elas, oram por elas e buscam ajudá-las de todas as formas possíveis. Será um prazer para eles oferecer este apoio a Peter.

Frank abriu um sorriso de alívio. Havia esperança de ajuda afinal.

– Procure o senhor Ferguson. Ele é o farmacêutico da cidade e também o líder desse grupo e tenho certeza que te ajudará.

Frank agradeceu a indicação do Padre e saiu apressadamente da igreja. Do lado de fora encontrou Amanda, Victória e Carl esperando por ele, já impacientes. Desculpou-se e pediu para que eles seguissem para a Bread & Joy, já que ainda tinha uma última conversa para ter na vila.

Enquanto caminhava em direção à farmácia, Frank começou a elaborar outras ideias que iam além de seu objetivo original, pois via nesse grupo algo mais que uma oportunidade para ajudar ao irmão.

Frank bateu à porta da casa do senhor Ferguson e logo foi atendido por um senhor alto e esguio, já na casa dos cinquenta anos, com um enorme nariz e pouco cabelo. Frank apresentou-se e disse que vinha por indicação do padre Donovan, o que garantiu acesso imediato à sala de visitas da casa.

Uma vez mais Frank contou toda a história dele e do irmão e pediu ajuda a Ferguson, que prontamente lhe explicou que esse grupo se reunia no refeitório da escola toda terça-feira às sete da noite. Lá, cada pessoa tinha espaço para falar de seus vícios, dramas, culpas, medos, perdas e recebia o suporte não só dos orientadores do grupo, mas também de outras pessoas que estavam na mesma situação. Ferguson terminou dizendo:

– Nem sempre temos sucesso, mas na maioria das vezes conseguimos ajudar as pessoas a sair de seus vícios ou pelo menos controlá-los de uma maneira que deixem de destruir suas vidas. Quando necessário, agimos também individualmente, conversando e auxiliando uma pessoa que tenha dificuldades de falar em grupo. Você não gostaria de vir nesta terça para ver pessoalmente como funciona e tirar suas conclusões se o que fazemos é ou não o que você está buscando para o seu irmão?

– Sim, está perfeito. Estarei lá. E mais uma pergunta. O que é necessário para fazer parte desse grupo de pessoas? Gostaria muito de poder ajudar.

Ferguson o olhou com um sorriso e respondeu:

– Vontade de ajudar e amor no coração, meu rapaz. Está disposto? Sua experiência pessoal seria de grande valor para essas pessoas. É através de exemplos vitoriosos como o seu que eles entendem que é possível superar o vício e começar de novo.

Frank ponderou por um instante e disse:

– Falaremos mais sobre isso na terça-feira. Tenha um ótimo domingo.

Ao fazer seu longo caminho de volta para a Bread & Joy, Frank sentia-se não só feliz por ter encontrado o que parecia ser uma alternativa bastante interessante de ajuda para Peter. Sentia-se também altamente energizado com a ideia de poder ajudar outras pessoas com sua experiência pessoal, e lembrou-se da frase da lista de Benedict que havia lido de manhã, que dizia: "Usarei todas as oportunidades que a vida me der para ajudar outras pessoas. Tratarei aos outros como eu gostaria de ser tratado, mesmo que eu não o seja". Aí estava uma grande oportunidade que a vida lhe oferecia e não podia deixá-la passar.

Quando chegou a terça-feira, conseguiu permissão para usar a caminhonete da fazenda e foi até a vila participar da reunião.

Lá ele pôde testemunhar o drama de muitas pessoas que haviam perdido entes queridos ou posses em função da guerra. Mas conheceu também pessoas que, como Peter, haviam sido mutiladas ou tinham a saúde debilitada por algum incidente durante as batalhas. Todos, de uma forma ou de outra, preenchiam o vazio com algum tipo de vício e buscavam ajuda.

Em determinado momento da reunião, Frank foi pego de surpresa, pois Ferguson o convidou para que contasse sua própria história.

Um pouco hesitante no início, Frank falou sobre ter saído de casa tão jovem, das dificuldades encontradas com Dixon no exército, sobre o acidente em que fraturou a perna de maneira tão violenta, da consequente dispensa, da perda dos pais e a destruição de seu bairro, da solidão do quarto da pensão e do vício da bebida que quase o destruiu.

Sem dar maiores detalhes, falou também das influências positivas do avô e de Elizabeth, e do quanto se faz necessário ter o apoio de pessoas que se importam e que querem o nosso bem.

Quando perguntado sobre o que ele havia feito para vencer o álcool, ele simplesmente respondeu:

– Eu perdoei. Perdoei a todos os que me fizeram mal, perdoei a vida por ter sido tão dura comigo em alguns momentos, perdoei a Deus por ter me levado por caminhos que então eu ainda não entendia e perdoei a mim mesmo por ter sido fraco e imperfeito.

Frank então mencionou uma de suas frases favoritas da cartilha de Benedict: "Devo sempre exercitar o perdão para com aqueles que me fazem mal. Perdoar é um ato de amor para com quem me magoa e para comigo mesmo". Todos concordaram e alguns até tomaram nota da frase. Frank então continuou: "Quando consegui perdoar a tudo e a todos, pude deixar de olhar para trás e passei a focar no presente. Busquei novos horizontes e novas ocupações e passei a me reconstruir".

Usando mais uma frase de Benedict, disse: "Decidi que farei o melhor possível de meu momento presente, pois ele é tudo que tenho. Farei de meu passado um aprendizado e de meu futuro um infinito, de possibilidades".

Mais uma vez ele recebeu a aprovação de todos e outra vez algumas pessoas anotaram suas palavras cheias de sabedoria. Finalmente, Frank concluiu: "Mas ainda me falta algo. Ainda me falta ajudar meu irmão e outras pessoas que estejam na mesma situação. Acho que só assim alcançarei a minha total redenção". Todos então aplaudiram as palavras de Frank e as pessoas que faziam parte do grupo o abraçaram e disseram que ele seria muito bem-vindo.

Naquela noite quando dirigia de volta para a fazenda, Frank se sentia renovado, cheio de energia e boas vibrações. Ajudar pessoas que passavam pelo mesmo drama que ele havia passado o elevava e o fazia sentir-se mais perto de Deus.

Ele havia aprendido que o propósito da vida é uma vida de propósitos e ele havia encontrado mais um.

"Elizabeth, você teria orgulho de mim, pois aprendi a desenvolver minha responsabilidade. Ou a habilidade de responder, como você me ensinou um dia." Disse em voz alta como se ela pudesse escutá-lo.

Aquele último pensamento o fez sentir uma pequena dor de saudade e um desejo profundo de que sua amiga e amante estivesse com ele naquele momento.

Ao chegar à fazenda precisou afastar aqueles pensamentos de sua cabeça, pois se lembrou de que ainda tinha um importante desafio a vencer. Aproximar-se do irmão e tentar ajudá-lo.

Para sua frustração, descobriria que isso não seria nada fácil.

As Bodas de Peter

A manhã do dia dois de julho de 1944 havia chegado gloriosa à Bread & Joy, com temperatura agradável e muito sol. Um sábado perfeito para um casamento ao ar livre.

Mas ao contrário do queria Amanda, o casamento de sua filha Bárbara seria uma cerimônia simples e com poucos convidados, já que infelizmente os tempos ainda eram difíceis. A resistência alemã havia surpreendido a todos, e aqueles que haviam apostado numa rápida rendição dos nazistas agora entendiam que a guerra somente acabaria quando os aliados chegassem a Berlim e ninguém tinha a menor ideia de quanto tempo isso levaria.

Por várias vezes Peter e Bárbara consideraram adiar o casamento para o ano seguinte, mas a incerteza sobre quanto tempo a guerra ainda duraria fez com que reconsiderassem. Poderia ser uma espera inútil, e a data do casamento foi mantida.

As notícias recebidas no início do mês de junho haviam revigorado as esperanças de vitória. Apesar de tudo estar tomando muito mais tempo do que o esperado, o otimismo voltava a reinar. Roma havia sido a primeira capital inimiga a ser conquistada pelos aliados, mandando uma mensagem clara a Hitler de que sua derrota era uma questão de tempo.

Mas o feito mais relevante daquele histórico mês de junho

aconteceria mais ao norte, nas praias da Normandia. Na maior operação bélica que o mundo havia testemunhado até então, as forças aliadas atravessaram o Canal da Mancha e desembarcaram mais de 150 mil soldados na França ocupada. Em poucos dias entraram Europa adentro abrindo a tão sonhada frente do oeste, requisitada por Stalin por quase dois anos.

Agora os alemães tinham de se dividir em três frentes diferentes e não mais para atacar, mas sim para defender seu território. Ao leste, lutavam contra os Russos, que ganhavam terreno dia após dia e já ocupavam parte da Polônia. Ao sul, soldados das mais diversas nacionalidades haviam se juntado e pouco a pouco iam expulsando os alemães da península itálica. E por último, a oeste, onde os soldados aliados iam rapidamente liberando cidades francesas da dominação nazista.

Apesar de terem mantido o dia da cerimônia, Peter e Bárbara adiaram a lua de mel para quando a guerra acabasse e a situação fosse mais favorável para tal.

Sozinho na sala da casa dos fundos, Frank olhava para o relógio pela terceira vez em menos de dois minutos e começava a inquietar-se com a demora de Peter, pois não queria que o irmão se atrasasse para o seu próprio casamento.

Incomodado com o silêncio que vinha do quarto onde Peter acabava de se arrumar, decidiu bater à porta.

– Peter, está tudo bem? Você precisa de alguma ajuda?

Tudo que obteve como resposta foi mais silêncio. Resolveu insistir e bateu novamente.

– Peter, você está bem?

Finalmente seu esforço se viu recompensado e a porta foi destrancada pelo lado de dentro. Sem se mostrar, Peter então abriu a porta por apenas dois dedos, dando um sinal silencioso de que Frank poderia entrar.

Frank hesitou por alguns segundos até que finalmente empurrou a porta lentamente e encontrou o irmão quase pronto, já com calça e camisa vestidos e o paletó do terno estendido sobre a cama. Mas ainda faltava vestir a gravata borboleta que se estendia sobre os ombros.

Sentado em sua cadeira de rodas, Peter espiava pela janela do quarto com um olhar desfocado, como se olhasse, mas nada visse. Com a voz baixa e desprovida de emoção, falou:

— Sim, preciso de ajuda com essa maldita gravata.

Frank sorriu para o irmão, aproximou-se e tomou a gravata em suas mãos.

— Deixe-me ajudá-lo.

Frank enlaçou a gravata ao redor do pescoço de Peter e a arrumou com facilidade.

— Pronto. Agora sim. Meu querido irmão está pronto para enforcar-se de verdade.

A brincadeira de Frank tirou um breve sorriso da boca de Peter. Frank então aproveitou a oportunidade e procurou animá-lo.

— Peter, você precisa melhorar esta cara. Não pode aparecer lá fora para a cerimônia assim, como se estivesse indo para um velório. Bárbara é louca por você. Amanda é extremamente grata por tudo que você fez pela Bread & Joy e também o quer muito bem. Você se tornará herdeiro de uma bela e produtiva propriedade, que certamente viverá dias muito melhores quando a guerra acabar. Um dia você terá filhos que encherão esta casa de alegria. Anime-se meu caro, pois muitos que foram para os campos de batalha não retornaram ou retornaram para uma vida e um futuro muito menos promissor que o seu.

Peter escutou em silêncio cada palavra dita por Frank. Voltou-se então para ele e pediu para que se aproximasse um pouco mais e se abaixasse para que pudesse abraçá-lo.

Após um longo abraço, Peter pediu para que Frank se sentasse na cama e disse:

— Você tem toda razão, Frank. Aliás, há mais de um ano você é a única voz da razão entre nós dois. Você vem cuidado de tudo e de mim, e tudo que te dou em retorno são resmungos, reclamações e impaciência. Já por diversas vezes tentou me ajudar buscando tirarme desta depressão e de minha dependência para com a bebida e não dei a mínima abertura para que isso acontecesse. Às vezes sinto que meu vício maior não é a bebida, mas sim a piedade de mim mesmo. Sinto pena e vergonha de mim e não consigo me encarar no espelho.

Ambos ficaram em silêncio por alguns segundos. Frank porque se via totalmente surpreendido pelas palavras do irmão e simplesmente não sabia como reagir; enquanto Peter parecia estar um pouco perdido, pois estava fazendo algo que não era de seu costume. Buscando a melhor forma de continuar, disse:

– Acho que lhe devo desculpas por ter sido esse tormento em sua vida durante todo esse tempo. Quero que saiba que lhe sou muito grato e que o admiro muito. Você deixou de beber e cuida de sua saúde de forma invejável. Lê o tempo todo, sempre procurando aprender algo novo. Cuida de sua vida espiritual de uma forma que não entendo muito bem, mas pelo menos o faz. E nesse ano se tornou um líder amado por todos nesta fazenda. Nenhum empregado quer mais falar comigo, pois me tornei esse rabugento que desaprendeu a lidar com as pessoas. Todos procuram você para receber ordens, direcionamento e muitas vezes aconselhamento. Sem falar nesse trabalho maravilhoso que você está fazendo na vila com os que sofrem com a guerra e buscam apoio para enfrentar seus traumas e perdas. E tudo que fiz foi recusar seus convites, um após o outro, para ir com você pelo menos a uma sessão. Desculpe-me, Frank. Você tem sido um irmão incrível, um ser humano admirável, buscando sempre ajudar-me e eu não tenho feito nada para facilitar sua tarefa. Você transformou sua vida por si mesmo e hoje é um exemplo de ser humano. Isso realmente me faz muito orgulhoso de você. Gostaria de ter essa fortaleza.

Frank estava totalmente surpreso e ainda não sabia bem como reagir. Durante os últimos seis meses ele havia tentado ajudar o irmão de todas as formas, sem ter tido a menor abertura para tal. Tudo que recebia de Peter era um tratamento frio e distante, rude até em alguns momentos. Por mais que tentasse, não havia logrado romper suas defesas. E de repente, talvez motivado pela emoção do momento importante que vivia, ele se abria assim de forma inesperada.

Emocionado, Frank hesitou por um instante, tempo suficiente para que Peter se voltasse para a porta e começasse seu caminho em direção à saída, dizendo:

— Você poderia me ajudar com o paletó?

Numa fração de segundos, um pensamento passou pela cabeça de Frank. "Você não pode perder esta oportunidade." Levantou-se rapidamente e posicionando-se entre Peter e a porta, disse:

— Espere. Tenho algumas coisas para lhe dizer também.

Intuindo o que viria em seguida, Peter tentou escapar uma vez mais reagindo:

— Frank, já estou atrasado. Não podemos falar numa outra hora?

— Não. Isso levará apenas uns poucos minutos.

Peter respirou fundo e se deu conta de que não escaparia desta vez. Moveu-se um pouco para trás de forma que pudesse olhar a Frank de frente e cruzando as mãos em frente ao corpo, fez um sinal para que Frank prosseguisse.

— Peter, primeiramente gostaria de dizer que estou muito emocionado com suas palavras e reconhecimento. Realmente não foi uma jornada fácil até chegar a esse ponto. Mas existem algumas coisas que precisam ser esclarecidas.

Frank sentou-se novamente de forma que pudesse olhar o irmão nos olhos e no mesmo nível. Com um ar sério de quem está prestes a revelar algo importante, prosseguiu: "Vou dividir um segredo com você Peter. Esta percepção que você tem de que transformei minha vida por mim mesmo está equivocada. Não fiz nada sozinho. Precisei de ajuda para que saísse da situação em que me encontrava. Tive mentores que me abriram novas perspectivas e que me apoiaram no processo de me reencontrar e vencer a mais difícil das batalhas, que é a batalha contra nós mesmos. Nós somos nossos piores inimigos. E sem estes mentores eu jamais teria encontrado o caminho. Um desses mentores me ensinou que para sermos melhores seres humanos, devemos buscar esse objetivo todos os dias, até que nos convertamos em um modelo para os que estão a nossa volta. É uma escolha Peter, não acontece por sorte ou acaso."

Agora quem estava surpreso era Peter, que perguntou:

— Mentores? Você teve mentores? E quem foram eles?

Frank sentiu que havia conseguido a atenção do irmão. Continuou então:

— Muito bem. Você está pronto para a grande surpresa? Meu maior mentor foi Benedict, nosso avô. Ele me ajudou desde o momento em que chegou a nossa casa em Croydon. E de certa forma continua me ajudando. Todos os livros que você me vê lendo eram dele. E ele me deixou muitas coisas além dos livros. Deixou-me diversos manuscritos e guias para viver uma vida mais plena. Sem ele eu jamais teria revertido minha situação.

— Isso é incrível, Frank. Mas não entendo. Como foi que estes livros e manuscritos chegaram até você? E como é que ele te ajudou depois que você chegou aqui?

— Bem, estas respostas sim, vão precisar de mais tempo, mas prometo que conto tudo a você depois em detalhes.

Reconhecendo que Frank tinha razão, Peter resignou-se em esperar que a história completa lhe fosse contada em outro momento. Mas continuou curioso e fazendo perguntas a Frank.

— Ok, sem problemas, mas você falou em mentores. Quem mais te ajudou em sua transformação?

Frank hesitou um instante, sorriu para o irmão e disse:

— Uma mulher.

Surpreso, Peter reagiu de imediato.

— O que? Você teve alguém em sua vida? Como você nunca me contou isso? Quem era ela?

— Bem, sinto muito Peter, mas não te contei porque você nunca me perguntou nada.

Envergonhado, Peter reconheceu que o que Frank dizia era verdade. Nunca havia se interessado pela vida do irmão. Apenas assumia que ele havia dado a volta por cima sozinho e que nunca havia tido alguém em sua vida. Sentiu-se mal por isso e não sabia o que dizer.

Percebendo o mal-estar que sua observação havia causado, Frank continuou:

– Não importa Peter, estou te contando agora. O nome dela é Elizabeth. Uma mulher e tanto, que me fez ver o mundo de uma forma mais positiva e que me ensinou a ser meu próprio líder. Com ela vivi a semana mais inesquecível de minha vida. Mas ela precisou ir embora por causa da guerra. Neste momento, se ainda estiver viva, ela está servindo o exército como enfermeira em algum lugar na Europa e espero um dia reencontrá-la. Ainda a amo e penso nela todos os dias.

– Incrível Frank. Agora entendo.

– Entende o que?

– Porque você nunca deu atenção aos olhares de Victória.

Surpreso, Frank começou a rir e por um momento a conversa desviou de rota.

– O que? Victória me manda olhares? Peter, ela tem pelo menos dez anos a mais que eu. Deixe de brincadeiras.

– Não é brincadeira, meu querido Frank. Ela já te observa há um bom tempo. Mas não deixe isso subir a sua cabeça, está bem? Afinal ela é uma mulher muito sozinha e que quase não sai da fazenda. Sua única concorrência é o velho Carl.

– Sim, como você me convidando para Padrinho. Quem mais poderia convidar?

Ambos riram de suas próprias piadas e de repente sentiram um clima amistoso entre eles que há muito não existia. Frank então continuou:

– Peter, meu ponto é que ninguém supera um momento difícil como o seu sozinho. Todos nós precisamos de ajuda e sermos orgulhosos em um momento como este não nos serve de nada. Mas tem algo ainda mais importante que ser humilde e permitir que nos ajudem. Nesses meses em que venho trabalhando no grupo de suporte da igreja, tenho notado algo muito importante e que serve muito bem para você. Os indivíduos que nos procuram e que atingem seus objetivos de transformação pessoal trazem consigo o sincero desejo de mudar de vida e querem ser ajudados. Ninguém consegue ajudar uma pessoa que não quer ajuda, entende? Se você não abrir a porta para isso, nada poderá ser feito. Você precisa ajudar a você mesmo primeiro. Você entende o que quero dizer?

Peter ponderou sobre as palavras de Frank por um instante e então reagiu:

– Sim, Frank, eu entendo. Mas sinto vergonha de meu fracasso como soldado, vergonha de estar nesta cadeira de rodas e não consigo falar sobre essas coisas em público. Participar de seu grupo está fora de questão.

Percebendo que a exposição pública não era uma boa direção a seguir, Frank tentou outro caminho.

– Está bem, eu entendo sua perspectiva. Mas me permita dizer que seu fracasso como soldado é coisa da sua cabeça. Como te disse, somos nossos piores inimigos. Esse tal fracasso é uma fantasia sua. Você defendeu seu país com muita honra por muito tempo. Seu irmão aqui nem para os campos de batalha conseguiu ir. Proponho o seguinte: nesses meses trabalhando no grupo aprendi muita coisa e venho dividindo com as pessoas que nos procuram muitos dos ensinamentos de Benedict e filosofias de Elizabeth. O que acha da ideia de conversarmos, só eu e você, todos os dias por meia hora após o expediente? Sem compromisso nenhum com mudanças de vida drásticas. Vamos conversando e depois você faz o que quiser. Se quiser ir ao pub, vá ao pub. Se quiser se trancar no banheiro e chorar meia hora por sentir dó de si mesmo, vá em frente. Mas pelo menos dê para você mesmo a oportunidade de falar e de me escutar. Você não tem absolutamente nada a perder. O que acha da ideia?

Peter pensou por um momento e finalmente fez um gesto positivo com a cabeça. Frank havia conseguido romper suas barreiras afinal. Resolveu então deixar uma das pérolas de Benedict para que Peter refletisse a respeito.

– Meu caro irmão, todos nós temos um passado, mas também temos um futuro. Seu futuro é uma página em branco e a caneta está em suas mãos. Escreva a mais bela história que você puder criar. Começando por fazer Bárbara uma mulher muito feliz.

Frank abraçou Peter que retribuiu o abraço calorosamente. Um novo laço entre os irmãos havia sido criado. Frank então olhou nos olhos de Peter, deu-lhe um tapinha no ombro e disse:

– Pronto para enforcar-se?

– Sim. Só me esqueci de que precisarei de ajuda para empurrar minha cadeira pelo gramado até o altar. Será que meu padrinho favorito me ajudaria?

– Vai ser um grande prazer.

E os irmãos seguiram juntos para a cerimônia.

Paris Liberada e Peter em Bom Caminho

A terça-feira, 26 de setembro havia trazido mal tempo e os primeiros sinais de que o verão realmente já havia terminado. Frank estava na vila com Carl comprando mantimentos, e quando faziam o pagamento escutaram o rádio do pequeno armazém em que estavam anunciando mais conquistas das tropas aliadas.

No último mês de agosto todos já haviam comemorado com euforia a recuperação de Paris. A Cidade Luz havia sido liberada da dominação nazista no dia 25 com mínima destruição de sua arquitetura única.

Agora toda a região da Bélgica, Holanda e Luxemburgo acabava de reconquistar sua liberdade e os russos já avançavam rapidamente Polônia adentro em direção a Berlim. Na frente europeia os alemães estavam em retirada por todos os lados, e na frente do Pacífico o mesmo se passava com os japoneses que iam perdendo uma a uma as ilhas previamente conquistadas para os Americanos.

Mas havia algo novo nas notícias recebidas naquele dia. Algo que simbolizava uma mudança significativa e que sinalizava que o fim estava realmente próximo. Pela primeira vez em toda a guerra, os aliados haviam entrado em território alemão, invadindo e controlando a cidade de Aachen, na fronteira com a Bélgica.

Carl e Frank regressaram entusiasmados para a fazenda, ansiosos por celebrar as novidades com os demais.

Enquanto faziam seu caminho pelas estradas poeirentas de Lincolnshire, Frank ia pensando sobre os pequenos, mas significativos progressos alcançados com o irmão. Desde o casamento, ele e Peter tinham conseguido manter uma constância em suas conversas de final de tarde, que pouco a pouco iam trazendo resultados. Nelas, Frank havia contado a Peter sobre a aproximação de Benedict e havia tentado recapitular as longas conversas que mantiveram antes da guerra. Falou de seus ensinamentos sobre o mato que deixamos crescer em nossa alma e que devemos cultivá-la como se cultiva um jardim; sobre a atitude esponja, extraindo o máximo de cada experiência de vida; que recebemos em retorno do mundo aquilo que damos a ele; da necessidade de buscarmos nosso caminho e evolução espiritual e da necessidade de preencher nossa vida com propósitos e objetivos, entre outras coisas.

Peter já não estava tão depressivo como antes e suas idas ao pub haviam se reduzido significativamente, restringindo-se a sextas e sábados. Durante as outras noites ele já não visitava as garrafas de uísque com a frequência anterior e foram poucas as situações em que se pôde notá-lo de ressaca no dia seguinte. Mas ele ainda tinha um longo caminho a percorrer.

Porém, havia algo novo confortando o coração de Frank. Gradualmente ele havia passado de discípulo a mestre e já era reconhecido pelos seus colegas do grupo de apoio aos que regressavam da guerra, como alguém bastante sábio para sua idade. Pouco a pouco ele havia se tornado um ponto de referência. Muitos queriam se aconselhar com ele. Mas o que todos ignoravam é que para estar bem preparado para esta responsabilidade, Frank mantinha uma rígida rotina diária de meditação e intensas sessões de aconselhamento com seu sábio ancião.

Suas interações com seu eu mais sábio e idoso haviam começado como algo ocasional e oportunista, já que inicialmente ele só o invocava quando uma decisão importante precisava ser tomada. Porém, com a necessidade de aconselhar ao irmão e aos que buscavam apoio no grupo da igreja, consultar seu velho ancião havia se tornado quase uma religião para Frank. Pela responsabilidade que havia assumido de ajudar pessoas em dificuldade, ele agora se aconselhava com o ancião quase que diariamente, num ritual que o levava às profundezas de seu próprio ser e que lhe dava acesso a uma sabedoria que parecia ser infinita.

Ele não entendia muito bem de onde vinha tamanha sapiência, mas tampouco lhe importava este detalhe. O mais importante é que através dela ele se colocava em posição de aconselhar e ajudar muita gente.

As expectativas de que a guerra estava perto de seu fim também o fez pensar em Elizabeth. Será que ainda estaria viva? E se estivesse viva, estaria bem de saúde? E onde poderia estar nesse momento? Itália? França? Bélgica? Obviamente, estas e muitas outras perguntas ficariam sem resposta.

Chegando à fazenda, Frank procurou Peter ansioso para dividir as boas-novas, enquanto Carl carregava com dificuldade os mantimentos pela porta dos fundos.

Para a surpresa de Frank já havia uma comemoração acontecendo na sala de estar da sede da fazenda. Peter, Bárbara, Victória e Amanda se abraçavam e se parabenizavam efusivamente. Ele parecia ter chegado tarde demais com suas novidades.

– Então vocês já sabem das novidades? Finalmente entramos em território alemão. Isso não é fantástico?

Todos o olharam com cara de espanto e se puseram a rir.

Sem entender o que estava se passando, fez um gesto para Peter buscando explicações. Peter então satisfez sua curiosidade:

– Esqueça-se da guerra por alguns minutos, tio Frank, e venha comemorar conosco, pois em breve esta família receberá um novo membro.

Frank demorou uma fração de segundos para entender a resposta do irmão.

– Tio Frank? O que? Como assim?

Todos riram mais uma vez até que finalmente Frank entendeu o motivo de toda aquela comemoração. Bárbara estava grávida. Em breve ele seria tio. Frank não pôde conter a emoção e ajoelhou-se para abraçar o irmão.

— Estou muito feliz por você, Peter.

Enquanto Peter lhe retribuía o abraço, sussurrou em seu ouvido:

— Quero falar com você mais tarde, ok?

Ao terminar o abraço, Frank fez um sinal de positivo demonstrando ao irmão que havia entendido seu pedido e foi então em direção a Bárbara para também felicitá-la.

— Parabéns, cunhada. E cuide bem de meu sobrinho. Agora você carrega uma responsabilidade a mais. Você precisa de algo? Um chá? Um lanche? Está com fome?

Todos riram dos excessos de zelo de Frank e pouco a pouco foram voltando para seus afazeres.

Peter então pediu a Frank que o ajudasse a voltar para o escritório, no que foi atendido prontamente. Lá chegando, Peter fechou a porta e voltou-se para Frank. Seu semblante era leve e carregava um brilho nos olhos que há muito não se via.

— Frank, essa novidade muda muita coisa em minha vida. Jamais imaginei que a perspectiva da paternidade mexeria tanto comigo. Nossas conversas têm ajudado muito e vêm fazendo com que eu olhe as coisas por um prisma diferente. Mas já não serão suficientes. Preciso mudar de uma forma mais radical, agora que serei pai. Quero ser um exemplo para essa criança. Não quero que ela seja filha de um alcoólatra.

Peter então fez uma pausa e Frank achou melhor permanecer em silêncio, pois percebia que ele ainda tinha algo importante a dizer. Peter então respirou fundo e disse:

— Quero que me leve com você esta noite para a reunião do seu grupo de apoio. Quero deixar a bebida de vez. Sei que se eu deixar de beber, Bárbara o fará em seguida. Como você me ensinou, todos nós precisamos de um propósito na vida. Acabo de encontrar um gigantesco propósito na minha. Ser pai.

Frank mais uma vez abraçou o irmão e o felicitou pela decisão tomada. Por intervenção divina, Peter havia encontrado algo maior que ele para motivar-se a parar de beber. A paternidade. E com esta decisão, começaria a transformar sua vida de forma definitiva.

Frank estava em êxtase, pois mais uma conquista pessoal havia sido atingida. Havia reconstruído a relação com seu irmão e ele, por sua vez, dava passos importantes a caminho de sua própria reconstrução.

Quando finalmente se viu sozinho, pensou que a vida era mesmo cheia de surpresas e se questionou: "O que mais poderia estar por vir?"

E o Inesperado Sempre Vem

Cinco meses de sessões no grupo de apoio foram necessários para que Peter finalmente se anunciasse sóbrio por trinta dias consecutivos. Durante os meses de outubro e novembro ele havia obtido bons progressos, bebendo apenas ocasionalmente e sempre sozinho, já que Bárbara não mais o acompanhava. Os enjoos da gravidez haviam trazido como benefício a rejeição da bebida.

Porém, nas festividades de Natal e Ano Novo Peter havia voltado a sentir-se depressivo e teve sérias recaídas, bebendo até perder a consciência. Todos haviam perdido a fé de que ele conseguiria deixar o vício, exceto Frank que ficou ao seu lado todo o tempo e nos dias que seguiam as bebedeiras das datas festivas, sempre lhe animava e incentivava a continuar lutando e frequentando as reuniões do grupo de apoio. Nessas horas ele sempre repetia: "Não importa o quão triste, decepcionado ou frustrado você esteja, siga em frente".

Peter ouvia o irmão, agradecia o incentivo, mas parecia profundamente frustrado cada vez que sucumbia. Tinha que começar tudo de novo e isso o enfraquecia.

Mas começado o ano de 1945, a barriga de Bárbara finalmente despontou. Todos os que passavam por ela comentavam e começavam a opinar se seria menino ou menina. Isso teve um efeito poderoso sobre Peter e fez com que algo mudasse dentro dele.

Outro fato que animava a todos, e consequentemente também a Peter, era o iminente fim da guerra. No mês de fevereiro, a Alemanha se viu invadida em todas as frentes; Varsóvia também já havia sido liberta e os russos estavam agora a menos de cem quilômetros de Berlim. Americanos, franceses e ingleses de um lado e russos do outro travavam agora uma disputa velada de quem chegaria à Capital alemã primeiro. A rendição nazista era esperada a qualquer momento.

A paternidade e o fim da guerra agora eram situações palpáveis para Peter. Ele podia sentir seu filho na barriga de Bárbara e os preparativos para a vida pós-guerra já era assunto trivial nas conversas. A vida estava mudando ao redor dele, e isso parece ter tido um impacto definitivo. Ele parecia muito mais determinado a eliminar a bebida de vez.

O anúncio de trinta dias de sobriedade veio na reunião do grupo de apoio que aconteceu na terça-feira dia 27 de fevereiro. Todos o aplaudiram e lhe felicitaram.

Ao final da reunião, muitos vieram apertar-lhe a mão e dizer:

– Siga em frente Peter. Um dia de cada vez. Logo isso será coisa do passado.

Peter agradeceu a cada cumprimento e lhes disse que o feito merecia uma comemoração no pub. Levantou o braço e perguntou: "Quem vai comigo? A primeira rodada é por minha conta". Todos riram da piada e começaram a fazer seus caminhos de volta para suas casas.

Na estrada de volta para a fazenda, Frank estava feliz e disse a Peter:

– Estou orgulhoso de você meu irmão. Acho que agora não tem mais volta. Vejo você com um brilho diferente nos olhos.

Balançando a cabeça positivamente, Peter concordou:

– Sabe que sinto a mesma coisa? É como se algo tivesse mudado dentro de mim. Estou me sentido bem mais estável emocionalmente e motivado a cuidar bem de meu filho. Quero ser um bom exemplo para o pequeno Frederick.

Frank reagiu de imediato à novidade de Peter. Com um sorriso enorme nos lábios, disse:

– O que foi que disse? Pequeno Frederick? Você vai dar ao bebê o nome de nosso pai?

Com o rosto iluminado de satisfação, Peter confirmou:

– Sim meu irmão. Sinto muito a falta de nossos pais e quero homenageá-los. Se for menino ele se chamará Frederick.

– E se for mulher, Charlotte?

– Não. Se for mulher, Bárbara terá o privilégio de escolher o nome. E ela não fez sua opção ainda. Mas não importa, pois será um menino.

Os dois riram do otimismo de Peter.

Ficaram ambos alguns breves momentos em silêncio. Quando já se aproximavam da fazenda, Peter mudou a direção da conversa e falou:

– Frank, tem um assunto que preciso falar com você. É uma questão um pouco delicada.

Frank estava dirigindo e a mudança de tom de Peter chamou sua atenção. Tanto que se distraiu da estrada por um segundo. Quando ia responder a Peter, pedindo para que fosse adiante e falasse o que precisava falar, uma curva veio e de repente dois faróis no sentido contrário o cegaram.

Num rápido reflexo, Frank puxou o carro para a direita e entrou mato adentro evitando a colisão. Apertou os freios e pouco a pouco conseguiu controlar o carro, mas deixou morrer o motor, apagando todas as luzes.

Em total escuridão, Frank ainda teve tempo de olhar no espelho e ver as luzes traseiras do carro com o qual quase colidira sumir pela estrada em direção à vila.

Olhou para Peter e perguntou:

– Você está bem?

Arrumando o cabelo que agora lhe caía sobre os olhos, Peter balançou a cabeça afirmativamente e disse:

— Boa manobra irmãozinho. Salvou nossa vida. Que louco. Como pode dirigir no meio da estrada daquele jeito? Certamente não é daqui.

— Sim, você tem razão. E vinha da fazenda. Quem será?

— Não sei, mas logo vamos descobrir.

Frank ligou novamente o carro e começou lentamente a regressar em direção à estrada, até que voltou à rota original. Enquanto completava o trajeto em direção à Bread & Joy, esqueceu-se completamente da conversa que Peter havia iniciado e passou a fazer uma rápida reflexão sobre aquilo que acabara de passar. Tinha a sensação de que esteve perto da morte, como também havia estado dois anos atrás, mas as sensações eram completamente diferentes.

Quando estava caído na rua próximo ao Great Lion, sentiu que morreria de forma patética, embriagado e abandonado, sem forças físicas e psicológicas para reagir. Estava entregue, pronto para que a noite gélida de Londres cerrasse o seu destino. Era um miserável e não deixaria nenhum legado a ninguém. Provavelmente também não teria alguém para reclamar seu corpo e seria enterrado como indigente. Morrer naquele momento seria quase um alívio, colocando um fim naquela existência sem sentido.

Hoje se sentia realizado. Vivia uma vida sem vícios, trabalhava, tinha um lar estável e pessoas queridas ao seu redor. Ajudava muita gente com a sabedoria adquirida através das interações com Benedict e também em função de suas próprias experiências. Deixaria sua mensagem e uma boa lembrança para muita gente e com certeza sua perda seria lamentada por muitos que estariam presentes em seu funeral. Sentia que estava próximo da plenitude, em equilíbrio e líder de si mesmo como tanto havia buscado. Morrer agora seria algo desastroso. Pensou então na diferença que dois anos haviam feito em sua vida e na sabedoria de Benedict quando este lhe havia dito em uma de suas conversas, que viver é uma benção em si mesmo e que por isso deveria escolher viver a vida intensamente. Sim, havia muito de escolha nisso.

Enquanto saía do carro e ajudava Peter a acomodar-se em sua cadeira, não pôde deixar de sentir um profundo orgulho de si mesmo por ter transformado sua realidade. Sentia-se estabilizado e apaixonado por sua vida. Sentia-se feliz como há muito não se sentia e não precisava de acidentes ou mudanças bruscas de rota como a que acabava de experimentar na estrada. Queria apenas seguir em frente, sem grandes mudanças. Havia controlado suas tempestades internas.

Quando Frank e Peter entraram pela sala principal da fazenda ainda estavam um pouco assustados e ansiosos para contar o que acabara de ocorrer. Encontraram ali Bárbara, Victória e Amanda, as três em pé no mesmo canto da sala e Frank foi logo anunciando:

— Vocês não vão acreditar no que acaba de acontecer. Quase nos matam na estrada. Um carro veio a toda velocidade no meio da pista no sentido contrário ao nosso e por pouco não nos pega de frente.

Peter continuou:

— Sim. Um irresponsável. Se não fossem os rápidos reflexos de Frank que desviou da colisão, estaríamos em pedaços neste momento.

As três ficaram em silêncio sem apresentar reação até que Amanda fez um gesto na direção oposta de onde se encontravam, apontando para duas malas que estavam no chão.

Uma voz velha conhecida de Frank fez então com que todos olhassem para o outro lado da sala.

— Deve ter sido o táxi que me trouxe até aqui. O rapaz realmente dirigia como um louco.

Frank então teve uma sensação congelante em seu estômago e um arrepio correu-lhe pela nuca. Seus olhos não podiam crer no que via. Sua boca de repente ficou seca, seu coração disparou e suas pernas ficaram levemente estremecidas.

Ali, num canto da sala da Bread & Joy, sentada tranquilamente numa poltrona com as pernas cruzadas, estava Elizabeth.

Aos poucos todos os olhares se voltaram para Frank. Todos

esperavam sua reação, e esta não vinha. Ele estava boquiaberto, mas totalmente mudo e estático como se tivesse sido instantaneamente congelado.

Por um momento teve a impressão de ouvir Benedict sussurrando em seu ouvido: "Eu não disse a você para que esperasse o inesperado?".

Parte 4

Caminhos que Divergem

O Retorno

O silêncio reinou soberano na sala de visitas da Bread & Joy por alguns segundos, até que Peter decidiu quebrá-lo voltando-se para Frank e dizendo em voz baixa:

– Quero ver você desviar dessa, irmãozinho.

Todos riram do comentário de Peter. Isso se provou ser suficiente para tirar Frank do transe em que ele havia entrado e eliminar a sensação de mal-estar que se havia criado por sua falta de reação. Elizabeth levantou-se e disse:

– Pensei que você ficaria um pouco mais feliz em me ver.

Frank então se deu conta de que o susto o havia congelado por mais tempo que o ideal e que precisava romper com aquilo de imediato. Seu impulso era de correr para Elizabeth e abraçá-la com todas as suas forças, mas sua essência britânica o conteve. Tampouco queria ir para o extremo oposto e criar outro tipo de embaraço para si mesmo.

Ele então sorriu para Elizabeth de maneira terna e atravessou a sala lentamente, aparentando uma calma que na realidade não sentia, pois seu coração pulsava tão forte que quase se podia notar à distância. Sem dizer qualquer palavra, aproximou-se dela até posicionar-se à sua frente. Admirou-a dos pés à cabeça e estendendo o braço direito, acariciou seu rosto delicado e macio por um instante. Seus olhos estavam carregados de emoção. Não podendo mais resistir ao impulso que havia sido contido até então, deu mais um passo à frente e a abraçou forte e ardentemente, no que foi retribuído de imediato.

Todos os demais sorriram e trocaram olhares de aprovação, como se compartilhassem daquele momento de imensa ternura.

– Bem-vinda à Bread & Joy, Elizabeth; disse Amanda, e fazendo um sinal com a mão direita pediu para que todos os demais se retirassem da sala, deixando Frank e Elizabeth a sós.

Quando finalmente o abraço foi interrompido, eles olharam à sua volta e não viram mais ninguém. Sentaram-se então lado a lado e se admiraram por um tempo, até que Frank decidiu falar.

– Que bom vê-la de novo. Muitas vezes tive dúvidas se esse momento viria a acontecer. Senti tanto a sua falta. Você está bem? Parece mais magra.

– Sim, estou bem. Cansada apenas. Foram dois anos muito difíceis. Eu sei que teve suas dúvidas de que eu voltaria. Mas eu prometi, não foi?

Frank concordou balançando levemente a cabeça. Eles sorriram um para o outro e Frank então estendeu os braços e envolveu as mãos de Elizabeth nas suas. Ela então continuou:

– Espero que não tenha raiva de mim e me perdoe por ter optado por...

Retribuindo um gesto feito por ela dois anos atrás, Frank colocou suavemente sua mão em seus lábios e pediu para que parasse de falar.

– Shhhhh. Não fale sobre o passado. Já te entendi e perdoei há muito tempo. Agora estou apenas feliz em te ver. Por muitas vezes pensei que algo de ruim tivesse acontecido a você pela falta de notícias, já que você nunca escreveu. O que você faz de volta à Inglaterra e como me encontrou aqui nesse fim de mundo?

Elizabeth então pegou uma grande bolsa que estava ao seu lado. Abriu-a e retirou de dentro dela um maço com umas dez cartas presas por uma fita vermelha.

— Fui liberada de meus serviços há duas semanas. Os alemães estão em retirada e já estão oferecendo pouca resistência. Já não há mais tantos feridos como antes e a necessidade de médicos e enfermeiros reduziu-se consideravelmente. Como eu estava já por cumprir dois anos de serviços ininterruptos, me mandaram de volta para casa. Nesse período que estive em combate fui da África para o sul da Itália e de lá para a França. Nos últimos meses eu estava na fronteira com a Alemanha. Fiquei ali por um tempo até que os alemães se retiraram e começamos a ofensiva. Em minhas últimas semanas fiquei em Paris, cuidando de soldados que se recuperavam até ser dispensada e liberada para voltar.

Elizabeth então mostrou as cartas para Frank e continuou:

— Te escrevi várias vezes, mas nunca tive resposta. Com o tempo, deixei de escrever. Eu não entendia o seu silêncio e também fiquei bastante preocupada, pensando que algo de ruim pudesse ter acontecido a você. A primeira coisa que fiz quando regressei a Londres foi procurá-lo em sua pensão. Ali, fui informada por uma jovem que a mãe dela, que era a dona da pensão, havia falecido pouco tempo após você ter partido e que não sabia para onde mandar suas cartas, mas havia guardado cada uma delas. Tome. Elas são suas.

Elizabeth entregou então as cartas para Frank que as segurou em suas mãos e as admirou com carinho. Ele olhou então para Elizabeth e perguntou:

— E então como é que você soube onde me encontrar?

Elizabeth sorriu e disse:

— Não sou mulher de desistir fácil das coisas, Frank. De sua pensão fui até o Great Lion e Albert me contou onde você estava.

Frank sorriu por um instante e pensou: "Albert, sempre encontrando uma maneira de me ajudar. E pensar que quase não passei por lá antes de ir embora".

— Eu estava sozinha no mundo, momentaneamente sem uma ocupação e extremamente cansada. Pensei então que uma fazenda seria o lugar perfeito para que eu descansasse, depois de tudo que passei. Você acha que elas me permitiriam ficar aqui por uns tempos?

Frank sentiu uma imensa alegria em saber que ela vinha para ficar e acalentou a esperança de que "por uns tempos" significasse "permanentemente".

— Estou seguro que sim. Elas são gente muito boa e certamente apreciarão o benefício de ter uma enfermeira experiente por perto. Conversarei com elas a respeito.

— Obrigada, Frank. E você, como veio parar aqui? Você está muito bem, com uma cara ótima. Vê-se sadio e bem cuidado. Por acaso arranjou uma namorada?

Frank riu e balançou a cabeça fazendo um sinal negativo.

— Não minha querida. Quem tem cuidado de mim sou eu mesmo. Quando encontrei sua carta no bolso de meu casaco saí feito um louco pelas ruas da cidade tentando te alcançar. Queria falar com você antes que se fosse. Queria pedir para que ficasse. Mas cheguei momentos depois de sua decolagem.

— Que bom que não me alcançou Frank. Teria feito tudo ficar muito mais difícil. Detesto despedidas. Eu sei que fui covarde, mas não posso lidar com esses momentos.

— Eu entendo. Voltei então para a pensão, mas antes passei pelo Great Lion e tomei todas as cervejas que consegui.

Elizabeth riu do comentário de Frank, porém seu olhar era de compaixão e algo de preocupação. Entendendo a mensagem, Frank tratou de tranquilizá-la.

— Não se preocupe. Deixei de beber já faz quase dois anos.

Elizabeth arregalou os olhos e abriu um largo sorriso.

— Isso é ótimo Frank. Você não sabe o quanto isso me alivia. Estou notando você muito diferente. Algo parece ter mudado em você drasticamente.

— Você não tem ideia, mas isso é uma longa história que te conto amanhã. No dia seguinte ao da sua partida, recebi uma carta de Peter me informando de seu paradeiro e me convidando a trabalhar na fazenda. Foi um convite mandado por Deus, pois realmente eu não sabia o que fazer de minha vida daquele momento em diante. Peguei minhas coisas e vim para cá. Por sorte, passei pelo Great Lion para despedir-me de Albert e pagar as cervejas da noite anterior. Se não fosse por isso, teríamos nos perdido para sempre.

Olharam-se então ternamente e sem que soubessem, tiveram o mesmo pensamento. O destino havia orquestrado um momento um tanto mágico e surreal para mantê-los conectados, para que não se perdessem. Era como se fosse uma pequena intervenção divina. Um fio que de tão tênue era quase invisível, mas que foi o suficiente para resgatá-los um para o outro. Graças a esse fio tênue, ali estavam, frente a frente, olho no olho, coração com coração, alma com alma.

Sem que pensassem a respeito suas bocas se aproximaram como se houvesse um campo magnético entre elas, irresistível e impossível de ser contido. Beijaram-se longamente enquanto suas mãos se seguravam e se acariciavam.

Quando o beijo finalmente se desfez e os olhos se abriram novamente, notaram que havia alguém mais ali. Viraram de imediato e deram de cara com Amanda no centro da sala. Enrubescidos, trataram de se recompor e pediram desculpas.

– Não há de que se desculpar, eu é que lhes devo desculpas, pois não imaginava que... Bem, deixemos isso de lado. Só vim avisar que seu quarto está pronto, Elizabeth. Preparamos também um banho para você, se quiser. Quando estiver pronta para deitar-se, te levo até lá.

– Amanda, eu não sei como agradecer. Vocês sequer me conhecem e ainda cometi a indelicadeza de chegar sem avisar. Ainda assim vocês me recebem de forma tão hospitaleira. Desculpe-me pela visita inesperada.

– Não se preocupe. Uma amiga dos Farrow é também nossa amiga. Além do que, a vida aqui na fazenda por vezes pode ficar um pouco monótona e uma novidade sempre ajuda a quebrar a rotina. Quando quiser se deitar, avise-me. Estarei lendo na biblioteca aqui ao lado.

– Não será necessário que me espere. Estou exausta e irei com você agora mesmo.

Elizabeth voltou-se então para Frank, acariciou seu rosto e despediu-se.

– Vou tomar um banho e descansar um pouco. Amanhã conversaremos mais. Estou segura de que temos muito para contar um para o outro.

– Estou certo que sim – respondeu Frank, que retribuindo o carinho desejou-lhe boa noite.

Frank ficou na sala observando Elizabeth entrar casarão adentro, carregando suas duas maletas que provavelmente levavam tudo o que ela tinha. Ele mal acreditava no que via. Quando se viu sozinho na sala, olhou para as cartas e pensou: "será uma longa noite".

Chegando ao seu quarto na casa dos fundos, onde agora vivia sozinho, tirou os sapatos e acomodou-se em sua cama. Pegou a primeira carta por ordem de datas e deu início a uma longa viagem no tempo e no espaço. Elizabeth havia escrito para ele exatamente uma carta por mês durante os seus primeiros dez meses de ausência, e duas mais já se espaçando no tempo.

A primeira carta datada de março de 1943 vinha da Tunísia e começava com um pedido de perdão por tê-lo abandonado daquela forma e pedia também para que ele não a julgasse erroneamente. Ela se confessava apaixonada por ele, mas explicava que a decisão de ir para a África já havia sido tomada um mês antes de eles se conhecerem e que não poderia mais declinar. Dizia que aquela era sua vida e que não poderia deixar de cumprir com sua missão.

As cartas que seguiram vinham cada uma de um local diferente, sempre demonstrando algum tipo de avanço das tropas aliadas. Primeiro em Túnis, preparando-se para partir para a uma perigosa travessia do Mediterrâneo, depois já do outro lado na costa oeste da Sicília. Mais tarde prestes a deixar a ilha para entrar na Calábria e de aí em diante numa subida lenta e gradual rumo ao centro da Itália. Elizabeth compartilhava com Frank momentos de medo e solidão. Dizia sentir a falta dele, muita saudade de casa, de um banho quente e boa comida. Que havia sido testemunha de muitas mortes, dor e sofrimento, mas que estava determinada a ficar até o fim.

Em uma de suas últimas cartas, já em Anzio ao sul de Roma, Elizabeth narrou a ferrenha resistência alemã para não perderem controle da região de Lazio, onde fica a capital Italiana, e descreveu um momento de medo e desespero quando foram contra-atacados de surpresa e o acampamento médico onde ela estava, geralmente localizado em um ponto seguro e protegido dos combates diretos, também havia sido alvo de ataques inimigos. Uma bala perdida havia atingido de raspão o seu ombro esquerdo e a havia deixado imobilizada por alguns dias.

A última carta, datada de junho de 1944, já descrevia um cenário mais otimista com as notícias da invasão da Normandia e a vitoriosa ofensiva para a conquista de Roma. Porém, a carta terminava dizendo que deixaria de escrever, já que não recebia respostas e não sabia se suas cartas estavam sequer sendo lidas.

Ao terminar de ler esta última mensagem de Elizabeth, Frank colocou cada uma delas de volta em seus respectivos envelopes, as enlaçou novamente com a fita vermelha e as guardou no velho baú de Benedict. Elas agora faziam parte de seu tesouro.

Deitou-se novamente, cerrou os olhos e abriu seu usual canal de comunicação com as energias divinas. Conforme Benedict lhe havia ensinado, imaginou uma linda luz a sua frente e agradeceu a Deus por aquele momento em sua vida. Seu grande amor havia voltando.

Com uma incomensurável sensação de plenitude, adormeceu. Só na manhã seguinte se daria conta de que havia adormecido sem sequer ter trocado de roupas.

Redescobertas

O sol já estava alto e o relógio apontava dez e meia da manhã quando Elizabeth finalmente entrou pela porta do escritório que um dia havia sido de Peter e que agora era ocupado por Frank. Ele sorriu com sua aparição e logo deixou a caneta de lado e levantou-se para saudá-la com um beijo em sua testa.

— Bom dia, bela adormecida. Eu estava aqui angustiado. Já fui por duas vezes até o casarão perguntar por você.

— Eu estava muito cansada da longa viagem e a cama que me deram é maravilhosa. Quase não consigo sair dela. Depois tomei um longo café da manhã e conversei um pouco com Peter e Bárbara. Adorei conhecer melhor seu irmão. Pensei que o encontraria aqui, trabalhando com você.

— Ele geralmente só vem na parte da tarde, verifica como estão as coisas, fica um pouco mais e vai embora. Já faz algum tempo que venho cuidando de tudo.

— Estou impressionada, Frank. Eu havia criado várias possibilidades em minha cabeça sobre como eu reencontraria você, mas vê-lo atrás de uma escrivaninha como esta gerenciando uma fazenda certamente não estava entre elas. Como foi que isso aconteceu? Que transformação!

— Sim, querida. Uma transformação e tanto. E ainda tenho

muito mais para lhe contar. Por que não fazemos uma caminhada pela fazenda enquanto te conto tudo?

– Me parece uma excelente ideia.

Frank e Elizabeth então saíram para caminhar de mãos dadas pela fazenda enquanto ele contava para ela em detalhes sobre sua trajetória até ali. Ele falou da longa viagem até a Bread & Joy, da triste surpresa ao encontrar Peter em uma cadeira de rodas e da dificuldade inicial em manter sua intenção de não mais beber, em função da influência negativa dos hábitos do irmão. Narrou para ela com entusiasmo o reencontro com Benedict e o momento de redenção que havia experimentado com ele. Explicou a ela como aquele momento o havia transformado de dentro para fora e que desde então havia deixado de olhar para o seu passado com dor e ressentimento. Finalizou dizendo que deixar de beber após tal momento havia sido um processo tranquilo e descomplicado.

Elizabeth então entendeu o porquê de ele não guardar qualquer ressentimento com relação à sua decisão de partir, de tê-lo deixado. Conforme Frank ia narrando seu processo de transformação pessoal após aquele encontro e de como ele resgatou o baú de Benedict com todos os seus livros e manuscritos, Elizabeth ia entendendo também que estava diante de outro Frank e que precisaria redescobri-lo e adaptar-se a esta nova pessoa que estava diante dela.

Interrompendo a narrativa de Frank, Elizabeth perguntou curiosa:

– E o sábio ancião? Você o encontrou afinal?

Frank hesitou por um momento, pois não sabia ao certo como responder a tal pergunta. Após meditar por alguns segundos, disse:

– Sim, Elizabeth, eu o encontrei. E sempre que preciso, eu o invoco.

Antes que Elizabeth fizesse a próxima pergunta, ele apontou para a estrada de ferro e continuou:

– Foi aqui que vi Benedict pela última vez. Ele acenou como se estivesse se despedindo e quando desviei minha atenção por uns poucos segundos para ver quanto tempo ainda demoraria o trem a passar, ele desapareceu.

Elizabeth decidiu não mais fazer perguntas. Era exatamente isso que Frank queria, pois achou que não era ainda o momento de falar sobre o sábio ancião. Um dia o faria, mas não naquele momento.

– Venha, vou te mostrar o local onde encontrei Benedict na mata. É um lugar muito bonito e não está longe.

Durante os poucos minutos de caminhada até a beira do rio, Frank terminou sua narrativa, contando sobre sua reaproximação com Deus, sua participação no grupo de apoio da igreja e seu empenho em ajudar a Peter para que deixasse o álcool, chegando até a noite anterior quando regressavam da reunião e do progresso que o irmão havia feito até então. Nesse momento, Frank lembrou-se de que Peter queria dizer-lhe algo antes que o táxi de Elizabeth aparecesse no sentido contrário e os tirasse da estrada. Precisava perguntar-lhe do que se tratava.

Finalmente chegaram até a beira do rio e Elizabeth maravilhou-se com a visão das águas cristalinas, a relva que servia de entorno para as margens pedregosas, as árvores se debruçando sobre o leito e o delicioso som que emanava da água fazendo seu curso.

Frank apontou para o local do encontro e a convidou para sentar-se na grama à sombra de uma grande árvore.

Uma vez sentados, Elizabeth pôs-se a olhar para Frank, ainda surpresa com tudo que havia escutado. Ao olhar fundo em seus olhos, ela reconheceu o garoto que encontrou numa cama de hospital, apenas mais maduro e centrado.

– Estou agradavelmente surpresa com tudo que me contou. Mas preciso de um tempo para me acostumar com o novo Frank. Preciso conhecer você outra vez.

Frank estendeu sua mão direita em sua direção e com um sorriso jocoso disse:

– Muito prazer, meu nome é Frank Farrow, administrador da Bread & Joy e conselheiro no grupo de apoio da igreja aos viciados e depressivos. A seus serviços, bela senhora.

Elizabeth riu de sua brincadeira e aquilo foi como música

para seus ouvidos. Lembrou-se naquele instante do quanto havia sentido a falta de ver e ouvir aquele riso. Acariciou então o seu rosto e completou sua apresentação:

— Eu nunca a esqueci, Elizabeth. Eu ainda te amo — aproximou-se e a beijou ternamente.

Inebriados por aquele momento e pela beleza da paisagem, não foi mais possível interromper as carícias. Em poucos segundos, estavam se amando como haviam feito no apartamento de Elizabeth há exatos dois anos. Mais uma vez o último dia do mês de fevereiro os presenteava com um momento inesquecível.

Eles descansaram então por uns breves momentos à beira do rio, apreciando aquela bela paisagem. Elizabeth envolvida pelos braços e pernas de Frank enquanto repousava a cabeça em seu peito.

Frank então acariciou seus cabelos e disse:

— Estou muito feliz que tenha voltado Elizabeth. Não quero perdê-la nunca mais.

O silêncio que se seguiu o deixou um tanto inquieto e inseguro. Por experiência, já sabia que quando Elizabeth silenciava assim algo se passava além de seu entendimento, e isso o fez questionar se havia algo que Elizabeth estaria escondendo. Não querendo arruinar o momento, decidiu não fazer perguntas. Buscaria entender esse silêncio enigmático mais tarde. Além do que, já passava da hora do almoço e ainda tinham uma longa caminhada de retorno a fazer.

As Verdadeiras Intenções

Depois de alguns dias na Bread & Joy, a pedido de Frank, Amanda permitiu que Elizabeth se mudasse para a casa dos fundos para que ela pudesse ficar com ele. Victória foi a única a se opor por uma questão de valores religiosos, já que não eram casados. No entanto, Amanda já sabia que de nada adiantaria mantê-los em quartos separados, já que havia testemunhado vez por outra que Elizabeth não passava a noite em seu próprio quarto e que na verdade o que a filha sentia era puro ciúme daquele que havia se transformado em seu único objeto de admiração, ainda que pretensamente secreta.

Morando na casa dos fundos, Elizabeth pôde então observar Frank mais de perto e testemunhar sua rotina de leituras, meditação, oração, exercícios físicos, trabalho e participação no grupo de apoio na vila.

Conforme os dias foram correndo, ela passou a cultivar uma admiração cada vez maior pelo Frank que havia encontrado em seu retorno, inclusive passando a adotar alguns de seus hábitos como os relaxamentos e a leitura de alguns dos livros do baú de Benedict.

Por seu lado, Frank parecia estar vivendo um sonho. Havia reconstruído sua vida e para completar seu grande momento, sua amada havia regressado e estava ali ao seu lado o tempo todo.

Estava tão inebriado com tal estado de coisas que preferiu evitar qualquer questionamento sobre os planos futuros de Elizabeth, mas sabia que mais cedo ou mais tarde esse assunto teria de ser abordado.

No primeiro domingo de abril Elizabeth acompanhou Frank e os demais à missa, como havia feito em todos os domingos desde o seu retorno. Frank a apresentava orgulhoso para todos, mas não deixava de perceber que apesar de cortês, Elizabeth não se preocupava em se aproximar de mais ninguém ali. Parecia intencionalmente evitar a criação de qualquer tipo de vínculo mais profundo e duradouro.

Ao regressarem para a fazenda, sentaram-se todos à mesa para comer, como era típico dos domingos onde o almoço em família era quase uma obrigação.

Em um determinado momento, Amanda voltou-se para Elizabeth e perguntou:

— E então, Elizabeth, como se sente após algumas semanas de descanso na Bread & Joy? Já está melhor? Pelo menos já se vê mais corada. Quando chegou aqui estava pálida e demasiadamente magra.

Um pouco envergonhada, Elizabeth respondeu:

— É verdade, Amanda. Sinto-me muito melhor, obrigada. Acho que até engordei uns quilinhos a mais do que deveria. Vocês me tratam como uma rainha. Sou muito agradecida por sua hospitalidade.

Victória então não deixou escapar a oportunidade e perguntou:

— Já se sente pronta para retomar suas atividades de trabalho? Conhecemos todas as pessoas importantes da vila e se o seu plano é ficar em definitivo, minha mãe facilmente poderá conseguir trabalho para você. Sempre existe a necessidade de uma enfermeira experiente.

Um silêncio um tanto incômodo se instaurou na mesa, mas Frank permitiu que a conversa continuasse. Ficou curioso em saber qual seria a resposta. Elizabeth finalmente reagiu:

— Bem... uh... Acho que ainda preciso de mais algumas semanas para me sentir inteiramente pronta para retomar minhas atividades. Falaremos em breve a respeito. Agradeço a oferta.

A resposta evasiva de Elizabeth provocou uma troca de olhares questionadores e isso foi o suficiente para que Frank entendesse que a hora havia chegado. Precisava conversar com Elizabeth e entender o que realmente estava acontecendo. Esperou o almoço terminar e, como a temperatura estava atipicamente amena para aquele início de abril, convidou-a para uma caminhada.

Quando já estavam longe o suficiente do casarão, Frank parou numa sombra e voltando-se para Elizabeth, disse:

— Creio que precisamos conversar. Desde que você chegou, venho observando alguns sinais em você que me preocupam. Primeiro foi o seu silêncio quando eu disse que não mais queria te perder. Depois o fato de você não fazer amizades com ninguém na vila, parecendo intencionalmente manter certa distância das pessoas. Agora essa resposta evasiva, declinando a oferta para que Amanda te consiga um trabalho. Eu entendo o seu estresse pós-guerra, mas isso não é típico de você, que ama tanto sua profissão.

Conforme Frank foi falando e desenvolvendo seu raciocínio, o semblante de Elizabeth foi se alterando. Ela não mais podia encará-lo frente a frente e seus olhos foram entristecendo-se. Percebendo que o que falava estava tendo tal impacto, Frank mudou o tom e buscou ser mais compreensivo:

— Gostaria de poder ajudar, mas para isso preciso que seja aberta comigo. Agora que você voltou para mim, preciso entender o que realmente está acontecendo.

Elizabeth permaneceu em silêncio por alguns segundos contemplando o horizonte, aparentemente formulando a melhor maneira de responder. Quando finalmente falou, olhou para Frank com os olhos marejados de emoção, já que sabia que o que tinha para dizer partiria seu coração.

— Frank, eu realmente tenho algo para lhe dizer e só não o fiz antes porque trago muitas dúvidas em minha cabeça. Ainda não sei o que fazer. O fato é que não voltei para você, Frank. Voltei por você.

Confuso, Frank a olhou com uma expressão de quem estava perdido, pedindo mais explicações. Ela então continuou:

– Eu não voltei para ficar com você, Frank. Voltei para buscá-lo. Quando estava em Paris em minha última tarefa durante a guerra, me alistei na Cruz Vermelha com o intuito de seguir em minha missão de vida. Quero continuar ajudando pessoas mais necessitadas ao redor do mundo. Eu não tenho mais ninguém na Inglaterra Frank, só você. E em meu entendimento você também não tinha mais ninguém e poderia se beneficiar de um novo começo. Assim sendo, pedi permissão para que levasse você comigo como outro voluntário, e aceitaram. Basta que você aceite também e poderá vir comigo. Eu jamais imaginava a reviravolta que havia ocorrido. Minha esperança era de apenas encontrá-lo com vida e resgatá-lo de sua situação de abandono e solidão para que pudesse reconstruir sua vida junto a mim. Juro que minha intenção era a melhor possível.

Elizabeth fez uma pausa e pensou por um momento em como continuar. Frank estava boquiaberto e ao mesmo tempo ansioso para entender o resto da história. Elizabeth então prosseguiu:

– Quando fui liberada para voltar para casa, foi apenas para descansar por um tempo. Em breve receberei uma nova missão e serei enviada para algum lugar do planeta para cuidar de pessoas carentes, passando por algum tipo de privação ou necessidade. Pode ser que me mandem para a Ásia, África, América Central. Não sei ainda. Estão apenas esperando o final da guerra para decidir. Escutei no rádio ontem que os aliados estão demandando a rendição alemã. A guerra acabará a qualquer momento, Frank. Em breve receberei minha missão e duas passagens de navio – a minha e a sua – para um novo destino. Mas ao ver sua nova realidade durante esse mês que estive ao seu lado, ao testemunhar a forma como você reconstruiu sua vida e de como está feliz, perdi a coragem de te convidar para que venha comigo. Não posso tirá-lo daqui. Não me sinto nesse direito.

Frank estava paralisado. Não sabia o que fazer ou o que dizer.

Quando falou, foi em tom de desapontamento e frustração.

– Por que você não me disse tudo isso antes? Por que permitiu que vivêssemos esse mês de total felicidade para depois destruir tudo dessa maneira? Por que deixou que eu me iludisse imaginando que o que vivíamos seria para sempre?

– Perdoe-me, Frank, por favor. Primeiro eu precisava ver qual era a sua nova realidade. Depois, quando entendi sua nova situação, fiquei perdida. Venho buscando a melhor maneira de dizer isso a você há dias. E eu também estou sofrendo, pois também estou feliz por estar vivendo este momento com você.

– Então por que não fica? Por que precisa ir embora? Fique conosco Elizabeth.

Frank fez uma breve pausa e então fez o último apelo. Aquele que ele realmente queria fazer.

– Fique comigo.

Elizabeth então não pôde mais segurar a emoção e em lágrimas, respondeu:

– Esta vida de fazenda não é para mim, Frank. Não suportaria isso por muito tempo. Sinto muito.

Elizabeth então se virou e saiu em disparada, correndo de volta para casa com lágrimas em seu rosto.

Ainda entorpecido pela notícia que acabara de receber, Frank tomou alguns segundos para reagir e quando gritou pedindo para que Elizabeth esperasse e retornasse, já era tarde. Ela já estava longe demais para considerar tal pedido.

Sozinho, Frank então falou consigo mesmo: "Muito bem, Frank. Você queria descobrir o que estava se passando. Conseguiu. E agora, o que vai fazer?"

Após alguns minutos ali refletindo sobre o que acabava de acontecer, Frank se deu conta de que as intenções de Elizabeth haviam sido as melhores possíveis e que ainda tinham algum tempo pela frente até que uma decisão definitiva tivesse de ser tomada. Talvez se fizesse das próximas semanas uma experiência positiva para ela, pudesse convencê-la a ficar na Bread & Joy.

Voltou lentamente para casa para procurá-la e tentar acalmar os ânimos. Encontrou-a em seu escritório sozinha, aparentemente fazendo o mesmo que ele. Refletindo sobre o que havia se passado. Já não chorava, mas ainda tinha um semblante abatido.

Quando Frank entrou porta adentro, ela tratou logo de antecipar-se e disse:

– Sinto muito, Frank. Acho que fui extremamente presunçosa por achar que poderia planejar o seu futuro, por pensar que você não poderia encontrar seu próprio caminho.

Frank sorriu e respondeu calmamente:

– E eu não fiz a mesma coisa com você? Como é que eu pude imaginar que uma mulher como você já não teria um plano? Conheço você o suficiente para saber que a sua cabeça não funciona assim. Acho que no fundo somos culpados do mesmo crime. O de achar que seríamos a solução para os problemas do outro.

Elizabeth balançou a cabeça em sinal de concordância. Frank, então, se aproximou de Elizabeth e abaixou-se a sua frente. Tomou suas mãos e olhando em seus olhos disse:

– Ainda tem algum tempo antes dessa guerra acabar. Não sabemos se ela durará mais um dia ou um ano. Que tal deixarmos esse assunto de lado? Busquemos fazer o melhor possível desse tempo juntos até que chegue o dia de tomarmos decisões. Pode ser?

Mais uma vez, Elizabeth balançou sua cabeça concordando com o que propunha Frank, ciente de que realmente não havia melhor alternativa naquele momento. Abraçaram-se e mais uma vez sem saber pensaram exatamente a mesma coisa. "Espero que o pouco tempo que nos resta seja o suficiente para que você se convença a ficar comigo".

Nasce a Esperança na Bread & Joy

Nas semanas que se seguiram, Frank e Elizabeth trataram de agradar-se mutuamente ao máximo, secretamente buscando o mesmo objetivo. Um queria convencer o outro a repensar sua vida e orientá-la em outra direção. No entanto, evitaram a todo custo tocar no assunto das decisões que teriam que tomar em breve.

Mas conforme o mês de abril chegava ao seu final, ia ficando evidente que o momento decisivo se aproximava. A batalha por Berlim havia começado e os russos já se engajavam em combates rua a rua para tomar a capital Alemã. Tudo indicava que era questão de dias para que Hitler se entregasse e com isso a angústia dos dois ia crescendo.

Em primeiro de maio, Elizabeth despertou com um aperto no peito ainda maior do que o que já vinha experimentando nos últimos dias, intuindo fortemente que lhes sobrava pouco tempo.

Enquanto acabava de se vestir para deixar o quarto, seus pensamentos foram interrompidos pelo barulho de uma forte discussão que aparentemente vinha do escritório.

Ela saiu do quarto lentamente sem fazer ruído e conforme foi se aproximando, pode ouvir Peter e Frank argumentando sobre decisões administrativas da fazenda. Ambos pareciam ter opiniões distintas e pôde escutar Peter dizendo:

– Frank, você precisa me envolver nessas decisões. Apesar de você ter tomado minhas atribuições eu ainda sou o verdadeiro administrador desta fazenda. Lembra-se da noite em que Elizabeth chegou? No carro eu queria falar com você sobre isso, mas fomos interrompidos pelo táxi que quase nos pega de frente. O que eu queria dizer naquela noite é que já me sentia em condições de assumir outra vez minhas responsabilidades aqui. Já estou bem. Não me sinto mais depressivo. Já não bebo mais. Não toquei mais no assunto, pois com a chegada de Elizabeth não quis desviar sua atenção para isso, mas não posso mais deixar as coisas continuarem como estão, Frank.

Elizabeth então escutou o barulho de passos apressados e logo em seguida Victória entrou porta adentro pálida e preocupada, gritando:

– Peter, Peter, venha depressa.

Elizabeth a acompanhou e entraram ambas no escritório interrompendo a discussão dos dois irmãos. Victória, então, ainda recuperando o folego disse aflita:

– Venha Peter, chegou a hora. A bolsa de Bárbara acaba de se romper.

Os quatro então se dirigiram apressadamente em direção ao casarão, Frank empurrando a cadeira do irmão para que pudessem ir mais rápido.

Quando chegaram ao quarto, Bárbara estava na cama contorcendo-se em dores e Amanda estava sentada ao seu lado segurando sua mão. Peter ficou desesperado ao ver a esposa assim e tratou logo de pedir que alguma ação fosse tomada.

– Vamos colocá-la no carro imediatamente. Precisamos levá-la para a vila, para que um médico cuide dela.

Amanda respondeu em tom preocupante:

– Não sou experiente no assunto, mas pelo pouco que pude ver, não creio que tenhamos tempo para isso. Acho que esse bebê já está nascendo.

Em tom ainda mais desesperado, Victória gritou:

— Meu Deus, o que vamos fazer?

Foi então que uma voz calma e segura ecoou no quarto.

— Vocês se esqueceram de que tem uma enfermeira na casa?

Todos pararam por um momento e olharam para trás e lá estava Elizabeth, parada na porta testemunhando toda a cena. Ela então adentrou o quarto e disse:

— Já fiz de tudo em minha vida, inclusive alguns partos. Posso examiná-la?

Amanda respondeu mais que depressa.

— Por favor, Elizabeth.

Elizabeth pediu então para que os homens deixassem o quarto. Peter e Frank deixaram suas diferenças laborais de lado e se juntaram na sala, ambos com semblante bastante preocupado.

Alguns segundos depois, Amanda e Victória passaram correndo pela sala e Peter gritou:

— O que está havendo? Como ela está?

Victória regressou e apressadamente respondeu:

— Aguente aí, Peter. Seu bebê está nascendo. Elizabeth vai fazer o parto e nos pediu uma bacia com água e toalhas. — Mal terminou a frase e já se foi em direção à cozinha.

Os irmãos se entreolharam boquiabertos e Peter recostou-se em sua cadeira. Frank, então sorriu, colocou a mão direita no ombro esquerdo do irmão e disse:

— Tente se acalmar. Ela está em boas mãos.

As horas que se seguiram pareceram dias para Peter e Frank. Ambos se moviam de um lado para o outro na sala, revezando-se frente à janela. Vez por outra escutavam um grito de dor mais alto de Bárbara e a cada vez que isso ocorria, Frank tinha de conter o impulso de Peter de urgir em sua cadeira em direção ao quarto.

O sol ia alto e já passava do meio-dia quando finalmente um choro de bebê ecoou pelos quatro cantos do casarão. Os dois então se dirigiram para o corredor e ficaram esperando que alguém saísse pela porta do quarto.

Após alguns longos minutos, Amanda saiu do quarto com o

bebê embrulhado em um lençol e o colocou nos braços de Peter, que tinha o rosto iluminado por um sorriso que transmitia ao mesmo tempo alívio e júbilo. Frank então se aproximou, e olhando a criança tocou no braço do irmão e disse:

— Parabéns, Peter. Estou muito feliz por você.

Ele foi logo seguido por Amanda:

— Sim, Peter, ela é um belo bebê. Parece ter muita saúde.

Peter tinha os olhos hipnotizados pela visão de ter sua cria em seus braços, mas imediatamente reagiu à observação de Amanda:

— Ela?

— Sim, Peter, é uma menina.

Frank então observou:

— Parece que vamos ter que esperar pelo pequeno Frederick um pouco mais.

E Peter então completou:

— E parece que estamos cada vez mais em minoria nesta casa, meu irmão.

Todos riram da observação de Peter, justo no momento em que Victória saía do quarto. Com uma feição preocupada, levou o dedo à boca pedindo silêncio.

— Shhhh, falem baixo. Bárbara sofreu bastante no parto e está exausta. Precisa descansar um pouco.

— Posso vê-la por um instante? – perguntou Peter.

— Sim, mas tem que ser breve. Ela precisa descansar e se recuperar para poder começar a amamentar.

Todos entraram então lentamente no quarto com olhares preocupados. Elizabeth estava no canto do quarto e tinha um olhar de dever cumprido, enquanto limpava suas mãos com uma toalha branca. Tinha muito sangue em seu avental de cozinha, que havia sido improvisado para a ocasião.

Peter passou o bebê de volta para os braços de Amanda e aproximou-se de Bárbara. Ela parecia estar quase desacordada e fazia um grande esforço para manter os olhos abertos.

Preocupado, Peter olhou para Elizabeth buscando algo mais de informação. Ela entendeu de imediato aquele olhar e disse:

– Não se preocupe. Ela apenas perdeu muito sangue e está exausta. Vai precisar de um tempo para estar inteira outra vez, mas vai ficar bem. Eu cuidarei dela pelos próximos dias.

Mais tranquilo Peter agradeceu à Elizabeth por tudo que ela estava fazendo. Segurou então a mão de Bárbara, e olhando em seus olhos cansados, sorriu e disse:

– Parabéns, meu amor. Você conseguiu. Temos agora uma bela menina.

Ela sorriu de volta para ele e apertou forte a sua mão. Ele sentiu naquele momento algo diferente, que até então não havia sentido e se deu conta de que havia aprendido a amar sua esposa.

De repente, atrás deles a porta entreaberta rangeu enquanto se abria lentamente, quebrando a magia daquele momento. Todos olharam para trás e viram Carl esticar sua cabeça para dentro do quarto.

– Peço desculpas a todos por interromper. Antes de qualquer coisa, meus parabéns pelo bebê.

Amanda conhecia bem Carl e sabia que ele raramente entrava para a área mais íntima da casa, mesmo quando convidado, e entrar assim sem ser anunciado não era de seu feitio. Intuindo que ele teria uma razão importante para estar ali, além de dar os parabéns pelo bebê, fez um sinal com a mão direita dando-lhe permissão para entrar e disse:

– Obrigado, Carl. Mas entre e diga-nos, o que o traz aqui?

– Bem, Sra. Amanda, acabo de escutar algo no rádio que creio ser do interesse de todos, por isso vim. Acabam de confirmar que Hitler se suicidou com um tiro ontem. Com sua morte, a expectativa é de que não demore muito para que a Alemanha se renda. Acho que a guerra acabou senhora. Pelo menos a esperança é grande.

Houve uma grande comoção no quarto e todos celebraram a notícia. Porém, enquanto celebravam com os demais, Frank e Elizabeth se entreolharam de forma um tanto pesarosa. Ambos sabiam em seu íntimo que o momento decisivo se aproximava.

Em meio à confusão uma voz cansada e trêmula tentava anunciar algo. Era Bárbara que depois de alguns segundos conseguiu a atenção de Peter, que levantou o braço e pediu silêncio a todos.

– Todos quietos, por favor. Diga Bárbara, do que você precisa querida?

– Hope. Quero que nossa menina se chame Hope, para que nunca mais esqueçamos este momento e olhemos para o futuro com novos olhos e o coração cheio de novas esperanças.

Peter então pediu o bebê de volta para Amanda e com ele em seus braços, olhou para Bárbara e disse:

– Pois seja bem-vinda a este novo mundo, Hope Farrow.

Naquele momento a emoção no quarto era generalizada e foi inevitável que algumas lágrimas escorressem no rosto de Amanda, Victória e Elizabeth.

O Dia da Vitória

Os dias que se seguiram foram de muita agitação na Bread & Joy. Ao mesmo tempo em que todos seguiam ansiosos pelo rádio os desdobramentos da morte de Hitler e o rápido esfacelamento do pouco que ainda existia de resistência alemã, Elizabeth, Amanda e Victória tratavam de cuidar de Bárbara e Hope, garantindo que ambas recebessem as devidas doses de alimento e descanso.

Peter alternava sua atenção entre três atividades: ajudar no que podia com a recuperação da esposa, adaptar-se ao papel de pai e seguir as notícias no rádio.

Com tantas coisas acontecendo ao seu redor, Frank não teve outro remédio que postergar seus planos de ter duas conversas importantes: uma com Peter, sobre o que fazer com as responsabilidades administrativas da fazenda daquele momento em diante. O irmão havia deixado claro que uma revisão de suas tarefas e responsabilidades se fazia necessário. E outra com Elizabeth, para tentar convencê-la a permanecer com ele na Bread & Joy. Ambas as conversas teriam de esperar alguns dias até que a guerra acabasse e Bárbara estivesse totalmente recuperada.

No dia 8 de maio, Bárbara finalmente amanheceu bem mais disposta, e ao sair da cama logo começou a argumentar em favor de um passeio até a vila.

– Quero ver gente, um pouco de agitação. Depois de uma semana enclausurada no quarto preciso espairecer um pouco.

A mãe, preocupada, imediatamente manifestou-se contrária à ideia, mas deixou de argumentar após escutar a opinião de Elizabeth.

– Uma infecção já teria se apresentado depois de tantos dias. Deixe-a ir. Acho que fará bem a ela.

Amanda consentiu, mas pediu para que Elizabeth a acompanhasse. Como ela também precisava respirar ares diferentes depois de dias cuidando de Bárbara e Hope, concordou de bom grado.

Saíram então em direção à vila Carl, Bárbara, Peter, Victória e Elizabeth. Amanda ficou cuidando de Hope e Frank continuou com sua rotina no escritório.

Quando lá chegaram, notaram que algo estranho estava se acontecendo, pois todos pareciam estar dentro dos estabelecimentos comerciais ou em suas casas. Poucas pessoas caminhavam pelas ruas.

Desceram do carro e resolveram entrar no armazém principal, pois iam aproveitar para comprar alguns mantimentos. Quando lá entraram, puderam entender o que se passava. Várias pessoas se acotovelavam ao redor do rádio. Estavam anunciando algo importante e todos haviam parado para escutar. Eles juntaram-se aos demais justo a tempo de escutar as últimas palavras ditas pelo radialista: "Está confirmado. A Alemanha acaba de se render de forma incondicional. Repetimos. De forma incondicional. A guerra na Europa acabou. Repetimos, a guerra acabou."

Este anúncio foi logo seguindo por gritos de comemoração e alívio. Muitos choravam de alegria, outros de ansiedade, pois mal podiam esperar para ver seus filhos, sobrinhos, netos, irmãos, amigos retornando para casa.

Em poucos segundos a rua estava repleta de pessoas que se abraçavam e celebravam a vitória após quase seis anos de luta.

Carl empurrou a cadeira de Peter para fora do armazém para que ele melhor pudesse testemunhar as comemorações pelas ruas.

Bárbara parecia ser uma das mais agitadas e comemorava a

notícia efusivamente. A cada um que abraçava dizia: "Meu bebê vai viver anos de paz. Graças a Deus."

A agitação pareceu ser demais após dias de cama e de repente ela se sentiu um pouco zonza e suas pernas fraquejaram. Amparada por Elizabeth, ela voltou até a porta do armazém onde rapidamente lhe deram um copo de água. Elizabeth tratou logo de tranquilizar a todos: "Foi apenas uma ligeira queda de pressão. Você não queria um pouco de agitação Bárbara? Parece que conseguiu um pouco mais de sua conta".

Todos riram e decidiram de forma unânime que era melhor regressarem para a fazenda, já que as comemorações inviabilizariam qualquer possibilidade de um passeio tranquilo.

Carl teve alguma dificuldade para dirigir pelas ruas repletas de gente e de outros carros que buzinavam freneticamente, mas após alguns minutos conseguiu chegar até a estrada.

Quando finalmente chegaram à Bread & Joy, logo se deram conta de que a notícia do fim da guerra havia sido ouvida também por ali, pois entraram justo quando Amanda cuidadosamente bailava uma valsa que ela mesma cantava pela sala com Hope em seus braços, enquanto era assistida por Frank que se divertia com a cena. Todos então se juntaram na sala de estar, abriram uma garrafa de champanhe e brindaram com entusiasmo o começo dos novos tempos.

Provando que já havia superado o vício, Peter se portou muito bem, controlando suas ações e tomando apenas um pequeno gole da saborosa bebida.

Frank e Elizabeth participaram das comemorações com os demais, mas sempre que se entreolhavam, havia algo de preocupação em seus olhos.

Quando todos estavam já um pouco mais calmos, Frank disse ao ouvido de Elizabeth: "Tenho algo para você".

Trazendo-a para a biblioteca, ele levou a mão ao bolso e tirou de lá uma carta com um envelope lacrado que vinha endereçada a Elizabeth. Era da Cruz Vermelha. Ele então comentou:

— Eles realmente não perderam tempo.

Ela olhou a carta com certo pesar e respondeu:

— Eu já esperava. Eles precisam de mim com urgência, pois não contam com muitos voluntários nesse momento em função da guerra. Creio que assim que souberam da morte de Hitler, se anteciparam.

Elizabeth sentou-se, abriu o envelope e passou a ler a carta em silêncio. Quando terminou, dobrou a carta, colocou-a de volta no envelope e com os olhos voltados para o chão, comunicou a Frank o seu conteúdo: "Estão me mandando de volta para a África, só que desta vez para outro lado. Vou para a África do Sul. O navio parte de Liverpool para a Cidade do Cabo no dia 12 de maio, no começo da tarde. Tenho que estar lá um dia antes para retirar as passagens; devo partir em três dias, Frank".

O silêncio tomou conta da biblioteca por algum tempo, até que Frank o quebrou:

— Quero muito que fique aqui comigo. Mas não me sinto no direito de pedir isso a você.

Elizabeth levantou-se, olhou-o nos olhos e respondeu:

— Quero muito que venha comigo. Mas não me sinto no direito de pedir isso a você.

Os dois então se abraçaram e se beijaram longamente. Quando terminaram o beijo, ainda abraçados, Frank sussurrou:

— Por favor, fique.

Ao que Elizabeth respondeu:

— Por favor, venha.

A Hora das Decisões

No dia seguinte ao recebimento da carta da Cruz Vermelha, Elizabeth comunicou a todos que partiria em dois dias para sua nova missão, o que gerou uma grande consternação, especialmente em Peter, Bárbara e Amanda que eram muito gratos por ela ter feito o parto de Hope e por ter cuidado de ambas, mãe e filha, durante os dias que se seguiram. Ela preferiu não comentar o fato de que tinha uma passagem extra para Frank, para não causar qualquer tipo de influência na decisão que ele pudesse vir a tomar.

Começou então a arrumar as malas para a viagem, na esperança de ver algum movimento em Frank que sugerisse um indício de que ele iria com ela. Mas frustrou-se quando viu que isso não aconteceu.

Frank, por sua vez, buscou não se mover, tentando demonstrar que sua decisão era de ficar na Bread & Joy, na esperança de que Elizabeth pudesse mudar de ideia.

Frank ficou lendo até mais tarde naquela noite, buscando distrair-se da angústia que pouco a pouco ia crescendo em seu peito. Quando finalmente decidiu retirar-se para tentar descansar, encontrou Elizabeth já em sono profundo.

No canto do quarto estavam suas malas, que aparentavam estar quase prontas. A porta entreaberta do armário revelava apenas duas mudas de roupa penduradas, uma para o dia seguinte e outra para o dia 11 quando ela partiria.

Deitou-se com cuidado para não despertá-la e ao fechar os olhos pensou: "Ela realmente está decidida a partir. Se você pretende fazer alguma coisa a respeito, Frank Farrow, tem que ser amanhã. Esta será sua última chance".

Frank despertou no dia seguinte às seis da manhã como de costume, para fazer sua meditação e orações, mas ao olhar para o lado surpreendeu-se ao ver que Elizabeth já não estava mais na cama. Olhou para o canto do quarto e não viu mais as malas. Sentiu então um arrepio subir pelas costas até à nuca. Voltou-se então para o armário e viu as portas fechadas. Levantou-se e, ao abri-lo, viu que as duas mudas de roupa também já não estavam mais lá. Em desespero, gritou: "Nãããããão!"

Saiu correndo na esperança de que ainda pudesse encontrá-la, mas quando chegou ao lado de fora da casa já não achou mais ninguém. O sol ia pouco a pouco nascendo no horizonte e tudo que Frank conseguiu ver foram as marcas de pneu da caminhonete na estrada de terra, certamente deixadas por Carl há algumas poucas horas.

Consternado, ele voltou para dentro de casa e quando passava pela sala em direção ao seu quarto, viu uma carta sobre a mesa. Não pôde conter-se e disse em voz alta: "Elizabeth, de novo não. Por favor".

Ficou parado olhando para o envelope, tomando coragem para ir até ele e abri-lo. Quando finalmente o fez, a carta simplesmente confirmou suas suspeitas, pois dizia:

Meu amado Frank,

Como você já sabe por experiência, não tenho a mínima tolerância para despedidas e achei por bem ir-me um dia antes. Seria penoso demais dizer adeus não só a você, mas a todos os que me acolheram durante os últimos dois meses. Deixarei com Carl outra carta de agradecimento a Peter, Amanda e suas filhas.

Creio que você tem razões de sobra para seguir seu curso atual. Nunca o vi tão feliz e realizado, assim que não posso tirá-lo deste momento grandioso de sua vida. Quero ver você prosperando e crescendo cada vez mais.

Perdoe-me, mas neste momento de minha vida não me vejo fixando-me em uma fazenda para sempre. Quem sabe um dia, quando esteja um pouco mais vivida eu venha a reconsiderar essa possibilidade. Mas agora carrego forte em meu peito a sensação de que ainda tenho muito que ver e viver. Também preciso sentir que estou fazendo alguma diferença neste mundo cheio de injustiças e sofrimento. Por isso necessito tomar esse navio e seguir o meu caminho.

Assim sendo, tomei a iniciativa de pedir a Carl que me levasse para a estação de madrugada para que pudesse tomar o primeiro trem para Lincoln, que sai às seis e meia da manhã. De Lincoln, seguirei para Liverpool e hoje mesmo estarei lá. Pedi segredo a Carl, que me atendeu, sendo o cavalheiro que é. Não o repreenda por isso, por favor.

Amanhã buscarei as passagens e comunicarei a sua desistência. Sua passagem será devolvida sem perdas, por isso não se preocupe.

Quando eu chegar ao meu destino, escreverei outra vez. Como já disse, não sou de despedidas, assim que não vejo isso como um adeus. É apenas um "até breve". Estou segura de que nossos caminhos ainda se cruzarão novamente um dia.

Fique com Deus e, por favor, cuide-se bem.

De quem te ama muito a ponto de não querer atrapalhar sua vida,

Elizabeth

Ao terminar de ler a carta, Frank olhou para o relógio de parede e viu que este marcava seis e dez. Até que Carl retornasse, já seria tarde demais para que ele chegasse à estação a tempo de alcançá-la. Mas ainda que o tempo fosse suficiente, o que faria? Pediria para que ela ficasse? Ela havia sido muito clara em sua carta.

Resignado e convencido de que Elizabeth mais uma vez havia feito a coisa certa, pôs-se a questionar-se se ele havia tomado a melhor decisão.

Dias de Sofrimento

Frank passou momentos de muita dor e sofrimento naquele dez de maio. Todos tentaram consolá-lo, mas seus esforços foram em vão. Até mesmo o velho e bom Carl pediu-lhe desculpas, dizendo que não imaginava que Elizabeth se ia de forma definitiva. Achou que era apenas uma curta viagem. Frank obviamente o perdoou de imediato.

No final do dia ele saiu para uma caminhada e passou pelos pontos onde antes havia encontrado Benedict, na vã esperança de achar alguém que o confortasse. Ao não encontrar o que buscava, pensou "Sim, Benedict, eu sei, já tenho meu sábio ancião, mas no momento sinto tanta dor que o que busco agora é um pouco de conforto, não conselhos".

Voltou para a fazenda e, ao chegar ao seu quarto, sua dor foi ficando ainda maior. Dois meses haviam sido suficientes para acostumar-se com a presença de Elizabeth. Seu cheiro estava por toda parte. Porém, mais que tudo, Frank sentia falta de sua energia, de sua vibração positiva e a deliciosa sensação de que tinha alguém mais a quem se dedicar e buscar impressionar. Ter a Elizabeth como sua principal audiência tinha um poder motivador incrível. Naqueles dois meses ele havia feito tudo com o maior entusiasmo. Trabalho, leituras, exercícios, orações, tudo parecia ter um sabor a mais, pois tinha alguém a quem amava observando-o.

Percebeu então que uma velha conhecida veio lhe fazer uma visita. A vontade de beber. Sentiu um incrível impulso de ir até a casa grande e invadir a despensa em busca de um vinho ou uísque que pudesse lhe servir de anestésico para tamanha dor; percebeu, então, que até aquele momento não havia passado ainda por um verdadeiro teste para a sua vida sem vícios. Ali estava o momento da verdade. Seria forte o suficiente para superar aquela dor sem o subterfúgio da bebida?

Pôs-se então de joelhos e começou a orar, pedindo ajuda para que reunisse forças e tivesse a serenidade para superar aquele momento.

Após aquela oração, pôs-se a buscar no baú de Benedict algo que pudesse lhe aliviar.

Ele checou os livros e manuscritos um a um, e deu-se conta de que já havia lido todos pelo menos uma vez e nenhum serviria de atenuante para aquele momento.

Despertou no dia seguinte cercado de livros e pedaços de papel espalhados pelo quarto e com uma sensação terrível de que havia dormido menos do que necessitava.

O dia onze arrastou-se. Os minutos pareciam horas e as horas pareciam dias. Nada parecia interessante. Tudo lhe custava a ser feito. Seu poder de concentração estava próximo de zero.

Todos notaram seu estado de ânimo e decidiram deixá-lo sozinho em seu canto por um tempo. Naquele momento, nada poderia ajudá-lo. Acreditavam que passados alguns dias ele voltaria ao seu normal.

Ao recolher-se já bastante tarde para o seu quarto naquela noite, Frank deu-se conta de que faltavam poucas horas para que Elizabeth partisse e não tinha a menor ideia de quando a veria novamente. Uma infinidade de perguntas começou a passar por sua cabeça. E se ela resolvesse que depois da África do Sul viria a Austrália ou a Nova Zelândia, ou a Índia? E se suas missões se sucedessem uma após a outra e ela nunca mais voltasse? E se ela encontrasse outra pessoa em suas missões?

Não podia suportar a dor que certas respostas lhe causavam e mais uma vez se questionou se havia tomado a decisão correta.

Concluiu então que havia chegado a hora de buscar aconselhamento. Faria um esforço supremo e apesar de toda a turbulência emocional que sentia naquele momento, tentaria uma conversa com seu sábio ancião.

O Equilíbrio entre o Pão e a Alegria

Antes de invocar o sábio ancião, Frank percebeu que precisava tentar serenar seus ânimos. Sentou-se em sua poltrona favorita, cruzou as pernas e repousou as mãos sobre os joelhos. Começou então a relaxar cada membro de seu corpo e, uma vez conseguido isso, passou a tentar controlar seus pensamentos e emoções.

Depois de longos minutos de luta, sentia-se um pouco mais sereno e passou então a imaginar sua versão mais velha e mais sábia à sua frente. Logo o velho Frank imaginário apareceu com sua usual feição calma e sorridente, e olhando-o com ternura e compaixão, deu início ao diálogo:

— Olá, meu jovem. Sinto seu coração aflito. Como posso ajudá-lo?

Frank pensou por um momento e respondeu:

— Tomei uma decisão, mas agora tenho dúvidas. Não sei se fiz a coisa certa.

— Hum, entendo. Por que não me diz o que você vê de bom e de ruim em sua decisão?

— Bem, de ruim é fácil dizer. Sinto que estou prestes a perder de forma definitiva a mulher que amo. Creio que ela é a mulher de minha vida. Mas para estar com ela, necessitaria abrir mão de tudo que conquistei até aqui e ir para terras distantes que não conheço, sem saber o que faria de minha vida. Hoje tenho meu trabalho, recuperei minha autoestima, sinto-me equilibrado, deixei de beber, ajudo pessoas. O que vejo de bom em minha decisão é que manterei tudo isso.

– Muito bem, Frank. Entendo seu momento de dúvida. Falemos sobre as coisas que disse ter hoje e que você aparentemente está relutante em deixar. Falemos sobre seu trabalho. Como você o conquistou?

– Bem, meu irmão Peter me convidou para trabalhar com ele e me ensinou tudo que sei. Quando ele deixou de exercer suas funções por causa da bebida e da depressão que vivia, eu acabei ocupando temporariamente o seu lugar e hoje cuido de tudo.

– Entendo. Você usou a palavra temporariamente. Pode me explicar isso?

– É que estou ocupando a vaga de gerente da fazenda até que...

Frank permaneceu em silêncio por alguns segundos como se tivesse chegado à primeira conclusão importante daquela conversa. O velho Frank então perguntou:

– Até que?

– Até que ele se sinta melhor e em condições de ocupar outra vez sua posição. E acredito que isso já aconteceu há algum tempo.

– É mesmo? E por que você acha que esta transição ainda não ocorreu?

Mais uma vez houve um breve momento de silêncio até que Frank respondeu:

– Porque eu não permiti. Não lhe dei espaço. Ele já tentou falar a respeito, mas não lhe dei ouvidos.

– Coloque-se no lugar dele por um breve momento. Ele tem agora uma família para cuidar e quer ser um bom exemplo para a filha, não é verdade? Como você acha que ele se sente sobre isso, Frank?

– Péssimo. Seguramente isso o está incomodando bastante.

– Poderíamos concluir que esse estado de coisas terá que mudar mais cedo ou mais tarde?

Frank abaixou a cabeça e consentiu.

– Sim. Em breve ele reocupará sua posição e voltarei a ser apenas seu ajudante.

– Outra pergunta sobre o seu trabalho. As coisas que você aprendeu neste trabalho, só se aplicam aqui?

– De forma alguma. Aprendi como comprar e vender, como planejar e cuidar das finanças, como conseguir transporte e armazenamento para a safra, a liderar pessoas, enfim, coisas que certamente poderei usar em qualquer lugar.

– Ah, então poderíamos concluir que seus novos conhecimentos não são somente aplicáveis à fazenda, são transferíveis. Isso nos será muito útil. Mas mudemos de assunto. Falemos sobre o seu trabalho de ajuda no grupo da igreja. Ele busca ajudar a que tipo de pessoas?

– Aos que retornam da guerra e a suas famílias. Ajudamos também a aqueles que perderam pessoas queridas na guerra.

– Muito bem. Certamente um trabalho admirável e é compreensível que você sinta tanto orgulho dele. Com o final da guerra, como você crê que ficará este trabalho?

Essa pergunta foi seguida por outro momento de reflexão. Mais uma vez o sábio ancião o fazia notar que uma de suas prazerosas ocupações provavelmente teria vida curta.

O sábio ancião permitiu que o silêncio tivesse sua vez, até que Frank respondeu:

– Não sei dizer, na verdade. Provavelmente prosseguirá por um tempo, mas terá que se adaptar a um mundo sem guerra, talvez buscando outros objetivos.

– Claro que sim. O que esse grupo faz sempre terá sua necessidade. E o que você aprendeu a fazer lá também pode ser aplicado em outros lugares, com gente buscando outro tipo de apoio, não é verdade?

Frank então perguntou:

– Onde você está querendo chegar?

O velho Frank sorriu e o ajudou nas conclusões.

– Frank, lembre-se de que sou você já bem mais velho, com pouco tempo de vida e por isso tenho a habilidade de olhar em retrospectiva e ver as decisões que me fizeram feliz e aquelas das quais me arrependi. Estando nessa posição, quando olho para trás, vejo esta época de minha juventude como fundamental em minha vida, pois aprendi coisas que posso aplicar em qualquer lugar. Deixei de ser um menino e me transformei num homem cheio de talentos que me servirão em qualquer situação. Quando olho para este momento de forma isolada entendo como natural que você esteja encantado com ele, pois realmente viveu uma reviravolta inebriante. Porém, também vejo que está cometendo o erro de se apaixonar por esta situação temporária e de se apegar a ela. Os momentos passam como este também passará. Está chegando a hora de se desapegar e começar a olhar para o futuro. Sua vida está mudando Frank e você não controla isso. Apegar-se a esta situação momentânea só vai te trazer frustrações e maior sofrimento. O mais importante é que você aprendeu diferentes maneiras de conquistar o pão de cada dia e isso lhe será útil para o resto da vida.

As observações feitas pelo sábio ancião trouxeram longos minutos de silêncio e reflexão. O fato de ele poder ver as coisas com olhos de quem já tem muita idade e pouco tempo de vida pela frente o permitiam colocar as coisas em uma perspectiva totalmente diferente e sua lógica era inquestionável. Quer Frank gostasse ou não, sua vida estava mudando e seria muito melhor que ele fosse parte da mudança e não reagisse negativamente a ela.

– Está bem, creio que entendi a mensagem.

– Que bom Frank. Isso nos dá espaço então para falar da parte ruim de sua decisão. A possível perda da pessoa que você acredita ser a mulher de sua vida. Porém, em vez de falar da pessoa em questão, falemos da sensação de perda que está sentindo. Você parecia estar feliz e realizado até a chegada de Elizabeth. Mas agora que ela se foi você já não parece tão feliz. O que foi que mudou? Afinal de contas, o que foi que você perdeu?

A pergunta do velho Frank o fez pensar. Realmente, a situação era exatamente a mesma de dois meses atrás, quando Elizabeth ainda não tinha voltado, mas agora trabalhar já não era tão divertido, ajudar as pessoas no grupo da igreja havia perdido um pouco da cor. O que havia mudado? Pouco a pouco, Frank elaborou sua resposta.

– Creio que antes, tudo era novidade e cada atividade fazia parte de um processo de reconstrução de mim mesmo. Mas minha rotina era árida, sem alegria. A chegada de Elizabeth parece ter preenchido um vazio que nem eu sabia que existia. Acho que tudo que faço me traz muita realização, mas creio que me faltava algo. Com Elizabeth aqui tudo ganhou mais cor. Tudo ficou mais divertido.

– Ah, interessante. Como se chama mesmo esta fazenda?

– Bread & Joy. Pão e Alegria.

– E por que mesmo ela tem esse nome?

– Porque os donos acreditavam que deveríamos ter os dois ao mesmo tempo.

– Exatamente. Poderíamos resumir dizendo que você aprendeu a conquistar o pão, mas não tinha alegria de viver?

– Sim, acho que você tem razão. Com Elizabeth aqui, creio que tive os dois e senti uma plenitude que jamais senti em minha vida.

– Frank, permita-me, então, te dizer o seguinte. Como você sabe, sou bem idoso e não tenho muito mais tempo. Quando olho para trás e vejo minha vida após a partida de Elizabeth, vejo muito trabalho, equilíbrio, dedicação em ajudar outras pessoas. Nunca mais bebi e pude me desenvolver espiritualmente. Mas apesar de tudo isso, eu vivi uma vida com pouco riso, com pouca cor, com pouca emoção. Não sinto essa plenitude que senti nestes dois meses que acabam de ser vivenciados. Sou um velho realizado, pois vivi uma vida de propósitos, mas me faltou algo Frank. Conquistei o pão de cada dia, mas me faltou a alegria de viver. E me arrependo amargamente de jamais ter feito o esforço necessário para ficar com Elizabeth onde quer que seja, pois o local pouco importa. Morrerei em breve, mas jamais me perdoei por isso. Sinto-me muito arrependido. Em resumo Frank, o pão você poderá reencontrar em qualquer lugar, pois desenvolveu talentos para isso, mas a diversão, a alegria, a plenitude de se estar com quem se ama não se encontra tão facilmente.

Mais um longo momento de silêncio e reflexão se seguiu. Frank começava a chegar a algumas conclusões, mas ao considerar algumas alternativas ele sentiu que lhe faltavam forças para mudanças mais radicais.

– Entendo o que você diz. Mas me sinto tão seguro aqui. Não sei se teria a coragem de Elizabeth de partir para terras distantes que nem sei como seriam e o que iria encontrar. Tenho medo. Muito medo.

O velho Frank balançou a cabeça afirmativamente, demonstrando que o entendia perfeitamente:

– Eu sei. E é esse medo que pode te paralisar e te fazer perder Elizabeth. Pode te fazer perder a alegria. O problema não é o medo Frank, mas se deixar vencer por ele. Sentir medo é normal, até saudável às vezes. É um instinto natural de autopreservação que pode nos salvar de muitos problemas e aborrecimentos. Mas pode também nos gerar paralisia e com isso arruinar nossa felicidade. A coragem não é a ausência de medo, Frank. É a força de vencê-lo. E para isso muitas vezes precisamos ser um pouco mais aventureiros. Mas não sou eu quem pode te ajudar com isso.

– Não? E quem é então?

– Onde está sua criança interna, Frank?

Frank então se lembrou do diálogo que teve com Benedict antes de partir para o exército. Ele havia aprendido naquela conversa que jamais deveria permitir que sua criança interna desaparecesse. Que sempre deveria cultivar e alimentar essa criança, pois muitas vezes ela nos carregaria através de momentos mais difíceis da vida e nos ajudaria a aventurar-nos em outros. E ele a havia esquecido completamente. O velho Frank então concluiu:

– Sem ela você jamais correrá riscos e nunca irá se aventurar. Quando olho para trás e vejo minha vida sem riscos e aventura, sinto que perdi muitas oportunidades e vivi uma vida um tanto tediosa. Uma vida útil e produtiva, mas sem nenhuma aventura e alegria. Resgate essa criança Frank, e vença seus medos antes que seja tarde.

Essas últimas palavras do sábio ancião pareceram ter tido um poder transformador sobre Frank. Ele então saiu do transe, abriu os olhos e terminou de imediato o diálogo imaginário que travava com seu eu mais sábio. Já havia ouvido o suficiente.

Antes que tomasse qualquer decisão, lembrou-se das palavras da carta de Elizabeth: "Comunicarei sua desistência. Sua passagem será devolvida".

Mesmo entendendo que já não poderia embarcar, entendia também que não podia deixar as coisas como estavam. Precisava buscar uma última oportunidade de falar com Elizabeth e tentar convencê-la a não ir embora. O que fariam depois, isso pouco importava no momento. Precisava tentar recuperar sua alegria de viver junto dela, fosse como fosse.

Olhou para o relógio e viu que já se passava das duas da manhã. Precisava fazer algo para mudar o seu destino e tinha que ser rápido. Restavam-lhe poucas horas.

A Corrida Contra o Relógio

Frank calculou que se o navio de Elizabeth fosse partir ao redor das duas da tarde, ela estaria embarcando em torno do meio-dia. Ele teria, assim, aproximadamente dez horas para chegar ao porto de Liverpool e encontrá-la. Como ele a convenceria a ficar, ainda não sabia muito bem, mas isso pouco importava naquele momento. O mais importante era encontrar uma maneira de chegar até ela a tempo.

Concluiu que o trem não serviria como solução. Seriam muitas paradas e até chegar ao porto, já seria tarde demais. A única alternativa que lhe restava era a caminhonete. Falou então consigo mesmo: "Sinto muito Amanda. Momentos de desespero pedem ações desesperadas. Vou emprestar sua caminhonete e logo a devolvo".

Pensou em deixar um bilhete para Peter, mas concluiu que não havia tempo. Achou as chaves da caminhonete e saiu porta afora. Quando ligou o motor se deu conta de duas coisas que fariam sua viagem bastante difícil, senão impossível. Primeiramente, como motorista inexperiente que era, não tinha a menor ideia de como chegar a Liverpool. E segundo, a caminhonete quase não tinha combustível. Um nome e uma esperança lhe vieram à mente e fizeram palpitar-lhe o coração: Carl.

Saiu em disparada em direção à vila. Acordaria Carl e lhe pediria ajuda. Ele entenderia. Quando chegou à casa de Carl, bateu na janela até que o velhinho acordasse. Ele abriu a porta assustado e foi logo dizendo:

— O que houve Frank, está tudo bem?

— Carl, preciso de sua ajuda. Preciso de gasolina e de algumas instruções.

— Frank, para que você precisa de gasolina numa hora destas? São três da manhã.

— Vou para Liverpool. Agora.

Carl olhou para Frank e logo entendeu o que estava se passando. Atônito, reagiu:

— Você é louco.

Frank permaneceu calado, olhando para Carl. Seus olhos demonstravam desespero e comunicavam claramente que ele era sua única esperança. Resignado, percebendo que pouco poderia fazer para convencê-lo a mudar de ideia, apontou para a parte de trás da casa e disse:

— Venha. Tenho galões de gasolina nos fundos, mas precisarei de sua ajuda para carregá-los.

Frank carregou os galões até a caminhonete. Usou um deles para encher o tanque e colocou o outro na traseira, para usá-lo mais tarde durante a viagem. Distraído com sua tarefa, perdeu Carl de vista por um momento. Quando terminou, virou-se em direção à porta da casa e deu de cara com ele, já de roupa trocada, vindo em sua direção. Surpreso, perguntou:

— Onde é que você vai?

— Você não tem experiência para dirigir pelas estradas até Liverpool, meu rapaz. Ainda me sinto um pouco responsável por ter ajudado Elizabeth a ir embora. Essa é minha chance de me redimir. Eu te levo até lá.

Frank sentiu-se tão aliviado com a proposta de Carl que o abraçou e agradeceu efusivamente.

Saíram então em direção a Liverpool. Carl estimava que com um pouco de sorte, poucas paradas e nenhum sobressalto, chegariam ao destino por volta das dez da manhã, o que pelos cálculos de Frank lhe daria mais ou menos duas horas para encontrar Elizabeth e convencê-la a mudar seus planos.

Porém, acabaram parando algumas vezes para descansar e comer; tiveram um pneu furado, e no final das contas, a viagem acabou demorando mais do que o esperado. Só conseguiram chegar ao porto por volta das onze horas. Seu tempo ia ficando cada vez mais curto.

Quando lá chegaram, ficaram surpresos com as dimensões daquele lugar. Dezenas de edifícios antigos, alguns datando do século dezoito, se alastravam por quilômetros e eram entrecortados por uma infinidade de ruas de todo tipo de largura e extensão que davam acesso às diferentes docas. A pouca distância dali podia-se avistar o rio Mersey, que mais adiante dava acesso ao mar.

Devido ao tamanho do porto, Frank ainda tomou algum tempo para se localizar e descobrir qual era o navio que iria para a Cidade do Cabo e em que doca ele estava. Para o seu desespero, descobriu às onze e vinte que a embarcação que sairia para aquele destino estava agendada para partir à uma e meia da tarde. Se Elizabeth fosse embarcar duas horas antes da partida, já deveria estar na doca. Restava-lhe muito pouco tempo, talvez dez ou quinze minutos; mas para sua sorte, a doca que buscava não estava muito longe dali.

Saiu, então, em disparada, correndo pelas galerias, desviando-se de viajantes, marinheiros e vendedores ambulantes até que as onze e trinta e cinco chegou à doca que buscava.

Quando virou a esquina e entrou doca adentro viu que não havia tantos passageiros esperando para embarcar. Aparentemente a Cidade do Cabo não era um destino tão popular. Algumas pessoas já faziam fila e mostravam sua passagem para um marinheiro que as verificava e devolvia a parte da passagem com a informação das cabines, e depois lhes dava permissão para que caminhassem por uma passarela que lhes dava acesso à embarcação. "Será que ela já embarcou?", pensou.

Olhou para o navio imenso e percebeu, para o seu desespero, que se por um acaso ela já estivesse lá dentro, não mais seria possível localizá-la. Passou então a concentrar-se na doca, buscando rosto a rosto, na esperança de encontrar a quem procurava.

De repente, no outro lado da aglomeração de passageiros e de pessoas que ali estavam para fazer suas despedidas, seus olhos se cruzaram com olhos conhecidos, que aparentemente já lhe observavam há algum tempo. Havia um sorriso terno e feliz no rosto de Elizabeth.

Frank sentiu o familiar frio na região da barriga e uma onda de alívio mesclado com alegria lhe correu o corpo.

Começou a caminhar em sua direção, agora já mais lentamente, fazendo com dificuldade o seu caminho entre as pessoas que ali se encontravam, até chegar frente a frente com ela. Depois de passarem alguns segundos se olhando, abraçaram-se longamente.

Diferente de dois anos atrás, desta vez ele havia conseguido alcançá-la. Mas poucos segundos depois, ainda envolto naquele adorável abraço, pensou: "E agora?".

Após alguns segundos abraçados, Elizabeth se afastou, segurou as mãos de Frank e olhando em seus olhos disse:

— Eu nunca perdi a esperança de que você viesse. Eu ia ser a última pessoa a entrar neste navio.

— E eu por um momento achei que havia chegado tarde demais.

— Não desta vez.

Frank então buscou as melhores palavras possíveis para dar o próximo passo. Tomou alguns segundos até que finalmente pudesse articular o que queria dizer.

— Elizabeth, eu sei que já não tenho mais a minha passagem e que você está decidida a entrar neste navio. Sei também que eu havia dito que não me sentia no direito de pedir para que ficasse, mas os dias que se seguiram à sua partida foram muito difíceis. Perdi completamente a alegria de viver e cheguei à conclusão de que a vida sem você não será a mesma coisa. Preciso de você para me sentir pleno. Assim que não me resta alternativa que não seja a de te pedir que, por favor, fique.

As feições de Elizabeth mudaram de imediato, passando da alegria e ternura, para a tristeza e frustração. Ela soltou as mãos de Frank, olhou ao seu redor buscando algo que não encontrou e então disse:

– Agora entendo porque você não trouxe qualquer bagagem. Você não veio para ir comigo, você veio para me buscar. Veio me pedir para ficar.

Decepcionada, Elizabeth manteve os olhos fixos nos olhos de Frank, e colocando a mão no bolso de dentro do casaco, puxou algo que entregou imediatamente a ele.

– Eu acabei de dizer que ainda tinha esperança que você viesse. Que te esperaria até ser a última pessoa a subir neste navio. Disse isso porque jamais comuniquei sua desistência. Jamais cancelei sua passagem, Frank.

Frank ficou surpreso e paralisado ao ver a passagem em suas mãos. Boquiaberto e sem saber como reagir, olhou para Elizabeth e disse:

– Sinto muito. Eu não imaginava que você iria mantê-la. Não sei o que dizer.

Elizabeth aproximou-se dele, deu-lhe um beijo no rosto e disse:

– Frank. Você sabe que não sou de desistir das coisas ou de perder as esperanças. Eu sei que disse que não me sentia no direito de pedir que viesse. Mas meus dias sem você também não foram nada fáceis. Também senti muito a sua falta. Assim que também quero te pedir, por favor, venha.

Frank estava totalmente surpreso e desorientado, e permaneceu ali paralisado, sem saber o que fazer. Não havia se preparado para isso. Sua ideia era convencê-la a ficar. Era de voltar com ela para a Bread & Joy e depois decidirem juntos o que fazer, que rumo tomar.

Percebendo sua hesitação, ela então se abaixou, pegou suas malas, caminhou alguns passos em direção ao navio até voltar-se uma vez mais para ele e dizer:

– Vejo você lá dentro.

Um Sinal

Frank permaneceu ali perplexo e como se estivesse imobilizado, assistiu Elizabeth entregar sua passagem ao marinheiro e caminhar pela passarela até entrar no navio, sem dar sequer uma olhadela para trás.

Ali estava ele, em uma doca qualquer do porto de Liverpool, frente a frente com a decisão que havia evitado tomar três dias atrás. A vida lhe oferecia uma segunda chance e não pôde deixar de pensar que as decisões que evitamos tomar, mais cedo ou mais tarde nos fazem uma nova visita.

Enquanto olhava a movimentação de pessoas ao seu redor, Frank deu-se conta de que já não havia fila para a entrada e que eram poucas as pessoas que ainda se ocupavam das despedidas. Provavelmente em breve, retirariam a passarela de acesso para que finalizassem os procedimentos de partida.

Ponderando sobre a ideia de entrar ou não no navio, mais uma vez o medo se apoderou dele. Pensou na Bread & Joy e na vida tranquila que tinha ali. Pensou também nas pessoas que ajudava na igreja, na sua rotina de meditações, orações, leituras. Teria que abrir mão de uma vida que lhe parecia tão estável e segura.

Por mais que quisesse viver ao lado de Elizabeth, não conseguia mover-se em direção àquela passarela, que apesar de ser uma pequena ponte de tão poucos metros, ao mesmo tempo representava uma reviravolta radical em sua vida. Cruzar aquela curta distância significava que sua vida jamais seria a mesma.

Guardou a passagem no bolso interno do paletó e passou a andar lentamente pela doca, buscando a coragem que lhe faltava. Olhou de novo para o navio na esperança de encontrar Elizabeth e implorar a ela uma última vez que ficasse, mas não a encontrou.

Quando chegou à esquina da rua que dava acesso à doca, viu que Carl estava sentado na sarjeta próximo a um beco, a poucos metros dali. Caminhou lentamente até ele e sentou-se ao seu lado. Carl então bateu em seu ombro e buscou consolá-lo:

— Não conseguiu convencê-la, hein? Sinto muito, Frank. Talvez não fosse mesmo para acontecer. Pelo menos você poderá dizer para si mesmo que tentou.

Frank então tirou a passagem do bolso e a mostrou para Carl.

— Veja isso, Carl. Ela ainda guardava minha passagem e pediu para que eu fosse com ela. Mas por mais que eu queira, não posso. Estou em pânico. Não encontro a coragem necessária para romper com minhas amarras. Simplesmente não consigo. O medo que sinto de deixar para trás tudo que conquistei é forte demais. Gostaria muito de poder vencê-lo, mas não posso. Queria tanto estar seguro de que não arruinarei a minha vida se eu subir naquele navio. Queria tanto que Deus me enviasse um sinal.

De repente escutaram um som diferente que lhes chamou a atenção. Uma canção conhecida era assobiada entusiasticamente por alguém. Buscaram encontrar de onde vinha tal som e viram que ali, do outro lado da rua estreita que dava acesso à doca, um velho senhor que usava boina e roupas remendadas varria o chão, ao mesmo tempo em que assobiava e vez por outra parava para reger uma orquestra imaginaria. Ele estava de costas para eles e aparentemente entretido em cumprir com sua tarefa, não se deu conta de que era observado.

Carl sorriu com a cena que presenciava e disse em voz alta para que o velho pudesse ouvi-lo:

— Eu amo esta canção, meu senhor. E aparentemente ela lhe traz muito boas vibrações.

O velho parou com seu assobio, mas continuou varrendo a rua e ainda de costas, respondeu:

— Sim, é a nona sinfonia de Beethoven. O quarto movimento.

O velho continuou fazendo seu trabalho e foi dobrando a esquina beco adentro, mas antes de ir-se, voltou-se levemente e de lado para os dois, finalizou:

— Ela me faz sentir como uma criança. Também é conhecida como Ode à Alegria.

Virou-se e seguiu seu caminho, desaparecendo da vista dos dois. Eles ficaram em silêncio por alguns segundos até que Carl disse:

— Meu Deus! Como esse velho se parecia com...

Os dois falaram ao mesmo tempo:

— Benedict!!!

Frank levantou-se de um salto e correu para a esquina atrás do velho. Carl em função da idade não teve a mesma agilidade, mas veio logo atrás. Porém, quando ali chegaram, deram de cara com um beco vazio e várias portas fechadas por onde o velho poderia ter entrado. Carl, então, observou:

— Com cabelo cortado e sem barbas, mas eu poderia jurar que era ele. Agora jamais saberemos.

Frank parou por um instante e ponderou:

— Sentir-se como uma criança... ode à alegria... meu Deus, o que estou fazendo?

Seu rosto estava iluminado e uma onda de bravura lhe inundou o peito. Ele agora sabia o que devia fazer, só esperava que já não fosse tarde demais. Vencendo seus medos, voltou-se para Carl e apressado lhe pediu:

— Carl, diga a Peter que lhe escreverei explicando tudo assim que possível, está bem?

Frank abraçou Carl, agradeceu-lhe por tudo e saiu em disparada.

Quando virou a esquina um arrepio lhe correu a espinha, pois se deu conta de que já estavam retirando a passarela. Tirou a passagem do bolso e passou a correr desesperadamente gritando:

– Esperem, esperem, tem mais um passageiro.

Porém, os trabalhadores do porto que executavam sua tarefa fizeram um sinal de que já era tarde. Já não o deixariam embarcar.

Ignorando-os totalmente, Frank fez um movimento lateral de dar inveja a qualquer jogador de rúgbi e, passando entre dois homens que tentavam detê-lo, entrou pela passarela que já tinha suas amarras quase todas soltas. No meio do caminho percebeu que ainda tinha a passagem em sua mão. Deu meia-volta e, ainda correndo, entregou-a para um dos homens que ali estavam. Ele estava boquiaberto com a determinação de Frank em entrar no navio e não teve qualquer reação. Frank colocou as mãos nos ombros do homem e disse radiante de felicidade:

– Eu vou para a África, meu caro amigo. Finalmente eu vou para a África.

Virou-se e correu para dentro do navio, desaparecendo de vista.

Agora só lhe faltava encontrar Elizabeth.

Parte 5

Caminhos que se Unem

Carta para Peter

Alguns dias após a partida de Frank, uma carta chegou à Bread & Joy. Ela trazia carimbo de Lisboa, com data de 14 de maio. Era endereçada a Peter, mas não trazia remetente.

Ao abri-la, Peter viu que era de Frank e dizia:

Querido irmão,

Confesso que não sei exatamente como começar esta carta. Explicar a você como tomei a decisão que tomei levaria muito tempo e seria incrivelmente complicado. Assim sendo, deixarei isso para outra oportunidade. A verdade é que nem eu sabia que tomaria este navio.

Antes de tudo, quero que saiba que estou bem. Ainda me situando com a nova direção que minha vida está tomando, mas bem.

Aproveito nossa última parada em um porto Europeu antes de partir em direção à África para enviar-lhe esta mensagem. Espero que ela não se demore a chegar, pois imagino que deve estar ávido por notícias minhas.

Começarei por dizer que lhe serei eternamente grato por tudo que fez por mim e por ter me ajudado a reconstruir minha vida. Graças a você aprendi um ofício e hoje posso trabalhar e ganhar o pão de cada dia em qualquer lugar. Sei que eu tinha bom alimento, cuidados e conforto na fazenda, mas isso é apenas metade daquilo que busco para minha vida e seguramente poderei reconquistá-los. Parto porque necessito ainda conquistar a outra metade, que é a minha alegria de viver e isso eu só poderei conseguir ao lado da mulher que amo.

A verdade é que já estava mais que na hora de você reassumir suas funções de administrador da Bread & Joy, trabalho que você realiza como ninguém. Hoje você tem sua família, está bem e deve reocupar o lugar que sempre foi seu. Estou seguro que com o fim da guerra muitos jovens retornarão para casa e logo estarão em busca de trabalho. Você não terá dificuldades em contratar alguém para ajudá-lo.

Gostaria de tomar esta oportunidade e pedir-lhe alguns pequenos favores.

Primeiramente, em sua próxima reunião no grupo de apoio, quero que diga a todos que sou eternamente grato por ter feito parte desse trabalho e que graças a ele cresci, amadureci e me fortaleci muito. Hoje me sinto preparado para ajudar pessoas que estejam passando por momentos de dificuldade ou sofrimento e certamente seguirei exercendo esta função, onde quer que eu esteja.

Quero te pedir outra coisa bastante importante. No meu quarto você deve ter encontrado um velho baú. Trata-se do baú de nosso avô Benedict. A história de como ele chegou a mim é complicada demais para explicar aqui e também ficará para outro momento. Prometo que um dia contarei tudo em detalhes, ao lado de uma lareira. O importante neste momento é o que está dentro dele. Lá você encontrará livros oriundos das mais diversas partes do globo, sobre as mais variadas culturas, filosofias, religiões e histórias de vida. Hoje, olhando para trás e pondo as coisas em perspectiva, creio que o velho Benedict sempre soube que um dia eu sairia vagando pelo mundo afora e estava me preparando para isso todo esse tempo. Você encontrará também diversos manuscritos de Benedict que muito me ajudaram no processo de reconstrução de minha vida. Por isso, quero deixar-lhe uma espécie de "dever de casa" para que você complemente o seu processo de recuperação. Quero que leia o máximo que puder do conteúdo desse baú. E quero que dê especial atenção a um manuscrito que contém quinze pensamentos que você deverá ler todos os dias. Benedict me deu tal lista de presente de aniversário, na véspera de minha partida para o exército e ela muito me ajudou. Hoje eu já a tenho em minha memória, por isso não se preocupe em mandá-la de volta para mim. Agora ela é sua. Leia três frases por dia e procure praticar seus ensinamentos. Estou seguro de que lhe fará muito bem. Também encontrará ali a Bíblia que foi de nossa mãe e minhas economias. Guarde-as para mim, pois um dia volto para buscá-las.

Finalmente, quero fazer-lhe um último pedido. Quero que busque reencontrar-se espiritualmente. Sei que você ainda guarda ressentimentos pelo que se passou, por estar em uma cadeira de rodas e acredita que Deus não seja exatamente o seu melhor amigo. Mas se pensarmos bem, "Ele" orquestrou as coisas de tal forma para que hoje você tenha um trabalho digno e a alegria de uma bela família. "Ele" te deu pão e alegria, especialmente agora com a chegada da pequena Hope. Seja sempre grato por isso. Procure enxergar os caminhos tortuosos que "Ele" usa para que encontremos nosso destino. Estou vivendo isso neste exato momento, colocando minha vida com toda minha fé nas mãos "Dele".

E quando voltar a rezar, pois se seguir minhas sugestões estou seguro de que voltará, lembre-se desse seu querido "irmãozinho", que resolveu abraçar o desconhecido e sair pelo mundo em busca do inesperado.

Por favor, agradeça também a Amanda, Victória e Bárbara por terem me acolhido por todo esse tempo. Elas jamais serão esquecidas. E claro, mande um fraterno abraço ao velho Carl. Se não fosse por ele, eu não estaria aqui.

Escreverei novamente quando chegar ao meu destino, em algum lugar do interior da África.

Fique com Deus e até um dia.

Do irmão que te ama,

Frank

Abraçando o Desconhecido

A última coisa que Frank pôde ver ao olhar para trás enquanto entrava pelo navio foi a passarela que acabara de cruzar sendo retirada pelos trabalhadores do porto.

Um pensamento assustador cruzou sua mente naquele momento. "Pronto, agora já é tarde de mais para mudar de ideia. Não há mais volta."

Com o coração ainda batendo forte e a adrenalina pulsando em suas veias, parou por um momento para respirar e pensar no que faria dali em diante. Por um momento sentiu uma forte dor no estômago. O peso da decisão que havia tomado o deixava um pouco tonto e com a boca seca. Havia tomado um navio que ia para um lugar distante que não conhecia e só tinha trazido consigo as roupas do corpo.

Sentou-se na primeira cadeira que viu e procurou recompor-se. Agora não era o momento para fraquejar. Mesmo porque, de nada mais adiantaria. A decisão já havia sido tomada e precisava abraçá-la com toda sua alma.

Aos poucos foi acalmando-se e passou a lembrar-se da conversa da noite anterior com o seu sábio ancião. Tudo ficaria bem na fazenda. As coisas seguiriam acontecendo normalmente no grupo de apoio da igreja. A vida seguiria seu curso e tudo se ajustaria.

Ele certamente encontraria uma nova função, um novo trabalho e o mais importante, estaria com Elizabeth. Mas além de tudo isso, havia algo de novo em sua vida que lhe dava uma tremenda excitação. O desconhecido. E sua criança interna se inebriava com isso.

Uma vez recuperado o fôlego e com os pensamentos e emoções já mais ordenados, fechou os olhos por um instante e fez uma pequena prece, pedindo proteção divina para seus próximos passos e para que ele pudesse, junto de Elizabeth, começar uma nova vida e encontrar a plenitude. Foi então que abruptamente voltou para a realidade daquele momento. Ainda tinha algo muito importante a fazer. Para que sua nova vida pudesse começar, precisava encontrar Elizabeth.

Naquele momento se deu conta de que, ao entrar de forma tão atabalhoada no navio, não havia pedido de volta o canhoto da passagem com o número de sua cabine. Teria de vasculhar os quatro cantos do navio para encontrá-la.

Passou a andar pela embarcação e a visitar todos os compartimentos, restaurantes e corredores que davam acesso às cabines. Procurou-a por mais de uma hora sem encontrar sinal dela.

De repente, sentiu um movimento e deu-se conta de que o navio estava partindo. Quem sabe ela estaria na parte de cima, apreciando a saída?

Subiu então ao convés e mais uma vez, não a encontrou. Parou por um instante e observou as pessoas à sua volta acenando para outras que pouco a pouco iam ficando cada vez menores na doca do porto. Liverpool ia lentamente ficando para trás, encolhendo-se no horizonte. Frank acenou também, dizendo seu "até um dia" para a Inglaterra, para Londres e para a Bread & Joy.

Pensou então, em como essa transição lhe era difícil, de como se enraizava e se prendia ao passado e de como estava aprendendo a ser diferente com Elizabeth, que estava sempre olhando adiante, em direção ao futuro. Foi neste momento que lhe veio de maneira muito clara onde deveria encontrá-la. Já sem pressa, foi fazendo uma lenta caminhada em direção à proa, certo de que ali a encontraria.

Dessa vez ele estava certo. Lá estava ela, apoiada sobre o parapeito do navio olhando para o mar aberto que estava adiante. Enquanto todos se concentravam na lateral e na popa acenando seus adeuses, ela estava ali sozinha, olhando para o que vinha pela frente. E ele a admirava por isso.

Aproximou-se lentamente buscando não fazer ruído algum até chegar a uns três metros de distância, e ali parou por um instante para admirar suas formas, sua força, sua determinação, e pensou: "Meu Deus, como eu amo esta mulher". Sentia-se feliz por ter tomado a decisão que tomou.

Foi nesse momento que percebeu que Elizabeth tinha um lenço em suas mãos e que discretamente tratava de enxugar algumas lágrimas que escorriam sobre seu rosto. Apesar de estar ali, olhando para o que tinha pela frente, ela também sofria, pois achava que ele a havia abandonado.

Decidiu abreviar aquele sofrimento de imediato. Caminhou em direção a ela e disse:

– Você por um acaso não teria roupas de homem na sua mala, teria?

Ela virou-se surpresa e gritou:

– Fraaaank! Você veio!

Ela avançou em sua direção e o abraçou com força.

Após alguns segundos abraçados, ela se afastou e olhou-o nos olhos. Suas lágrimas ainda escorriam, porém agora já não havia dor, mas sim alívio e felicidade em seu rosto.

– Por que demorou tanto? Achei que tivesse desistido.

– E quase desisti. Entrei em pânico quando você colocou a passagem em minhas mãos. Eu realmente não esperava por isso e não sabia o que fazer. Mas creio que um velho amigo encontrou sua maneira peculiar de me ajudar a tomar uma decisão. Outra hora eu te conto, pois agora quero apreciar este momento. Estou muito feliz de estar aqui.

Beijaram-se longamente e Elizabeth então o puxou pela mão para a ponta onde podiam apreciar a vista à sua frente. As ondas iam sendo quebradas uma a uma pelo navio, que já ia a plena velocidade.

Ali estava ele, o desconhecido, bem na frente deles, encarando-os face a face, olho no olho.

Frank respirou profundamente e aliviado, mais uma vez abraçou Elizabeth ternamente. Fechou, então, os olhos e sentiu a plenitude que tanto buscava. Com a brisa do mar em seu rosto e abraçado à mulher que amava, experimentou de forma intensa aquela energia inebriante.

Nesse exato momento, Frank teve a sensação de que estavam sendo observados e ainda com os olhos cerrados pôde sentir a presença de seu sábio ancião e de sua criança interna, abraçados um ao outro a poucos metros dali, olhando e apreciando aquela bela cena.

O sábio ancião então olhou para o pequeno Frank e disse:

– Que venha o inesperado.

Ao que a criança Frank respondeu de maneira entusiasta:

– Siiiiim!!!

Em pensamento, Frank sorriu para eles e respondeu: "Sim, meus queridos. E vocês vêm comigo nessa jornada. Desconhecido, aqui vamos nós!"

A Lista de Benedict

Pratique Três Destes Pensamentos por Dia

1) A cada dia estou me tornando um ser humano melhor e mais forte. Superarei um a um os obstáculos que a vida vier a colocar em meu caminho. Persistirei e vencerei.

2) Converterei os erros ou falhas cometidos por mim em aprendizado, não em culpa.

3) Usarei todas as oportunidades que a vida me der para ajudar outras pessoas. Tratarei os outros como eu gostaria de ser tratado, mesmo que eu não o seja.

4) Buscarei sempre aprender algo novo. Tenho diversas qualidades e fortalezas, mas muitas delas ainda estão por serem descobertas.

5) Colocarei foco e energia nas coisas que posso controlar e nas mãos de Deus, com toda minha fé, as coisas que não posso. Ele saberá o que fazer.

6) Exercitarei sempre o perdão para com aqueles que me fazem mal. Farei do perdão um ato de amor para com aquele que me magoar e para comigo mesmo.

7) Farei o melhor possível de meu momento presente, pois ele é tudo que tenho. Farei de meu passado um aprendizado e de meu futuro um infinito de possibilidades.

8) Construirei eu mesmo um mundo melhor, sendo o agente

das mudanças que quero nele.

9) Para entender meu próximo, colocar-me-ei em seu lugar e sentirei suas dores e alegrias.

10) Tudo o que é bom ou ruim um dia passará. Tirarei o melhor de cada experiência e seguirei em frente. O que não me mata me fortalece.

11) Criarei meus próprios pensamentos positivos. Uma atitude positiva começa dentro de mim e não depende do que está ao meu redor.

12) Amar ao próximo é uma questão de opção e de atitude, não de sentimentos. Escolherei amar e o farei através de minhas ações, todos os dias.

13) Medos e limitações são em geral frutos da imaginação. Não são fatos, são crenças. Não permitirei que estas crenças me limitem. Buscarei ser tudo o que posso ser.

14) Meu futuro é uma página em branco e a caneta está em minhas mãos. Escreverei o que eu quiser e eu quero para mim a mais bela história que eu possa criar.

15) Agradecerei a Deus todos os dias por tudo o que tenho e por tudo que não tenho; afinal de contas, ele sabe melhor que ninguém do que realmente preciso em minha vida neste momento.